Léonard Gianadda
la Sculpture
et la Fondation

Avec le soutien de la

Fondation Pierre Gianadda
Martigny Suisse

Léonard Gianadda la Sculpture et la Fondation

Sous la direction de Daniel Marchesseau,
Conservateur général du Patrimoine

Avec la collaboration d'Anne-Laure Blanc

Dans le cadre du trentième anniversaire de la Fondation Pierre Gianadda, voici venu le temps des bilans. Après la récente publication du **Musée de l'Automobile**, le présent ouvrage fait le point sur **La Sculpture et la Fondation**. J'ai aussi demandé à François Wiblé, archéologue cantonal du Valais, d'établir la somme des connaissances du passé archéologique de Martigny, et tout prochainement paraîtra **Martigny-la-Romaine**.

Léonard Gianadda

Se promener dans le parc, admirer la nature et les sculptures, un vrai bonheur toujours renouvelé ....

— Annette

Pierre Gianadda,
peu avant
son accident
en 1976.

Introduction

Le 24 juillet 1976, mon frère Pierre est victime d'un terrible accident d'avion, à Bari, en Italie. En voulant porter secours à ses camarades, Pierre est atrocement brûlé et, malgré tous les soins prodigués, il décède quelques jours plus tard, le 31 juillet, à l'Hôpital de Zurich où nous l'avions fait transporter d'urgence.
Mon frère n'avait pas 38 ans. J'étais très proche de lui et sa mort m'a bouleversé. Pour perpétuer son souvenir, j'ai décidé de créer la Fondation Pierre Gianadda.

Léonard Gianadda

Ces quelques phrases figurent dans la dédicace de la Fondation, créée en novembre 1978, à la mémoire de mon frère. Elles résument les raisons qui m'ont incité à réaliser, à Martigny, un centre d'animation culturelle et un Musée gallo-romain qui connaît bientôt diverses extensions, notamment la création d'un Musée de l'Automobile et l'aménagement d'un Parc de Sculptures.

Ingénieur de profession, ma formation ne semblait pas me prédisposer à une telle orientation; pourtant, j'avais obtenu une maturité classique au Collège de Saint-Maurice et, depuis mon enfance, j'étais intéressé par la musique et les arts.

En 1973, j'avais en projet de construire, sur l'emplacement actuel de la Fondation, un immeuble-tour de soixante-douze appartements. Cette zone, proche de l'amphithéâtre du Vivier actuellement restauré, est riche en vestiges de l'époque gallo-romaine. En effet, dès les premiers

Léonard et Pierre Gianadda à Cyrène, en Libye, en 1960.

sondages effectués par les services archéologiques cantonaux, ce site se révèle d'une importance peu ordinaire. Les fouilles entreprises ne tardent pas à mettre au jour un temple antique, datant vraisemblablement de plusieurs décennies avant la conquête du Valais par les Romains.

Cette découverte remet évidemment en cause tous les projets de construction établis, non par l'effet d'une législation contraignante, puisqu'on m'accorde l'auto-risation de construire, mais par l'intérêt archéologique que représente, à mes yeux, ce sanctuaire indigène, le plus ancien jamais découvert en Suisse.

C'est à cette époque que mon frère, au retour d'une expédition faite avec des amis en Egypte, est victime d'un accident d'avion, qui coûte également la vie à deux de ses camarades. Cet événement tragique me marque profondément, motivant ma décision de créer une Fondation en souvenir des liens qui nous unissaient.

Martigny, le château de la Bâtiaz et la plaine du Rhône.

Le 24 février 1977, l'acte de constitution de la Fondation est signé, à Martigny, en présence des autorités cantonales et communales. Les statuts précisent ses buts:

a) Perpétuer le souvenir de Pierre Gianadda.

b) Assurer la conservation et la mise en valeur des vestiges du temple gallo-romain découvert en 1976 à Martigny.

c) Offrir les espaces nécessaires à la présentation d'objets archéologiques découverts à Martigny afin de constituer le Musée gallo-romain.

d) Utiliser à des fins culturelles les biens de la Fondation.

e) Contribuer d'une façon générale à l'essor culturel et touristique de Martigny.

J'offre les terrains nécessaires et assume la totalité des frais de construction du bâtiment. Dès septembre 1977, les fouilles terminées, commencent les travaux de construction de la Fondation Pierre Gianadda, qui ouvre ses portes le 19 novembre 1978, le jour même où mon frère aurait fêté ses 40 ans...

L.G.

La genèse

Pourquoi avoir créé un Parc de Sculptures?

On m'a souvent demandé en quoi consistait la collection de peinture de la Fondation Pierre Gianadda. La réponse est simple: nous n'avons pas de collection, ou plutôt pratiquement pas, et cela pour deux bonnes raisons.

Tout d'abord, je n'aurais pas souhaité *condamner* les lieux avec une exposition permanente, ce qui eût été contraire à mon concept originel de créer un musée vivant, où il se passe quelque chose. Or, seules des expositions temporaires permettent d'atteindre ce but. Pour la visite des collections permanentes, on attend l'hypothétique passage de l'oncle d'Amérique. En revanche, les expositions temporaires créent l'événement, attirent, renouvellent et élargissent le public. Ainsi avons-nous accueilli près de huit millions de visiteurs en trente ans, soit une moyenne de quelque sept cents

visiteurs par jour, chaque jour pendant trois décennies, dans une petite ville qui ne comptait alors que onze mille habitants.

La seconde raison tient tout simplement au fait que je n'avais pas les moyens de constituer une collection de peinture, ce qui n'a pas facilité l'organisation d'expositions, puisque nous n'avons pratiquement rien à proposer pour des échanges, souvent la règle aujourd'hui. De ce fait, la Fondation est réduite au rôle de perpétuelle emprunteuse, dans l'incapacité de renvoyer l'ascenseur. Il convient cependant de nuancer ce propos, puisqu'il nous est arrivé, assez régulièrement, d'acquérir des œuvres d'artistes que nous allions exposer… ce qui faisait toujours un collectionneur de moins à convaincre! Ainsi, un choix au premier abord fort disparate comprend aujourd'hui des œuvres d'une certaine importance de Picasso, Goya, Manguin, Rodin, Cathelin, Klee, Chaissac, Giacometti, Schiele, Klimt,

Lautrec, Delvaux, Bissier, Erni, Moore, Soutter, Modigliani, Claudel, Chagall, Hodler, Szafran… acquisitions qui jalonnent chronologiquement nos expositions et constituent le fil rouge qui donne une certaine cohérence à la collection.

Mais revenons à nos moutons.

A l'origine, n'ayant donc pas les moyens d'envisager une collection de peinture, j'ai songé à la sculpture qui m'a toujours intéressé par son volume, son occupation de l'espace, la volupté du toucher ou la multitude des facettes d'une œuvre qui apparaissent à chaque déplacement du regard.

S'il est évident que l'on ne constitue pas une collection avec dix peintures, il n'en est pas de même avec dix sculptures, qui forment déjà un ensemble intéressant.

En 1976, lorsque j'ai créé la Fondation, le terrain légué comportait quelque sept mille mètres carrés de vergers. A cette époque, la plupart des musées de Suisse et d'ailleurs se trouvaient au cœur des cités, entre quatre rues, sans espaces verts, par conséquent sans la possibilité de présenter des œuvres en plein air. Il m'a semblé intéressant de tirer parti de notre spécificité en aménageant un parc de sculptures à l'emplacement des vergers… Ainsi, au fil des ans, la collection a pris forme, s'est agrandie, les espaces concernés par la Fondation également. J'ai transformé les lieux, donnant mes instructions par talkie-walkie depuis la corniche de Chemin-Dessous, surplombant de trois cents mètres Martigny, telle une maquette vue d'en haut. De ce belvédère, j'ai modelé le terrain, tracé les allées, dessiné les cheminements, les pièces d'eau, les vallonnements… en suivant les conseils de mon ami Bernard Cathelin, dont j'admirais le magnifique parc des Robatières dans son domaine près de Valence, qui me disait: «Plante les grandes essences en bordure de propriété, elles effacent les limites du terrain et donnent des envolées intéressantes, avec des impressions de grandes étendues.»

Bien évidemment, nous avons d'abord acquis des pièces selon notre programme d'expositions: Picasso, Rodin, Giacometti, Erni, Moore, Claudel, Dubuffet, Degas, Miró… Il est vrai aussi que j'ai parfois programmé des expositions

en fonction d'œuvres acquises à une époque où les prix étaient relativement abordables. Peu à peu, le puzzle s'est constitué, jusqu'au jour où j'ai remarqué, presque par hasard, que l'ensemble formait bel et bien un véritable parcours de la sculpture du XXe siècle et qu'un esprit ludique avait présidé au choix des œuvres. Les plantations et les essences avaient remplacé les abricotiers, pris leur essor, permettant, chemin faisant, la découverte fortuite de sculptures parfois dissimulées qu'il fallait trouver comme dans un jeu pascal: la *Fontaine* de Pol Bury, le *Grand Guerrier* d'Antoine Bourdelle…

Cette épopée a également suscité des vocations de la part de généreux donateurs qui ont souhaité participer à l'aventure de la Fondation. Je pense bien sûr à la *Fontaine Erni*, à *La Cour Chagall*, au *Pavillon Szafran*, des cadeaux exceptionnels.

Aujourd'hui, lorsqu'on me demande ce qui, à mes yeux, est important à la Fondation, sans hésiter je réponds: «C'est du Parc de Sculptures que je suis le plus fier.»

Léonard Gianadda
Président de la
Fondation Pierre Gianadda
Membre de l'Institut

Le Jardin des Hespérides

par Jean Clair

Il m'avait fallu, à 17 ou 18 ans – en 1958, c'était une nouveauté –, «aller au Nord» pour découvrir ce qu'était un parc de sculptures: ce fut à Anvers, au Middelheim. Au Plat Pays, les sculptures s'élevaient toutes droites, parmi les troncs tout aussi droits des arbres: c'étaient des êtres confrontés à des essences. Ces êtres, qu'on disait éternels comme l'art est supposé l'être, avaient pourtant la propriété paradoxale de se reproduire à l'identique dans un temps limité, comme l'indiquait le tirage sur la base: «3 sur 5», «4 sur 5»... Les essences, elles, dont l'existence était limitée, chênes, bouleaux, hêtres et saules, grandissaient et se modifiaient. La sculpture était un volume immobile et invariable, découpé dans l'air, dont l'existence mystérieuse participait plus de la vie pesante et obscure des pierres ou des métaux fondus que de la croissance des plantes.

La sculpture en effet était monochrome, blanche, noire ou grise, même quand elle affichait des couleurs, chez Calder par exemple. C'était peu quand on la comparait à l'extrême variété colorée des arbres: le bouleau blanc, le sapin bleu, l'érable argenté, le laurier-cerise, le hêtre pourpre. Même des essences semblables présentaient des dégradés étonnants de douceur et de subtilité. Et quand le vent agitait leurs feuillages, c'étaient d'immenses lavis, déclinés du vert tendre au vert bouteille, aux effets feuilletés d'argent, comme des écailles de poissons frétillant hors de l'eau, qui venaient d'un coup recouvrir le ciel. Face à ces féeries, les sculptures semblaient mortes: des pierres tombales, fichées dans le sol, rappelant qu'un jour nous avions, dans un autre monde, participé de la vie aérienne et colorée des arbres.

Pourtant, on peut toujours disposer une sculpture à côté d'un arbre. Une sculpture est un monument, c'est-à-dire, étymologiquement, *moneo, monere*, un souvenir: ce dont on se souvient, ce que l'on se rappelle. Elle est la porte d'entrée à un temps autre, plus supportable et plus tendre. Comme, par affinité dans le monde des vivants, un saule pleureur qui, non seulement apaise l'âme, par la sympathie qu'il manifeste dans son allure pour ceux qui ont souffert, mais encore, *Salix alba*

'Tristis', dit son nom en latin, qui pousse la compassion jusqu'à offrir à l'homme la potion panacée, qui sert un peu à tout: l'acide salicylique, qu'on appelle aujourd'hui l'aspirine. Ou le tilleul encore qui, infusé, aide à s'endormir. Ou le paulownia, cher à Jünger, dont la couleur violette des fleurs s'accorde si bien à une certaine tristesse intellectuelle.

Mais à propos de ce dernier arbre, il faut relever des correspondances plus secrètes, plus profondes, plus essentielles. Les cosses du paulownia, une fois les fleurs fanées, sont des merveilles de construction architectonique, de petites coques symétriques dont les enfants font de frêles esquifs qui descendent les ruisseaux, et qui ont donné aux architectes l'idée de construire les voiles de béton précontraint, par exemple. Ou les cosses ailées des platanes, comme des ailes de libellule, qui tombent en tournoyant pour emporter les graines des floraisons futures, et qui sont des merveilles de l'aérodynamique. Et qui a jamais remarqué avec quelle grâce la feuille du tilleul s'articule à la tige et supporte la petite boule odoriférante, grêle et asymétrique, avec une invention que tenteront de retrouver l'Art nouveau, Lalique et Emile Gallé?

Germinations, torsions, enveloppements et développements, symétries et invaginations, toute une topologie superbe et compliquée, multipliant rubans de Möbius et bouteilles de Klein, s'offre au regard. Qui niera qu'une certaine sculpture, de Max Bill à Antoine Poncet, d'Alicia Penalba, avec ses grandes cactées de bronze, à Max Ernst, avec ses volumes étranglés, s'est inspirée de ces corps mathématiques?

Il fallait, pour les apparier, un homme comme Léonard Gianadda, qui fut d'abord architecte, connaisseur des lois qui régissent la pesanteur et la croissance des édifices, pour les retrouver dans le monde végétal et dans celui des sculptures.

Mais autre chose encore est de confronter la sculpture à une montagne, de l'affronter à des massifs puissants

et déchiquetés, à ses aiguilles, à ses éclats et sa placidité, de l'opposer à ses vertiges. Elevé dans les Grisons, Giacometti a écrit des pages magnifiques sur cette école pour jeune sculpteur que sont les rochers et les précipices, les monts et les merveilles. Autre chose encore est de la confronter à des ruines qui sont par exemple celles d'une ancienne cité romaine. Des pierres là encore, du minéral, mais qui plonge dans l'abîme des siècles. A Martigny, l'impression est sans égale de voir des sculptures qui poussent dans l'air étincelant et raréfié des monts, alors qu'elles ont été plantées dans l'épaisseur de l'histoire. Il fallait pour résister à cette double présence, à ce formidable vortex du temps et de l'espace, réunir des œuvres d'art considérables. Elles y sont.

Il y a une écologie des sculptures comme il en est des animaux et des végétaux. Une espèce mal choisie et c'est le jardin entier qui va dépérir de la proximité de cette intruse, qui va jeter une ombre ou gâter le sol. Il y fallait un choix très sûr, éloigné des académies et des esthétiques, ignorant des querelles et des enjeux de l'art pour distinguer d'instinct que telle œuvre se sentirait bien de se trouver non seulement entre ciel et terre, entre les sommets des espaces et les ruines du temps, mais bien aussi de participer de la vie animale, de la proximité des canards et des saint-bernard, par exemple: le zoo, au sens premier du mot, *zôê*, la vie, a toujours fait partie des jardins de simples et de fleurs, déjà plantés de sculptures, dont s'entouraient les princes.

J'imagine alors assez bien le maître de ces lieux, un bon géant, comme dans la statuaire antique, haut comme le Moschophore, ou bien encore pareil au Bon Berger qu'on voit sur les mosaïques des premiers temps chrétiens porter sur ses épaules la brebis sculptée par les Lalanne, ou bien encore, imposant comme l'Héraclès de Bourdelle, bander son arc pour transpercer la pomme d'or du Jardin des Hespérides, devenue pour l'occasion *La Pomme de Guillaume Tell*, de sorte à établir la franchise de ce royaume enclos.

J.C.

La sculpture internationale du XXᵉ siècle en Occident: un parcours d'excellence

par Daniel Marchesseau

Avant-propos

La création de la Fondation Pierre Gianadda procéda d'un concours de circonstances difficile et douloureux. Léonard Gianadda acquiert en 1976 un ensemble de parcelles pour y implanter un immeuble. La mise au jour d'un temple dédié au culte de Mercure et la mort tragique de son frère Pierre, le 31 juillet, décident le bâtisseur à conserver ces vestiges historiques. En sa mémoire, il édifie selon ses plans le bâtiment monolithe pour y abriter un centre culturel autour du Musée gallo-romain. L'ingénieur ébauche alors à grands traits les contours d'un premier jardin. La Fondation ouvre le 19 novembre 1978. Aujourd'hui, cet ensemble arboré est devenu un véritable havre de paix au cœur de la cité. Cet enclos, à l'origine une suite de vergers d'abricotiers d'un hectare environ, entouré d'immeubles et de pavillons, a trouvé au fil des années une identité urbaine et paysagère propre, remarquable en Suisse romande et, plus largement, en Europe.

La visite des jardins offre aujourd'hui un ample parcours-découverte combinant les vestiges des thermes romains – *frigidarium, caldarium* – et le mur d'enceinte du *temenos*, avec quelque quarante sculptures qui dressent un panorama unique en Suisse de l'art statuaire occidental du XXᵉ siècle. Au fil du temps, le parc a été agrandi, un étang mis en eau, alimenté aujourd'hui par la *Fontaine* de Pol Bury, l'ancien arsenal militaire annexé puis rénové en 1996. *La Cour Chagall* a été offerte par Georges Kostelitz, *La Fontaine Ondine* devant la Fondation, par Hans Erni (2003), et les deux céramiques monumentales du *Pavillon Szafran*, par Anne La Barre et Jacques Jottrand (2005-2006). La volonté ludique qui a présidé à cette réunion d'œuvres participe pleinement d'une fonction éducative et sociale tout aussi fructueuse qu'artistique.

La collection de sculptures, selon une présentation dessinée non sans empirisme dans un milieu naturel captif, s'est enracinée autour de certaines clés ouvrant sur l'art moderne. Un continuum sinueux conduit le promeneur parmi les artistes majeurs du XXᵉ siècle, avec un accent particulier mis sur les années 1960-1990. Non exhaustif, perfectible certes, il dresse néanmoins un ample panorama de la sculpture moderne. Puissante, à l'image de son fondateur, la sélection, très personnelle, a été effectuée dans le souci constant d'y goûter un moment de plaisir.

Parmi les plus emblématiques et les plus spectaculaires des sculptures acquises par la Fondation, l'une des premières aussi, le *Grand Coq IV* de Constantin Brâncuși, planté en signal dans la pelouse centrale, est un symbole. Puissante et dynamique, la flèche au double profil aérien cranté réfléchit la lumière sur l'acier poli. Elle affirme le parti pris résolument dynamique de l'institution, non sans évoquer le voyage initiatique de l'artiste roumain lorsque, en 1904, venant à pied de sa Roumanie natale jusqu'à Paris, il découvrait dans la vallée du Rhône, près de Martigny, à Vernayaz, la haute cascade de la Pissevache. Brâncuși est le voyant solitaire et inspiré de l'abstraction.

Les bronzes autrement figuratifs signés Rodin, Renoir, Bourdelle et Maillol représentent avec force les figures tutélaires de la ronde-bosse française du début du siècle avant la révolution formelle. *Le Baiser* de Rodin accueille le visiteur en haut des marches de la Fondation, *La Méditation* et *Cybèle*, dans le parc.

La *Grande Laveuse accroupie* de Renoir/Guino, située très opportunément près d'un bassin, est le plus important bronze du père de l'impressionnisme. Il provient du Norton Simon Museum de Pasadena (Californie), un autre exemplaire en Suisse orne le jardin du Museum Oskar Reinhart am Stadtgarten à Winterthur.

Emile-Antoine Bourdelle, le maître d'Alberto Giacometti à l'Académie de la Grande Chaumière à Montparnasse, a naturellement trouvé sa place avec le puissant *Grand Guerrier de Montauban*, œuvre essentielle de jeunesse dont on connaît d'autres épreuves au Hirshhorn Museum and Sculpture Garden de Washington, D.C., au Musée Bourdelle à Paris et dans le jardin d'Egreville (Seine-et-Marne). Quant à la gracieuse *Marie* d'Aristide Maillol, elle domine la terrasse à l'égal de ses sœurs du Jardin des Tuileries et du Musée Maillol, où, combinée avec deux variantes selon d'autres poses arrêtées, elle participe à la ronde trinitaire des *Trois Nymphes*.

Henri Laurens est l'un des sculpteurs les plus intimistes des années vingt et trente. Sa *Grande Maternité*, traitée avec la rigueur du cubisme en trois dimensions et une grande économie de moyens, appartient au cycle de l'éternel féminin, tel qu'il l'a rénové depuis ses terres cuites. Elle figure parmi ses premières expériences monumentales en ronde-bosse, après la *Grande Femme debout à la draperie* (1928) commandée par Charles et Marie-Laure de Noailles pour leur villa d'Hyères dessinée par le jeune et brillant architecte Robert Mallet-Stevens (1925).

L'évolution de la tradition figurative est bien représentée par deux artistes ayant trouvé asile en Suisse durant la guerre: Germaine Richier, dont *La Vierge folle* fut exécutée à Zurich (1946), et son camarade Marino Marini, avec le *Danseur* (1954), modelé peu après sa rencontre avec Igor Stravinski (1950) et son Grand Prix de sculpture à la Biennale de Venise (1952). Ce dernier a d'ailleurs réalisé après la guerre de singuliers portraits de Germaine Richier et de Jean Arp, leur aîné, dont on peut admirer la *Colonne à éléments interchangeables* en ciment (1955), placée devant un mur de bambous d'Asie, et la glorieuse mandorle laïque *Roue Oriflamme* en acier inox (1962). La puissance ramassée en avant du *Danseur* de Marini évoque son goût depuis l'adolescence pour le monde du cirque et du théâtre, sa fascination pour les saltimbanques, la joie et la mélancolie, la vie et la mort, exprimées au cinéma par Fellini la même année (1954) dans *La Strada*. Inspiré de l'art étrusque, le personnage prend la lumière comme le cavalier «Ange de la ville» de la Fondazione Peggy Guggenheim à Venise. Il répond à la moue émaciée en tension de *La Vierge folle* de Germaine Richier, judicieusement installée en regard, se détachant verticalement sur le plan d'eau.

En contraste, Max Bill, figure centrale des arts plastiques en Suisse, impose *Surface triangulaire dans l'espace* (1966), sinueuse volute détourée au ciseau dans une lourde et large souche de granit gris moucheté provenant d'Italie (granit clair de Baveno), de l'ancienne collection Nelson Aldrich Rockefeller. Ce long et large ruban en boucle, motif récurrent dans l'œuvre du maître, saisit par sa minceur inattendue. La sculpture déroute par son envergure en contre-plongée, fichée sur une colonne de pierre pour une meilleure lecture. En équilibre quasi précaire, elle décline une géométrie mentale de la beauté parfaite qu'offre pour un mathématicien le «ruban sans fin» inventé, en 1858, par l'Allemand August Ferdinand Möbius. Surface non orientable, préalablement étudiée au compas et au tire-ligne dans ses composantes orthogonales multiples enserrant un vide tridimensionnel – comme l'indique l'adjectif elliptique et contradictoire «triangulaire» –, elle formule plastiquement la préoccupation centrale du champion de l'art concret. Elaborée d'après des principes mathématiques tangibles, la théorie de l'anneau de Möbius a ouvert, par l'analyse qu'en propose Max Bill dans ses travaux, une perspective neuve et poétique sur l'infini cartésien du calcul mental entre l'alpha et l'oméga de son panthéon plastique.

Le travail exigeant du marbre trouve une nouvelle démonstration de virtuosité par la rencontre entre la sensualité chaude du plein, ici un marbre blanc nacré, et l'extraction sensorielle du vide, lequel résonne en miroir d'ombre et de lumière dans l'épure immaculée en ronde-

bosse, *Translucide*, par Antoine Poncet, également d'origine suisse.

Plusieurs œuvres impressionnent dans le parc par la puissance de leur volume monumental: *Le Grand Double*, bronze tutélaire d'Alicia Penalba, sans conteste son manifeste le plus éclatant, fut longtemps exposé dans le parc du Middelheim, à Anvers. Conçu à l'origine pour soutenir l'échelle d'une piazza minérale américaine (Mortgage Guaranty Insurance Corporation Plaza, Milwaukee), ce totem, fusionnel par l'imbrication unitaire de deux éléments abstraits, scelle le talent de cette femme sculpteur d'origine argentine. Ses racines formelles transparaissent à l'aune du territoire de son enfance, lequel embrassait la majesté de l'*ombú*, arbre préhistorique qui borne sierras et pampas, les hauts sommets andins et les trombes assourdissantes des chutes de l'Iguaçu. Dans les années soixante, son *Grand Dialogue* propose une solution novatrice à la question du courant induit entre deux volumes gémellaires rythmés en diptyque.

L'*Elément d'architecture contorsionniste V* de Jean Dubuffet, souligné verticalement d'arêtes noires tracées sur la paroi blanche en résine granuleuse, appartient, dans ces mêmes années, au cycle graphique et architectonique franchement libertaire de *L'Hourloupe*. Cette lumineuse paroi en falaise joue de creux et de saillies. Elle relève des agrandissements utopiques dont la *Villa Falbala* (Périgny-sur-Yerres, 1974-1985) est l'aboutissement.

A l'inverse, les indolentes et silencieuses arondes qui se balancent en portée musicale colorée sur le mince bras d'acier brossé, posé en suspens du *Stabile-Mobile* noir de Calder, apportent une légèreté bienvenue face aux sommets environnants. Ce stabile est la version préparatoire de celui, prévu à une échelle urbaine gigantesque, 5×1, jamais réalisé pour la Praça dos Três Poderes, à Brasília. Il anticipe par sa séduction chromatique sur la joie bruyante et multicolore des couples de juvéniles et vigoureux *Baigneurs*, tels que les a imaginés Niki de Saint Phalle pour une plage de gazon vert. Ces grands adolescents jouent au ballon, insouciants de la mygale noire qui rampe, prête à piquer.

Cette effervescence vitale renvoie à la figure féminine symbolique du frère de Calder en fantaisie, Joan Miró. Il renouvelle ici sa forme surréaliste avec *Tête*, bronze en forme de stèle zodiacale incisée, fragment libre – image et mirage – de ses anciennes *Constellations*, posé aujourd'hui sur un miroir d'eau. *Le Grand Assistant* de Max Ernst, lutin hybride, cousin de *Loplop*, reçoit le visiteur sur une plate-forme basse, quand son jumeau du Centre Pompidou le défie de toute la hauteur d'une colonne sur laquelle il est juché. Selon qu'il est dirigé dans la mise en scène, cet acteur joue, comme au théâtre, un rôle très différent.

La permanence existentielle de la figure dans le répertoire des formes a suscité toutes les réflexions pour transcrire la volupté partagée ou ressentie. Henry Moore en est, après Rodin, le créateur le plus fécond. «Less is more»: *Large Reclining Figure* dénoue la thématique réduite à l'extrême de ses premières femmes allongées taillées dans le bois (1933), en une variation renaissante dont la sensualité abstraite exalte l'harmonie.

Symbole autrement héroïque par le jeune Ipoustéguy, *La Terre* offre sans pudeur son image altière de la féminité. Cette «femme sans ombres» exhibe fièrement les stigmates de ses blessures.

Glorification autrement incandescente, le *Sein* de César, moulé sur une miss du Crazy Horse à Paris, initie à la volupté éruptive du téton sur le grain vibrant de la peau, hâlée au soleil sous le métal. En contrepoint, le *Pouce* – celui de l'artiste lui-même – est le symbole fort de sa puissance virile – comme il le soulignera dans la *Main* puis le *Poing*, sculpture monumentale de sept tonnes en fonte d'acier inoxydable polie, tenant martialement le mât des couleurs sur la place d'armes du Lycée militaire de Saint-Cyr-Coëtquidan. L'agrandissement d'après nature confère à ces œuvres, d'un réalisme militant chez ce champion du Nouveau Réalisme, une vaillance physique en forme d'autoportrait, que César exposera plus tard avec un narcissisme affranchi dans les variations masquées de son visage de seigneur barbu à échelle 1/1.

Complice et ami de César, qui a partagé son temps entre la France et les Etats-Unis, Arman, dans *Contrepoint pour violoncelles* à l'échelle d'une commande américaine, affirme la sonorité grave des bois amplifiée par l'accumulation en orchestre symphonique. Anticipant sur l'*Hommage à Rostropovitch*, l'œuvre grandit l'instrument et son archet, multiplié, découpé et réassemblé en transparence architectonique.

L'expérience du moulage en relief et de son symétrique, l'empreinte en creux, a connu depuis la Renaissance de multiples fortunes. Depuis les étoffes trempées de cire chaude pour parer d'accessoires les statues votives lors des processions, les moulages *in vivo* par Verrocchio pris sur le corps d'un jeune fantassin, les inclusions de reptiles sur les céramiques de Bernard Palissy, les portraits voilés en trompe-l'œil du virtuose de la taille du marbre à Venise au XVIIIe siècle, Antonio Corradini, jusqu'aux galvanoplasties de feuilles et de fruits de Claude Lalanne, les exemples sont légion.

La gargantuesque *Pomme de Guillaume Tell*, signée de Claude Lalanne, est une démarcation souriante des aventures d'un autre héros, Gulliver – nain – visant la pomme au pays des géants – helvètes. Quant à la petite troupe de moutons en transhumance (*Bélier, brebis et agneaux*) de François-Xavier Lalanne, son mari, c'est davantage à l'univers émerveillé du Petit Prince qu'il se réfère. Au «Dessine-moi un mouton», il a préféré un «Sculpte-moi des moutons».

Reprenant à son compte la tradition du grand cinéma américain sur le Hollywood Walk of Fame – les empreintes de pieds et de mains des plus célèbres acteurs jalonnent par centaines le sol de la cour d'honneur du grandiose Grauman's Chinese Theater à Los Angeles depuis 1927 –, Léonard Gianadda invite depuis dix ans ses amis, artistes et musiciens, à imprimer la paume de leurs mains avec leur signature sur une plaque carrée de plâtre humide pour les couler en bronze. Au nombre de trente-quatre, les plaques brillantes, insérées dans le trottoir de porphyre rougeâtre devant la Fondation, accueillent le visiteur et commémorent le souvenir de quelques chers disparus: Arman, César, Tibor Varga, Henri Cartier-Bresson…

George Segal, nourri de sociologie esthétique dans les années soixante-dix, pousse le procédé du moulage aux limites du regard critique en immobilisant, comme le ferait un médecin, son sujet vêtu de pied en cap dans des bandes plâtrées médicales: *Woman with Sunglasses on Bench*. Il renoue ainsi, peut-être sans le savoir, avec la tradition médiévale, remplaçant la draperie mouillée de cire par son ersatz prophylactique, pour en couvrir un modèle vivant. Le sculpteur invalide la pérennité de l'effigie – ici Barbara Goldfarb, assise naturellement sur un banc de fabrication industrielle – dans le même temps qu'il détourne le médium traditionnel du plâtre à l'atelier en utilisant son produit dérivé stérile d'une salle d'opération chirurgicale. L'identité gommée du modèle dans un anonymat aveugle est soulignée par les lunettes posées avec élégance sur la tête, mais non devant les yeux, et devenues *ipso facto* sans objet autre que celui d'accessoire au quotidien, immortalisé dans l'instant, comme l'ont été les derniers habitants de Pompéi. Le traitement en bandelettes momifie la pièce et détourne la cosmétique de l'apparence d'un corps, figé ensuite en bronze et recouvert d'un blanc céruléen. Le débat libéré durant la période psychédélique et le «Flower Power» cher à la Pop Generation a aujourd'hui encore valeur d'actualité.

Opposés à une esthétique de la représentation – au contraire de George Segal –, Eduardo Chillida et Bernar Venet expriment leur rapport à l'espace par une technique autrement radicale, interprète de concepts analytiques et plastiques divergents, en faisant plier à la forge des barres d'acier au paroxysme de leur ductilité. Au premier reviennent le pliage, la découpe et l'imbri-cation orthogonale en foyer dont témoigne la série monolithe *De Música*, inspirée des paraboles de saint Augustin; au second, la torsion, agnostique par nature, d'un écheveau en spirale, interrompu à l'échelle temps d'une *Indeterminate Line*.

Depuis *La Fontaine de Mercure* présentée dans le Pavillon espagnol républicain à l'Exposition internationale de 1937, certains sculpteurs sont revenus à l'art séculaire du fontainier. En bordure d'étang, au milieu des canards, Pol Bury, selon la poésie du fondateur de la revue *Daily-Bul*, joue de la lenteur des mouvements aléatoires de l'eau, crachée par sept demi-sphères en inox, insérées en miroir sorcière sur une large proue convexe homothétique. En coquilles ocellées, celles-ci réfléchissent au gré de leurs mouvements les rais de lumière filtrant des feuillages alentour, et amplifient les sons cristallins des filets d'eau tombant sur le déversoir. Elles anticipent sur les deux fontaines du Palais-Royal à Paris que Jean Clair décrit comme des «sphères d'acier luisantes, plus lentes que le soleil dans l'étendue cosmique».

Jean-Pierre Raynaud livre, avec sa *Grande Colonne noire* de pots superposés et soclés sur une base couverte de céramique blanche, sa première œuvre monumentale. Cette épure, signée d'un ancien diplômé d'horticulture, sonne comme un hommage aux *Colonnes*

sans fin de Brâncuşi. La participation du socle à l'intégrité de l'œuvre participe de cette même référence, trouvant sa source dans la verticalité – métaphore de la spiritualité – par l'énergie issue de la terre nourricière. Le rythme des pots – objets populaires comme le sont les rhombes repris du patrimoine rural roumain par Brâncuşi – et le socle, tout à la fois support et œuvre à part entière, sonnent comme l'ultime variation du siècle à la mémoire de son prophète illuminé. Comme le précise Mircea Eliade: «L'*axis mundi* connaît de nombreuses variantes: la colonne Irminsul des anciens Germains, les piliers cosmiques des populations nord-asiatiques, la montagne centrale, l'arbre cosmique…» L'œuvre souligne aussi la confluence entre le centre et son entour, en point d'orgue, pourrait-on dire, dans ce vaste espace vert ponctué de noir sur blanc, à l'instar de l'ensemble colossal de Târgu-Jiu de Brâncuşi (avec sa monumentale *Colonne sans fin*, haute de 29 m, 1938). La Fondation abrite dans son parc deux remarquables ensembles décoratifs muraux: *La Cour Chagall* et *Le Pavillon Szafran*. Le premier, en forme de patio ouvert sur le parc, est la représentation idyllique d'un jardin d'Eden, présentée par le maître à son amie Ira Kostelitz, à Paris, et réalisée en mosaïque par Lino et Heidi Melano: voici donc ce *Jardin d'hiver*, fleuri en toutes saisons, animé du chant du phœnix et du paon, devant deux petites fontaines en marbre également de Chagall, *Oiseau* et *Poisson*, qui alimentent le bassin.

Le Pavillon Szafran présente deux larges décorations en céramique, spécialement imaginées pour la Fondation, *L'Escalier* et *Philodendrons*, peintes par Sam Szafran avec la collaboration de Joan Gardy Artigas dans son atelier de Gallifa, près de Barcelone. L'univers habituellement clos du peintre se déploie ici à une échelle insoupçonnée. La liberté conquise dans le mouvement du bras à l'échelle des murs et l'envergure pariétale qu'il confère aux lieux par la distance des points de vue placent ces fresques contemporaines au sommet de son travail, naturellement empreint d'intimité.

S'il est un trait d'union entre toutes ces œuvres à découvrir dans le parc de la Fondation, ne pourrait-on le dire *musical*? La mélodie des vents qui s'y glissent, le bruissement des feuilles et des mouvements, le balancement silencieux de Calder et les bruits d'eau de Pol Bury, le chœur de violoncelles d'Arman, les oiseaux-lyres de *La Cour Chagall*, les lianes bruissantes de Szafran, la joie des *Baigneurs* de Niki de Saint Phalle, la table *De Música* en offrande musicale de Chillida, tous participent d'un orchestre de chambre à l'oreille absolue dans ce qui est devenu ce grand salon de musique en plein air.

D.M.

Notes sur quelques parcs de sculptures en Occident

par Daniel Marchesseau

Une tradition séculaire

La commande de sculptures monumentales à destination urbaine ou paysagère a longtemps contribué au pouvoir souverain, qu'il soit ecclésiastique, monarchique ou... despotique. L'effigie, à la fois mémoire et propagande, affirme l'autorité du tribun, statufié en portrait ou en allégorie à l'antique au centre des cours palatiales, des carrefours urbains, des parcs régaliens. Toute l'Europe s'est inspirée de l'Italie et de la France, dont les places et les domaines d'agrément, dès la Renaissance, sont ponctués, selon la tradition gréco-romaine, de statues en pierre ou bronze et de fontaines en plomb. Ainsi, le *Condottiere Bartolomeo Colleoni* par Verrocchio (1488, Venise) ou *Pierre le Grand à cheval* par Falconet (1782, Saint-Pétersbourg) sont des portraits d'emblème. En revanche, les jets d'eau de la *Fontaine des Quatre-Fleuves* taillée par le Bernin, Piazza Navona (1651, Rome) ou *Apollon servi par les nymphes* par Girardon dans le Bosquet des bains d'Apollon (1675, Versailles) reflètent la puissance du roi en métaphores mythologiques.

De l'art des jardins aux parcs de sculptures

Depuis le premier jardin d'Eden et les terrasses de Babylone, l'art des jardins participe de l'éclat fondateur des civilisations. Issu du classicisme des premiers parcs à l'italienne ou à la française dont les perspectives axiales se détachent sur des parois végétales, le maniérisme engage bientôt le promeneur à s'émouvoir d'un autre sentiment de la nature. Sous des frondaisons bucoliques en retrait se cachent grottes baroques et monstres grimaçants: ainsi, les thèmes héraldiques pour les nymphées de l'ancien bois sacré de Bomarzo (*Bouche de l'Enfer*, Ombrie, 1560) qui seront chers aux surréalistes, *L'Ermite Onufrius* par Matyáš Braun (1729) dans la forêt de Betlém, près de Kuks (Bohême), ou les têtes fantastiques sculptées dans le roc par Václav Levý en forêt de Libĕchov (Tchécoslovaquie, 1840).
Au milieu du XIXe siècle, suivant l'ouverture des musées et *gallerie*, des mausolées à l'antique placent la sculpture au premier rang des beaux-arts, comme celui consacré à Antonio Canova (*Gipsoteca Canoviana*, Possagno, 1836) ou le *Thorvaldsens Museum* à Copenhague (1848).
A l'aube de la révolution industrielle, la destination élective de l'art statuaire change. Les charmes du plein air séduisent d'abord l'école anglaise. L'appréciation renouvelée du paysage, diffusée par l'école de Barbizon avant les impressionnistes et Rodin, conforte l'évolution des sensibilités et des aspirations créatrices.

Au XXe siècle, commandes, souscriptions et donations offrent de nouvelles opportunités aux artistes d'inscrire leurs œuvres dans un espace repensé pour tisser des liens nouveaux avec le flâneur des deux rives, la ville et la nature - l'art et la vie. L'engouement après la Deuxième Guerre mondiale pour l'art vivant suscite une mise en perspective neuve de la statuaire dans des environnements de verdure. Depuis 1950, le monde occidental compte un nombre significatif de parcs de sculptures, dont les fonctions sont aussi ludiques qu'éducatives en soutien de la modernité.
De nombreux amateurs s'y étaient attachés dès les années vingt dans leurs propriétés de campagne, renouvelant l'art *des* jardins par l'art *dans* le jardin. On songe aux demeures, aujourd'hui ouvertes au public, de John D. Rockefeller à *Kykuit Garden* (NY), du Dr Barnes à Merion/Philadelphie, d'Oskar Reinhart à Winterthur *(Am Römerholz)*, avant que Peggy Guggenheim ne s'installe à Venise au Palazzo Venier dei Leoni.

Premier parc de sculptures aux Etats-Unis, *The Archer and Anna Hyatt Huntington Sculpture Garden* est inauguré en 1931 à Brookgreen Gardens, près de Georgetown (Caroline du Nord). Mais les institutions publiques restent encore l'exception. Le MoMA à New York est l'un des premiers musées occidentaux à installer en 1936 une sculpture hors ses murs, un mobile spécialement commandé à Calder en guise de girouette promotionnelle à l'occasion de l'exposition d'Alfred Barr, *Cubism and Abstract Art*. Mais il faudra attendre 1953 pour qu'y soit inauguré *The Abby Aldrich Rockefeller Sculpture Garden*, dessiné par l'architecte Philip Johnson selon les indications du directeur René d'Harnoncourt: une large piazza minérale arborée, au centre du nouveau bâtiment, consacrée à la sculpture internationale contemporaine.

En France, André Malraux, non sans difficultés, dote en 1964 de manière pérenne le Jardin du Carrousel des Tuileries, alors placé sous la direction du Musée du Louvre, d'un ensemble de dix-huit bronzes d'Aristide Maillol, offerts à l'Etat français par sa muse, Dina Vierny.

Les parcs de sculptures ont souvent été constitués à l'époque moderne en complément de collections de peintures et de sculptures d'intérieur. Parmi les plus anciennes de ces initiatives, la collection du Middelheim dans la banlieue d'Anvers, capitale culturelle de la Belgique flamande, s'étale au sein d'un domaine de 50 ha, acheté par la Ville en 1910. Le parc, dont la première biennale de sculptures remonte à 1950, réunit aujourd'hui plus de soixante-dix œuvres, de Rodin à Carl Andre. L'exemple sera repris par la ville de Liège en pays wallon, qui présente un ensemble significatif sur le campus universitaire du Sart Tilman (1977).

Dans les années soixante, alors que le public découvre la richesse et la diversité des sculptures de plein air, nombre d'institutions innovent et développent une politique audacieuse. Soutenues par la critique, elles marquent par le nombre et la qualité des œuvres installées dans des cadres d'exception: le *Louisiana Museum of Modern Art* (1958), le *Kröller-Müller Museum* (1961), la *Fondation Maeght* à Saint-Paul-de-Vence (1964), le *Storm King Open Air Sculpture Park* (Mountainville, NY, 1960), le *Hakone Open-Air Museum*, non loin du mont Fuji, au Japon (1969), le *Hirshhorn Museum and Sculpture Garden* (Washington, D.C., 1975), le *Yorkshire Sculpture Park* en Grande-Bretagne (West Bretton, Wakefield, 1977), avant que ne se développe la *Fondation Pierre Gianadda* (1978).

Suivront l'exemple: la *Fondation Serralves* à Porto (1989), le *Wilhelm Lehmbruck Museum* à Duisburg (1990) ou le *Nasher Sculpture Center* à Dallas (2003). Tous ces lieux abritent des collections où figurent les noms les plus prestigieux de la sculpture du XXe siècle.

Ces établissements ne doivent cependant pas faire oublier les nombreux fonds monographiques élevés à la mémoire des sculpteurs nationaux. Ainsi se sont ouverts successivement, sans pouvoir les nommer tous, les *musées Rodin* à Paris et Meudon (1919), le *Parc Frogner* d'Oslo avec les œuvres de Gustav Vigeland (1924), le *Musée Bourdelle* à Paris (1949), bien avant

le *Jardin Dufet-Bourdelle* à Egreville (Seine-et-Marne, 2005), l'*Ernst Barlach Museum* à Ratzeburg (Schleswig-Holstein, 1956), *The Henry Moore Foundation* à Much Hadham (1977), la *Fondation Arp* à Clamart (1979), le *Barbara Hepworth Museum and Sculpture Garden* à St Ives (Cornouailles, 1980), le *Musée Zadkine* à Paris (1982), *The Isamu Noguchi Garden Museum* à New York (1985), la *Villa Falbala* de Jean Dubuffet à Périgny-sur-Yerres (1985), le *Museo Marino Marini*, installé dans l'ancienne église San Pancrazio à Florence (1988), *Le Cyclop* à Milly-la-Forêt, monument collectif construit par Jean Tinguely et Niki de Saint Phalle (1994), la *Fondation Dina Vierny / Musée Maillol* dans l'Hôtel Bouchardon à Paris (1994), le *Musée Tinguely* à Bâle (1996), le *Giardino dei Tarocchi* de Niki de Saint Phalle à Garavicchio-Capalbio (Toscane, 1998), celui, voisin, de Daniel Spoerri, «Hic Terminus Haeret», à Seggiano (1997), ou le *Museo Chillida-Leku* à Hernani (Pays basque espagnol, 2000). Encore faudrait-il distinguer ceux élevés *in memoriam* et ceux voulus par les artistes eux-mêmes: Dubuffet, Niki de Saint Phalle et bientôt Bernar Venet au Muy, en Provence... Mais cela nous conduirait trop loin.

Quelques exemples historiques

Aux Pays-Bas, inspiré par le premier modèle du *Sonsbeek Park* de la ville voisine d'Arnhem, le *Rijksmuseum Kröller-Müller* situé à Otterlo (province de Gueldre) est exceptionnel par sa taille (25 ha) et l'extrême abondance de ses collections. Helene Kröller, née Müller, et Anton Kröller, son mari, l'avaient offert à l'Etat néerlandais en 1938. Agrandi sur le Parc national De Hoge Veluwe, il permit le déploiement d'un spectaculaire ensemble acquis par le professeur A. M. Hammacher. Spécialiste incontesté de la sculpture du XXe siècle, visionnaire dans son approche muséographique, sa politique novatrice fera école pour de nombreuses institutions publiques et privées. Si les meilleurs artistes européens depuis la fin du XIXe siècle jusqu'à la période contemporaine – de Rodin à Mark di Suvero – y ont naturellement trouvé leur place, le *Jardin d'émail* de Jean Dubuffet en est, sur 600 m², l'une des constructions les plus ambitieuses, un espace à habiter (1974).

Au Danemark, le *Louisiana Museum for Moderne Kunst*, à Humlebæk, admirablement situé face à la Suède au bord de l'isthme d'Øresund menant à la mer Baltique, fut créé en 1958 par Knud W. Jensen. Les bâtiments résolument contemporains, éclairés en lanterne par la lumière du Nord, ont été construits en fonction des

Erable du Japon offert par Daniel Marchesseau.

perspectives sur la nature. Le parc en surplomb de l'immensité marine est à l'échelle des sculptures monumentales qui s'y profilent. Depuis 1966, une quarantaine de pièces majeures ont été acquises, parmi lesquelles se distinguent les ensembles emblématiques signés Giacometti, Calder, Moore et Ernst jusqu'à Richard Serra. Le Louisiana est l'une des réussites les plus éclatantes de l'osmose scellée entre la sculpture et la nature.

Sur la Côte d'Azur, à Saint-Paul-de-Vence, la *Fondation Marguerite et Aimé Maeght*, première de ce type en France, fut inaugurée par André Malraux en 1964. Elle s'impose comme l'une des plus remarquables réussites du genre. Sur un terrain accidenté d'un hectare seulement, l'environnement d'origine a été respecté, puis replanté selon les bâtiments dus à l'architecte catalan José Lluis Sert. Signaux et totems articulent jardins, patios et bassins. Les figures de Giacometti et les inventions colorées de Miró s'y ordonnent avec émotion et bonheur. La séduction des lieux tient autant à la promenade dans la lumière méditerranéenne qu'à la surprise des échappées sur le site. Des mosaïques de Chagall et de Braque, le large mur en céramique de Tal-Coat, une fontaine de Pol Bury, le labyrinthe de Miró, la chapelle Saint-Bernard avec des vitraux de Braque et le chemin de croix en ardoise d'Ubac, tout participe du goût des mécènes et de leur intuition sensible.

A l'échelle du gigantisme de l'espace américain, le *Storm King Art Center* a été ouvert en 1960 au sein du parc naturel de Mountainville (NY). Il propose au randonneur la magnificence de ses vallons et de ses cuvettes dénivelées. Selon la volonté de ses fondateurs, S. Ralph E. Ogden et Peter Stern, il offre une vision très complète de la sculpture contemporaine américaine. Le promeneur, dans un site aussi majestueux que paisible, s'émerveille des *vistas* panoramiques sur une famille de stabiles de Calder au loin, tel mobile de George Rickey, une paroi découpée de Louise Nevelson ou un mystérieux tumulus monumental de marbre spécialement creusé par Isamu Noguchi.

Commandés par la firme internationale PepsiCo, les *Donald M. Kendall Sculpture Gardens* à Purchase (NY), dessinés par le paysagiste anglais Russell Page de 1981 à sa mort en 1985, puis par le Belge François Goffinet, impressionnent par l'harmonie chromatique entre les rythmes d'une architecture stricte, le cadre végétal opulent et les grands bronzes patinés de Miró, Calder, Moore, Pomodoro, Segal, Oldenburg, etc.

Enfin, le *Nasher Sculpture Center*, inauguré en octobre 2003 dans le centre-ville de Dallas (Texas), figure aujourd'hui parmi les plus spectaculaires musées de sculpture à ciel ouvert. Raymond et Patsy Nasher ont demandé à l'architecte Renzo Piano et au paysagiste Peter Walker de concevoir l'écrin de leur collection privée de sculptures du XXe siècle – incontestablement l'une des plus importantes au monde dans sa spécificité. Réunie en quelque quarante ans, elle présente une sélection quasi exhaustive de la ronde-bosse depuis Rodin. Pièces d'intérieur et sculptures monumentales se complètent dans un panorama qui regroupe les grands Européens depuis Gauguin, Medardo Rosso, Brâncuşi, Duchamp-Villon, Matisse, Picasso, Giacometti, Naum Gabo, Jean Arp, Barbara Hepworth, Henry Moore, Dubuffet, Anthony Caro, Magdalena Abakanowicz, Tony Cragg, jusqu'aux Américains les plus novateurs, Calder, Noguchi, David Smith, Claes Oldenburg, Donald Judd, Joel Shapiro, Mark di Suvero, Richard Serra et James Turrell. Le parc abrite une trentaine de sculptures de plein air environ.

Exemplaire d'une vocation résolument moderne sous toutes les latitudes, l'engagement fort dont témoignent depuis des années ces institutions originales et complémentaires, d'origine privée, a incontestablement contribué depuis plus d'un demi-siècle au renouvellement de la sculpture internationale et à sa meilleure appréciation par un public toujours plus nombreux et connaisseur.

D.M.

Avertissement

Les dimensions des œuvres sont données en centimètres
(hauteur × largeur × profondeur).

Les numéros figurant à la fin des fiches techniques correspondent
à l'inventaire de la Fondation Pierre Gianadda.

Les œuvres suivies d'un astérisque* font partie de la collection
personnelle de Léonard et Annette Gianadda.

Les bibliographies, qui commencent à la page 303, sont à la fois
générales concernant l'artiste et spécifiques concernant l'œuvre.

Le Parc de Sculptures

Arman

(Armand Pierre Fernandez, dit)
Nice, 1928 – New York, 2005
Peintre, sculpteur et plasticien franco-américain

1985.

PHOTO: EWA RUDLING

Biographie

Armand Pierre Fernandez – dit Arman – est né à Nice le 17 novembre 1928.
Entre 1946 et 1951, il suit les cours de l'Ecole des Arts Décoratifs de Nice puis de l'Ecole du Louvre à Paris, tout en devenant champion de judo.
En 1949, il forme avec les peintres Claude Pascal et Yves Klein le groupe Triangle et décide de signer désormais de son seul prénom «Armand». En 1950, il rencontre Pierre Restany.
Installé brièvement à Madrid, il revient à Nice en 1951, où il épousera Eliane Radigue en 1953. Il délaisse bientôt la peinture et métamorphose, dans son premier «geste accumulatif», *Les Cachets* (1954).
Suite à une erreur d'impression sur le carton d'invitation lors d'une exposition chez Iris Clert à Paris en 1958, il adopte définitivement son nouveau patronyme: «Arman». En 1959, il commence la série des *Poubelle(s)* en recueillant des ordures ménagères dans l'appartement de sa belle-mère. Ainsi débutent les «accumulations d'objets», qui trouvent leur éclat dans l'*Exposition du Plein* (1960) chez Iris Clert, puis les *Colères* et les *Coupes* (1961), les *Inclusions* dans le plastique, les *Combustions* (*Fauteuil Louis XV*, *Piano*, 1963).
Dans son texte manifeste «Réalisme des Accumulations» (*Zéro*, nº 3, Düsseldorf, 1960), Arman, tout en reconnaissant l'héritage de Schwitters, du dadaïsme, du surréalisme et des *ready-mades* de Marcel Duchamp, revendique la violente nouveauté de sa démarche.
Il est un des membres fondateurs du collectif d'artistes les Nouveaux Réalistes avec Yves Klein, les affichistes Raymond Hains et Jacques Villeglé, les sculpteurs César et Jean Tinguely, et Daniel Spoerri, sous la houlette de Pierre Restany, théoricien engagé du groupe (1960).
En 1961 a lieu, à la Cordier-Warren Gallery, sa première exposition à New York. Il utilise pour la première fois des matériaux contemporains, polyester et plexiglas.
A partir de 1963, les séries d'accumulations se déclinent en sculptures, tantôt incluses dans une résine transparente, tantôt immobilisées dans le béton. Elles inspireront rapidement des œuvres à échelle monumentale.
En 1967, Arman, séparé d'Eliane Radigue, s'installe à New York. Il épouse Corice Canton en 1971 et prend la nationalité américaine.
En 1984, une accumulation de *Drapeaux* taillés dans le marbre lui est commandée pour le hall du Palais de l'Elysée à Paris, tandis qu'il exécute *Contrepoint pour violoncelles*.
En 1995, à Beyrouth, il affirme son *Espoir de Paix* dans une accumulation monumentale de soixante-dix-huit chars d'assaut, jeeps et pièces d'artillerie diverses, enchâssés dans cinq mille tonnes de béton sur trente mètres de haut devant le Ministère de la défense.
Arman fut aussi un collectionneur intransigeant et boulimique, en particulier d'art africain.

Arman a réalisé plus de cinq cents expositions personnelles, dont soixante-quinze dans des musées nationaux. Il s'est éteint le 21 novembre 2005 à New York.

Contrepoint pour violoncelles

Accumulation de violoncelles soudés
Bronze, réalisé à l'atelier de l'artiste,
à New York, en 1984, d'après un
plâtre de 1984
365,8×121,9×152,4 cm
Pièce unique

Provenance: collection particulière, New
Canaan, Connecticut; M. Martin Sosnoff;
Aldrich Contemporary Art Museum,
Ridgefield, Connecticut (offert au musée
par M. Sosnoff en 1994); vente publique,
Sotheby's New York, 18 novembre 1998,
lot n° 304; acquis à la vente par Cello
Restaurant, New York

Achat, vente publique, New York, Sotheby's, 13 novembre 2003, lot n° 243, repr.

Exposition
L'œuvre était exposée entre 1994 et 1998
dans le parc de sculptures de l'Aldrich
Contemporary Art Museum, Ridgefield,
Connecticut [inv. AMCA 1994.4(S)].

Note
Cette pièce s'inscrit dans la série des
pièces monumentales à base d'instruments de musique: *Pablo Casal's
Obelisk*, 1983, accumulation de violoncelles et d'archets soudés, bronze,
700×150×150 cm, Delta Corporation,
South Norwalk, Connecticut;
Rostropovich's Tower, 1984, accumulation
de violoncelles soudés, bronze,
700×160×160 cm, Marisa del Rey
Gallery, New York; *Music Power*, 1985,
accumulation de violoncelles soudés en
bronze, H. 1000 cm, Acropolis, Nice.

Archives Arman Studio APA#8900.84.003
Archives Denyse Durand-Ruel n° 3816

Inv. n° 306

*Arman applique sa signature sous
l'empreinte de ses mains sur le plâtre
pour la réalisation de la plaque de
bronze, 10 septembre 2004.*

PHOTO: GIL ZERMATTEN

Jean (Hans) Arp

Strasbourg, 1886 – Bâle, 1966
Poète, peintre et sculpteur français

Paris, 1949.

Biographie

Jean (Hans) Arp est né le 16 septembre 1886 à Strasbourg (ville allemande de 1871 à 1918), de père allemand et de mère alsacienne.

Dès l'adolescence, il montre un talent inné pour la peinture et le dessin, compose des poèmes et réalise de petites sculptures en bois.

Peu intéressé par l'Ecole des Arts et Métiers de Strasbourg, il suit des cours de dessin à partir de 1901 et entre à l'Académie des Beaux-Arts de Weimar (1904). La famille Arp quitte l'Alsace en 1906 pour s'installer près de Lucerne. En 1908, Arp s'inscrit à l'Académie Julian à Paris. Il réalise quelques grandes toiles abstraites et s'initie à la technique du plâtre. En 1911, il rencontre Kandinsky à Munich, qui l'incite à trouver sa voie propre dans l'abstraction. Il participe en 1912 à la seconde exposition du Blaue Reiter à Munich et noue à cette occasion des contacts avec l'avant-garde internationale. Ainsi rencontre-t-il à Cologne August Macke et Max Ernst. A Paris, il fréquente, au Bateau-Lavoir, Apollinaire, Picasso, Max Jacob, Modigliani, Herbin…

En 1915, il rencontre à Ascona (canton du Tessin) Sophie Taeuber, qu'il épousera en 1921.

Initiateur avec Tristan Tzara du mouvement dada à Zurich en 1916, il crée le Cabaret Voltaire et participe à la diffusion du groupe dada à Cologne, Berlin, puis Paris, en 1920, où il rencontre André Breton, Philippe Soupault et Louis Aragon.

Avec Sophie Taeuber, il réalise en 1918 de grands collages abstraits à formes géométriques rectilignes découpés au massicot. En 1920, il formule son langage-objet arpien: nombril, œuf, moustache, poupée, tête, etc. En 1925, Arp participe à la première exposition surréaliste à Paris.

Il se joint en 1929 au groupe Cercle et Carré de Michel Seuphor et Joaquín Torres García. Apparaissent ses premières sculptures en ronde-bosse, après ses *Papiers déchirés*, *Constellations selon les lois du hasard* et *Concrétion humaine*.

En 1931, il rend plusieurs visites à Constantin Brâncuşi.

En 1932, il rencontre Marguerite Hagenbach à Bâle. Arp et Sophie adhèrent au comité de la revue *Abstraction-Création* à Paris. Cette même année, il contribue avec des poèmes et des dessins aux revues *Minotaure* et *Le Surréalisme au service de la révolution*.

Au début de la Seconde Guerre mondiale, le couple fuit Paris, chez Peggy Guggenheim à Annecy, d'abord, puis chez les Magnelli, à Grasse.

Sophie Taeuber-Arp meurt dans un accident le 12 janvier 1943. Arp, accablé, ne reprendra son activité plastique qu'en 1947.

En 1954, il reçoit le Grand Prix international de sculpture à la Biennale de Venise. Il exécute ensuite *Colonne à éléments interchangeables*.

Arp épouse Marguerite Hagenbach le 14 mai 1959 et s'installe à Solduno, près de Locarno (canton du Tessin).

Tandis que le Musée national d'Art Moderne de Paris organise en 1962 une rétrospective itinérante, il réalise la maquette de *Roue Oriflamme*. Le premier volume de ses poésies complètes en allemand est publié en 1963.

Jean Arp s'est éteint à Bâle d'une crise cardiaque le 7 juin 1966; ses écrits en français, *Jours effeuillés*, rassemblés par Marcel Jean, paraîtront au lendemain de sa mort. Il est enterré au cimetière de Locarno dans la sépulture qu'il avait dessinée pour abriter sa dépouille entourée de celles de Sophie Taeuber-Arp et de Marguerite Hagenbach-Arp.

Colonne à éléments interchangeables

Béton coulé, réalisé par l'Atelier Burla, à
Bâle, en 1961, d'après un plâtre de 1955
174×20×20 cm
Pièce unique

Provenance: collection Johannes Burla,
Bâle; Galerie Beyeler, 1983

Achat, Galerie Beyeler, Bâle, 1984

Expositions
Arp Schwitters, Kunsthalle, Berne, 1956
(plâtre), cat. n° 22.
Art abstrait constructif, exposition
itinérante, Art Club, Paris; Galerie
Matarasso, Nice, 1956 (plâtre).
Arp, exposition itinérante, Musée
national d'Art Moderne, Paris; Moderna
Museet, Stockholm, 1962, cat. n° 136.
Jean Arp, Museo Español de Arte
Contemporáneo, Madrid, 1985.
Arp, Galerie Erker, Saint-Gall, 1985,
repr. p. 13.
Jean Arp, 100 ans, Repères, Paris, 1987.
Credit Suisse, Martigny, étés 1991 et 1992.
Arp, Museum Würth, Künzelsau,
Allemagne, 1994, repr. p. 129.

Note
Maquette pour la grande sculpture de la
Kunstgewerbeschule à Bâle: *Colonne à
éléments interchangeables*, 1955-1961,
H. 750 cm (Giedion 137a), agrandissement en béton se trouvant à l'Ecole des
Arts et Métiers de Bâle. Le béton monumental a été coulé par le praticien
Johannes Burla après la mort de l'artiste,
qui avait donné son accord pour cet
agrandissement.

Inv. n° 100

Roue Oriflamme

Acier poli, réalisé à la Fonderie Heinz Bracher, à Dietikon, en 1992, d'après un agrandissement par huit de la maquette d'origine de 1962 (30×39×6 cm)
240×312×60 cm
Exemplaire 2/2

Achat, Fondazione Marguerite Arp, Solduno, 1999

Edition de deux exemplaires: l'exemplaire 1/2, collection Fondazione Marguerite Arp, Solduno, a été mis en dépôt dans le parc du Monte Verità, Ascona.

Inv. n° 258

Max Bill

Winterthur, 1908 – Berlin, 1994
Architecte, peintre, sculpteur et designer suisse

Max Bill lors de l'exposition Sculpture suisse en plein air 1960-1991 *à la Fondation Pierre Gianadda, 1991.*

Biographie

Max Bill est né le 22 décembre 1908 à Winterthur. Il entre en 1924 à l'Ecole des Arts et Métiers de Zurich et fait des voyages d'études à Paris et en Italie. Etudiant au Bauhaus de Dessau, de 1927 à 1929, il suit les cours de Klee, Albers, Kandinsky, Moholy-Nagy et Schlemmer.

Dès 1929, il s'installe à Zurich. Ses activités sont multiples: Max Bill est à la fois sculpteur, peintre, architecte, publiciste, graphiste, professeur, essayiste et homme politique. Il rencontre Mondrian en 1932 et participe au groupe Abstraction-Création à Paris.

Ses premières sculptures datent de 1933, année où il rencontre son aîné de vingt ans et mentor, Georges Vantongerloo.

En 1935, il réalise sa première sculpture, *Ruban sans fin*, déclinaison du paramètre de Möbius, thème désormais récurrent dans son œuvre, sous de multiples variations. Max Bill s'oppose à la notion d'«art abstrait» et défend celle d'«art concret» déjà proposée par Van Doesburg en 1930. Pour lui, une œuvre d'art concret cristallise l'expression d'une idée, d'une pensée mathématique, par des moyens plastiques, mais aussi par des règles mathématiques et rythmiques. Son œuvre se partage désormais en nombreuses variations picturales sur toile et recherches spatiales en sculpture.

La première exposition d'art concret est organisée par Max Bill à la Kunsthalle de Bâle en 1944. En 1948, Bill expose à Stuttgart avec Arp et Albers. Il s'impose comme le représentant le plus rigoureux, et cependant le plus libre, de l'art concret. Ainsi reçoit-il en 1949 le Prix Kandinsky à Paris et en 1951 le Prix de sculpture à la Biennale de São Paulo.

Nommé recteur de la Hochschule für Gestaltung (Ecole supérieure d'esthétique pratique) à Ulm en 1951, il reprend les méthodes pédagogiques du Bauhaus. Il en sera directeur de la section design jusqu'en 1956 et donnera les plans des nouveaux bâtiments de l'école.

En 1958, il participe à la Biennale de Venise et expose dans l'Europe entière, aux Etats-Unis et en Amérique du Sud.

Il est nommé, de 1960 à 1964, conseiller pour l'organisation de l'Exposition nationale à Lausanne.

Le Musée national d'Art Moderne de Paris acquiert en 1961 *Ruban sans fin*, en granit gris.

En 1966, il s'installe à Zumikon, près de Zurich, où il exécute *Surface triangulaire dans l'espace.*

Max Bill est conseiller national de 1967 à 1971.

Il a érigé de nombreuses œuvres monumentales à Zurich, Saint-Gall, Genève, en Allemagne, à Essen, Ulm, etc.

Max Bill s'est éteint, lors d'un voyage à Berlin, le 9 décembre 1994.

Surface triangulaire dans l'espace

Granit clair de Baveno, réalisé à l'Atelier
Antonini, à Cresciano, Tessin, en 1966
200×91,5×74,8 cm
Dimensions du socle: H. 116 cm;
diamètre 50,5 cm
Pièce unique

Provenance: Staempfli Gallery, New York;
collection Nelson Aldrich Rockefeller,
New York

Achat, vente publique, New York, Sotheby's, 10 novembre 2005, lot nº 209, repr.

Expositions
Max Bill, Kunsthaus, Zurich, 1968, repr.
p. 47.

Max Bill, Galerie Suzanne Bollag,
Zurich, 1968.
Max Bill, Műcsarnok, Palace of
Exhibitions, Budapest, 1968, repr. p. 19.
Max Bill, Centre national d'Art
Contemporain, Paris, 1969, repr. p. 77.
Max Bill, Staempfli Gallery, New York,
1969, repr.
Max Bill, Albright-Knox Art Gallery,
Buffalo, N.Y., 1974, repr. p. 190.

Répertorié aux archives de la Max,
Binia + Jakob Bill Stiftung, Adligenswil,
Suisse.

Inv. nº 324

Max Bill, Léonard Gianadda
et Bruno Giacometti, pour
les 80 ans de Max Bill,
chez Hans Bechtler, à Zurich,
26 octobre 1988.

PHOTO: GAECHTER+CLAHSEN

Léonard Gianadda, Max Bill et
Gerhard Saner, lors de l'exposition
Sculpture suisse en plein air 1960-1991
à la Fondation Pierre Gianadda, 1991,
devant la sculpture Nucleus de trois
groupes à quatre éléments chacun.

PHOTO: GEORGES-ANDRÉ CRETTON

Emile-Antoine Bourdelle

Montauban, 1861 – Le Vésinet, 1929
Sculpteur français

Bourdelle et les Combattants,
Bruxelles, 1901 - Paris, 1902-1906.
Epreuve au gélatino-bromure d'argent,
18×23 cm.

MUSÉE BOURDELLE, PARIS

Biographie

Fils d'un ébéniste, Emile-Antoine Bourdelle est né en 1861 à Montauban. Après des études à Toulouse, il suit brièvement en 1884 les cours de Falguière à l'Ecole des Beaux-Arts à Paris et obtient une mention au Salon pour la *Première Victoire d'Hannibal*.

Encouragé par Dalou, il commence en 1888 la série des effigies de Beethoven qu'il poursuivra sa vie durant. En 1893, Rodin l'engage comme praticien. Sous son influence, Bourdelle progresse et s'associe avec lui pour fonder en 1900 l'Institut Rodin, école libre pour l'enseignement de la sculpture. Leur collaboration cessera en 1908.

La Ville de Montauban lui commande en 1895 le *Monument aux Combattants et Défenseurs du Tarn-et-Garonne de 1870-1871* – traité dans une veine héroïque –, qui sera inauguré en 1902. (Grand Guerrier de Montauban *[version avec jambe], 1898-1900.)*

Le début des années 1900 est marqué par une production intense à Paris. En se référant à l'art grec archaïque et à la sculpture médiévale, il affirme une stylistique puissante et simplifiée: *Héraclès archer* (1909), *Carpeaux* (1909), le *Monument à Auguste Quercy* (1911), les bas-reliefs pour la façade du Théâtre des Champs-Elysées (inauguré en 1913 par les Ballets russes de Diaghilev et Nijinski), le *Centaure mourant* (1914), le *Monument au Général Alvear* (1914-1919). Sa première exposition personnelle a lieu en 1905 dans la galerie du fondeur Hébrard (trente-huit sculptures). Il commence à enseigner en 1909 à l'Académie de la Grande Chaumière, où il comptera parmi ses élèves Alberto Giacometti (1922-1927) et Germaine Richier (1926-1929).

Promu officier de la Légion d'honneur, il réalise le buste d'Anatole France (1919).

Avec le peintre Albert Besnard et l'architecte Auguste Perret, il fonde en 1923 le Salon des Tuileries, où il expose la *Naissance d'Aphrodite*. La sculpture sera présentée à l'Exposition internationale des Arts décoratifs en 1925, à Paris, au Japon et aux Etats-Unis.

En 1924, le bronze du *Centaure mourant* est présenté au Salon des Tuileries. De 1926 datent ses essais de sculptures polychromes, la *Reine de Saba* et *Jeune Fille de la Roche-Posay*. La même année, *La France* est présentée au Salon des Tuileries.

Sa première rétrospective est organisée en 1928 à l'occasion de l'inauguration du Palais des Beaux-Arts de Bruxelles.

Son *Monument à Adam Mickiewicz* est inauguré à Paris, place de l'Alma, le 28 avril 1929.

Emile-Antoine Bourdelle s'est éteint le 1er octobre 1929 au Vésinet, chez son ami le fondeur Rudier, et est inhumé au cimetière du Montparnasse, à Paris.

Grand Guerrier de Montauban
[version avec jambe]

Bronze, patine noire, fondu par la
Fonderie de Coubertin, à Paris, en 1985,
d'après un plâtre de 1898-1900
209,6×150×59 cm
Exemplaire 4/10
Numéroté et signé au dos de la base
n° 4 By Bourdelle
Cachet du fondeur au dos de la base *FC*

Provenance: Mᵐᵉ Rhodia Dufet-Bourdelle,
Paris, fille de l'artiste; Fujikawa Galleries
Inc., Tokyo; collection particulière, Japon

Achat, vente publique, New York,
Christie's, 8 mai 2003, lot n° 171, repr.

Expositions
La sculpture française au XIXᵉ siècle,
Galeries nationales du Grand Palais,
Paris, 1986, repr. pp. 328-330.
Le Corps en morceaux, exposition itiné-
rante, Musée d'Orsay, Paris; Shirn Kunst-
halle, Francfort, 1990, repr. pp. 225-236.
Emile-Antoine Bourdelle (1861-1929),
exposition itinérante, Palazzo Racani
Arroni, Spolète; Palazzo Ducale, Gênes,
1994.
*Rodin i la revolució de l'escultura: de
Camille Claudel a Giacometti*, La Caixa,
Barcelone, 2004.

Edition de dix épreuves en bronze,
dont deux épreuves d'artiste. Première
épreuve fondue par Susse, en 1975;
neuf autres fondues par la Fonderie de
Coubertin entre 1983 et 1991.

Epreuve 2: Contemporary Sculpture
Center, Tokyo.
Epreuve 5: Yorkshire Sculpture Park,
Wakefield, Grande-Bretagne.
Epreuve 6: Musée Hyundai, Séoul,
Corée du Sud.
E.A. 1 et E.A. 2: Musée Bourdelle, Paris.

Inv. n° 288

Constantin Brâncuşi

Peştişani Gorj (province d'Olténie, Roumanie), 1876 – Paris, 1957
Sculpteur français d'origine roumaine

A Voulangis (Seine-et-Marne).
PHOTO: EDWARD STEICHEN

Biographie

Constantin Brâncuşi est né en 1876 à Peştişani Gorj (province d'Olténie), en Roumanie méridionale. Après une enfance pauvre et une adolescence difficile, Brâncuşi entre en 1898 à l'Ecole des Beaux-Arts de Bucarest, où il obtient une mention. En 1902, il assemble les moulages qu'il a réalisés de chaque muscle d'un cadavre à la Faculté de médecine, pour un *Ecorché* en terre glaise.

En 1903, il part à pied pour Paris, où il arrive en jouant de la flûte le 14 juillet 1904, après avoir traversé la vallée de Martigny. Il suit les cours de Mercier à l'Ecole des Beaux-Arts (1905) et rencontre Auguste Rodin en 1906. Mais, s'il admire le maître, il refuse de le suivre: sa première version du *Baiser* (1907) est à l'opposé de celui de Rodin.

Avec *La Prière* pour le cimetière de Buzau (1907, Roumanie), il aborde la taille directe de la pierre. Suivent *Tête de jeune fille*, puis *Portrait de la baronne Renée Frachon*, dont il émoussera considérablement les traits de la tête inclinée. Cette facture radicale caractérise *Sommeil* (1908), *Muse endormie* (marbre, 1909 – bronze, 1910) et *Mademoiselle Pogany* (1912) dont il déclinera plusieurs versions jusqu'en 1933. De 1910 date *Oiseau dans l'Espace*. Il en fond une première version en bronze en 1912, sur un socle qui anticipe sur *La Colonne sans fin*. Ses sculptures connaissent un succès certain à l'Armory Show (New York, 1913).

Brâncuşi s'installe dès 1916 à Montparnasse, impasse Ronsin, où il restera jusqu'à sa mort en 1957. Il conçoit dès 1922 sa première sculpture sur le thème du *Coq*. Un modèle en bronze est coulé en 1935. (Grand Coq IV, 1949.) Marcel Duchamp, Man Ray, Erik Satie, James Joyce, Peggy Guggenheim comptèrent parmi ses proches.

La rétrospective du Musée Guggenheim de New York, en 1955, impose la reconnaissance internationale de son œuvre.

Constantin Brâncuşi s'est éteint à Paris le 16 mars 1957. Son atelier, légué à l'Etat français, a été reconstitué devant le Centre Georges Pompidou, à Paris.

Grand Coq IV

Acier poli, réalisé à la Fonderie Susse, à Paris, en 1979, d'après un plâtre de 1949, agrandi
481,5×60×82 cm
Pièce unique

Provenance: Alexandre Istrati et Natalia Dumitresco, exécuteurs testamentaires de l'artiste, Paris

Achat, Galerie Beyeler, Bâle, 1985

Œuvre acquise grâce à la générosité des Amis de la Fondation Pierre Gianadda

Exposition
Sculptures au XXᵉ siècle, Wenkenpark Riehen, Bâle, 1980, repr. pp. 56-57.

Note
Les plâtres originaux sur le thème du *Coq* sont à l'Atelier Brancusi, Musée national d'Art Moderne, Centre Georges Pompidou, Paris.
Coq I, 1924, H. 254 cm.
Coq II, 1930, H. 365 cm.
Coq III, 1931, H. 372 cm.
Le Grand Coq, 1947, H. 458 cm.

Inv. n° 132

Pol Bury

Haine-Saint-Pierre (Hainaut, Belgique), 1922 – Paris, 2005
Peintre et sculpteur belge

Biographie

Pol Bury est né le 26 avril 1922 à Haine-Saint-Pierre, en Belgique. A 16 ans, il suit des cours de dessin et de décoration à l'Académie des Beaux-Arts de Mons et rencontre Achille Chavée, maître à penser du surréalisme en Wallonie; il participe au groupe «Rupture».

En 1939, il travaille quelque temps à la fabrication de marteaux-piqueurs dans une usine près de La Louvière, où il habite. Bury découvre l'œuvre d'Yves Tanguy et commence à peindre, en étant aussi très influencé par l'œuvre de René Magritte, qu'il rencontrera à plusieurs reprises. En 1940, il participe aux deux numéros de la revue *L'Invention collective*, que dirige Raoul Ubac.

Au début des années quarante, Bury cesse pratiquement de peindre. A la fin de la guerre, il présente dix tableaux à la Galerie La Boétie, à Bruxelles, lors de l'exposition du surréalisme (1945). Tourné vers une peinture de plus en plus abstraite, il est bientôt exclu des surréalistes, devient membre du groupe Cobra (1949-1951) et collabore avec Christian Dotremont et Pierre Alechinsky à leur revue. Cependant, il se détache rapidement du groupe et s'engage dans la voie de l'abstraction géométrique. Il est l'un des membres fondateurs du groupe Art abstrait.

Sept sphères dans une demi-sphère, fontaine, *présentée à la Fondation Maeght de Saint-Paul-de-Vence, en 1993, pour l'exposition* L'art en mouvement.

En 1953, Bury abandonne définitivement la peinture de chevalet; apparaissent alors ses premiers reliefs, *Les Plans mobiles*, sous l'influence de Mondrian et Calder. Il s'agit de faire de «la peinture qui bouge». Dans certaines pièces, le spectateur peut, de la main, participer au mouvement; dans d'autres, l'œuvre est munie d'un moteur électrique, qui deviendra une des composantes principales de ses œuvres.

Au début des années soixante, Bury, considéré comme l'un des pères du cinétisme, développe le concept des *Ponctuations* et réalise des objets sur lesquels diverses formes bougent imperceptiblement, *Erectiles*, *Vibratiles*, *Parallélépipèdes*. Le mouvement est pour lui «un symbole de précision et de calme d'une méditation en action». Il s'installe à Paris en 1961.

Mme Velma Pol Bury et Léonard Gianadda à l'atelier de Pol Bury, à Perdreauville, 24 octobre 2006.

PHOTO: PASCAL GILLARD

Sept sphères dans une demi-sphère, fontaine

Acier inoxydable poli miroir, pompe hydraulique, réalisé à l'atelier de l'artiste, à Perdreauville, en 1984
130×75 cm
Pièce unique

Provenance: collection de l'artiste, Perdreauville

Achat, atelier de l'artiste, 2006

Œuvre acquise grâce à la générosité de la Fondation Coromandel, à Genève

Expositions
Pol Bury – Miroirs et fontaines, Galerie Adrien Maeght, Paris, 1985, repr.
Pol Bury. Sculptures. Cinétisations. 1953-1988, exposition itinérante, Galerie Renée Ziegler, Zurich; Gallery 44, Kaarst, 1989-1990.
Pol Bury, Josef Albers Museum Quadrat, Bottrop, Allemagne, 1990, cat. n° 23.
Pol Bury, Socles et Fontaines, Artcurial, texte de Pierre Cabanne, Paris, 1991, cat. n° 2, repr. p. 13.
L'art en mouvement, Fondation Maeght, Saint-Paul-de-Vence, 1993.
Pol Bury, Fontaines et Sculptures, Orangerie du château de Châtillon-en-Bazois, 1993, repr.
Pol Bury, 1939-1995, Galleria Civica d'Arte Moderna e Contemporanea, Turin, 1995, cat. n°s 84-85, repr. p. 36.
Pol Bury, Volumes figés, Volumes miroirs, Papiers collés, Galerie Louis Carré & Cie, Paris, 1997.
Les Champs de la Sculpture, Outdoor Sculptures of the 20th Century in Taipei, Taipei Art Park, Taipei Fine Art Museum, Taipei, 1998, repr. p. 43.
Pol Bury, Fountains and Other Intriguing Works, Louis Stern Fine Arts, West Hollywood, 1999, repr. p. 5.
Pol Bury, des Fontaines et des Sculptures, domaine du château de Seneffe, Musée de l'Orfèvrerie de la Communauté française de Belgique, Seneffe, 2005, repr. p. 6.

Note
Les maquettes de Pol Bury étaient réalisées en bois de balsa.

Inv. n° 335

A partir de 1964, la sphère devient un élément mobile très fréquemment utilisé.

En 1967, Pol Bury commence à réaliser des travaux en métal. Il utilise les aimants pour donner plus de liberté poétique dans le mouvement aléatoire aux éléments de ses sculptures.

En 1969, il construit sa première fontaine pour le musée de l'Université d'Iowa aux Etats-Unis et se sert de la force motrice de l'eau. De nombreuses fontaines en acier corten et acier inoxydable seront installées dans le monde: «Quand une fontaine est dans la nature, elle atteint son point final, son apogée. Elle respire et s'oxygène.» *Sept sphères dans une demi-sphère, fontaine* (novembre 1984) est la dix-neuvième de l'artiste.

Au cours de l'été 2005, il réalise à Perdreauville un dernier ensemble d'œuvres mues par le vent, *Les Girouettes*.

Pol Bury s'est éteint le 27 septembre 2005 à Paris.

Alexander Calder

Philadelphie, 1898 – New York, 1976
Sculpteur américain

Biographie

Alexander Calder est né en 1898 en Pennsylvanie. Sa mère est peintre, son père, sculpteur. Dans les années 1915-1916, il entreprend des études d'ingénieur. A partir de 1922, il suit les cours de dessin de Clinton Balmer, à New York, et entre en 1923 à l'Art Students League. Calder y étudiera jusqu'en 1925.

En 1926, Calder s'installe à Paris, où il restera jusqu'en 1934. Il produit alors ses premiers travaux en fil de fer, dont les éléments de son fameux *Cirque*. Calder rencontre Mondrian en 1930 et réalise son premier mobile, *Une boule noire, une boule blanche*. La Galerie Percier, à Paris, expose ses travaux abstraits et ses portraits en fil de fer. Il est alors invité à exposer avec le groupe Abstraction-Création.

L'année 1933 marque sa visite à Miró en Espagne et sa rencontre déterminante avec le critique américain James Johnson Sweeney.

En 1934, Alfred Barr, le premier directeur du Museum of Modern Art, à New York, fait l'acquisition d'un mobile motorisé, *A Universe*.

Son premier grand stabile *Whale* («Baleine») est réalisé en 1937. L'architecte José Luis Sert lui demande de réaliser *La Fontaine de Mercure* pour le Pavillon espagnol de l'Exposition universelle (Paris, 1937).

Saché (Touraine), 1970.

Le Museum of Modern Art de New York lui commande en 1939 un grand mobile, *Lobster Trap and Fishtail*. Quatre ans plus tard, le MoMA organisera une importante exposition.

En 1945, Jean-Paul Sartre rédige la préface pour le catalogue de son exposition à la Galerie Louis Carré, à Paris. Cinquante mobiles et stabiles sont exposés en 1950 à la Galerie Maeght, à Paris, qui deviendra son marchand français.

Calder partage désormais son temps entre ses ateliers de Roxbury (Connecticut) et de Saché (Touraine), et effectue de nombreux voyages: Amérique du Sud, Liban, Inde, etc.

Il reçoit en 1952 le Premier Prix de sculpture à la Biennale de Venise pour ses mobiles et ses stabiles monumentaux.

La Tate Gallery de Londres, en 1962, puis le Guggenheim Museum de New York, en 1964, organisent des rétrospectives.

Léonard Gianadda et Sandra Calder Davidson, fille de l'artiste, dans sa propriété de Saché (Touraine), 24 mars 1993.

PHOTO: DANIEL MARCHESSEAU

L'architecte brésilien Oscar Niemeyer lui commande dans les années 1959-1960, pour la nouvelle capitale Brasília, une œuvre monumentale qui ne sera pas exécutée. *Stabile-Mobile* (1965) est la version intermédiaire entre la première maquette et l'œuvre projetée qui devait être monumentale. Calder publie en 1966 son autobiographie.

En 1970, *Le Cirque* est installé au Whitney Museum de New York. En 1974, le Festival Calder est organisé à Chicago, à l'occasion de l'inauguration de deux œuvres monumentales, *Universe* et *Flamingo*, à la Sears Tower et sur Federal Plaza. Le stabile *L'Araignée rouge* est installé à la Défense, à Paris, en 1975.

Alexander Calder s'est éteint le 11 novembre 1976, peu après l'ouverture d'une grande rétrospective présentée au Whitney Museum à New York.

Le 24 mars 1993, en compagnie de Daniel Marchesseau, je me rendis à Saché, en Touraine, dans la propriété d'Alexander Calder pour rendre visite à sa fille, Sandra Calder Davidson, déjà rencontrée à plusieurs reprises, avec l'intention de concrétiser le dépôt d'une œuvre de son père pour notre Parc de Sculptures. Tout se passa si bien que Sandra me laissa le choix entre trois œuvres. Quelques jours plus tard fut signé le contrat fixant les modalités du prêt, notamment sa durée et la valeur d'assurance arrêtée à 400 000 dollars.

Le temps passa vite et, avant l'échéance du prêt, je revis Sandra pour négocier une prolongation, voire envisager l'acquisition de la sculpture, espérant que le prix de 400 000 dollars pourrait être maintenu, mais sans exclure une augmentation, peut-être à 500 000 dollars... A ma grande surprise, elle articula le chiffre d'un million!

Et aujourd'hui encore, je ne comprends pas ma réaction immédiate quand je lui tendis la main en lui disant: «OK.» Mais je suis convaincu que si j'avais demandé un délai de réflexion, si court fût-il, cette acquisition ne se serait jamais concrétisée.

L. G.

Stabile-Mobile
Brasília

Métal peint et axes en acier, réalisé à l'Atelier Biémont, à Tours, en 1965
375 × 325 × 225 cm
Pièce unique
Signé et daté sur le socle *CA 65*

Provenance: atelier de l'artiste, Saché (Touraine)

Achat auprès de Mme Sandra Calder Davidson, fille de l'artiste, Saché, 1996

Œuvre acquise grâce à la générosité de la Loterie Romande

Exposition
Calder: Mostra retrospettiva, Palazzo a Vela, Turin, 1983, cat. n° 286, repr. p. 161.

Archives Calder Foundation A01440
Note
Cette sculpture est le modèle réduit d'une pièce monumentale qui devait orner, à la demande de l'architecte brésilien Oscar Niemeyer, la Praça dos Três Poderes à Brasília. Elle a été réalisée d'après une petite maquette en métal exécutée à Roxbury, Connecticut, dont on garde un dessin préparatoire. Sur une photo de ce mobile (Calder Foundation, New York), il est inscrit: *65, maquette au ¹/₅ d'un mobile primitivement destiné à Brasília.* Le monument final n'a jamais été exécuté.

Inv. n° 231

César

(César Baldaccini, dit)
Marseille, 1921 – Paris, 1998
Sculpteur français

1994.

Biographie

César Baldaccini est né en 1921 à Marseille. Entré en 1935 à l'Ecole des Beaux-Arts de Marseille, il s'inscrit en 1943 à l'Ecole Nationale Supérieure des Beaux-Arts de Paris.

Ses premières recherches avec le plâtre et le fer débutent dès 1947. Deux ans plus tard, César décide d'utiliser le plomb et des fils de fer soudés.

Ses premières sculptures en ferraille et en métal soudé sont réalisées en 1952. César travaille dans une petite usine en Provence, puis dans la banlieue nord de Paris.

La Galerie Lucien Durand, à Paris, organise en 1954 sa première exposition personnelle. Raymond Cogniat lui attribue en 1956 une salle au Pavillon français de la Biennale de Venise.

En 1960, César rejoint les Nouveaux Réalistes: Klein, Arman, Dufrêne, Hains, Raysse, Restany, Spoerri, Tinguely et Villeglé. Les premières compressions de César sont contemporaines du *Vide* de Klein et du *Plein* d'Arman. Les premières voitures aplaties datent de 1959, les dernières de 1990.

En 1965, il présente le *Pouce*, empreinte humaine agrandie au pantographe, à la Galerie Claude Bernard, à Paris. L'année suivante, un *Pouce* de 2 m de haut est présenté au Salon de Mai.

Il moule aussi le *Sein* d'une danseuse du Crazy Horse, qui sera réduit à la taille d'un bijou puis agrandi à 5 m de diamètre et 2,5 m de haut pour orner le bassin de l'usine des Parfums Rochas, à Poissy.

César découvre en 1967 la mousse de polyuréthane et ses propriétés expansives. Il présente *La Grande Expansion orange* au Salon de Mai ainsi qu'un ensemble rétrospectif à la Biennale de São Paulo. Il y reçoit un prix d'encouragement, destiné aux jeunes artistes – qu'il refuse au profit de Jean-Pierre Raynaud.

Nommé en 1970 professeur à l'Ecole Nationale des Beaux-Arts, César crée trois expansions géantes pour un décor du Ballet Théâtre Contemporain, à la Maison de la Culture d'Amiens. Il participe cette même année au dixième anniversaire du Nouveau Réalisme, à Milan, où il exécutera pour la dernière fois en public une de ses expansions.

A la fin des années soixante-dix, César commence une «réinvention» de ses propres sculptures en retravaillant d'anciennes œuvres en fer à partir d'agrandissements en plâtre, qui seront ensuite fondus en bronze.

Il entreprend en 1983 la réalisation du *Centaure* monumental en hommage à Picasso, œuvre qui sera achevée en 1985.

César met en place, à l'occasion des Jeux Olympiques de Séoul de 1988, un *Pouce* de 6 m de haut.

César s'est éteint à Paris en 1998.

Pouce

Bronze, fondu par la Fonderie d'Art R. Bocquel, à Bréauté, Seine-Maritime, en 1981, d'après une première maquette en plâtre de 1965
$252 \times 143 \times 102$ cm
Exemplaire numéroté *HC 2/2*
Signé à l'arrière sur la base *César*
Cachet de *Bocquel Fd* en bas sur le côté gauche

Achat, atelier de l'artiste, Paris, 1998

Œuvre acquise grâce à la générosité de Daniel Marchesseau en souvenir d'André Fourquet

Note
En 1965, César a découvert l'usage du pantographe, pour l'exposition *La Main* à la Galerie Claude Bernard, à Paris.

Edition de douze exemplaires, dont deux épreuves d'artiste et deux Hors Commerce.

Le *Pouce* a fait l'objet de plusieurs versions à des échelles et dans des techniques différentes, du plus petit en cristal (Baccarat) au plus monumental (bronze, H. 600 cm).

Inv. n° 246

Compression d'automobile Volvo

Automobile compressée, 1980
153×52×52 cm
Pièce unique

Provenance: Pontus Hultén, Paris
(don de l'artiste)

Achat, vente publique, Versailles,
Perrin-Royère-Lajeunesse, 9 avril 1995,
lot n° 82, repr. p. 36

Œuvre exposée à l'entrée du Musée de
l'Automobile de la Fondation

Expositions

César, œuvres de 1947 à 1993, Centre
de la Vieille-Charité, Marseille, 1993,
repr. p. 21.
César, Galerie Enrico Navarra, Paris,
1996, repr. p. 67.
Véhicules: César – Tinguely,
Musée Jean Tinguely, Bâle, 1999.
Archives Denyse Durand-Ruel n° 2817

Note

Il s'agit de la Volvo personnelle
de Pontus Hultén, premier directeur
du Musée national d'Art Moderne,
Centre Georges Pompidou, Paris.

Inv. n° 219

Sein

Bronze, fondu par la Fonderie d'Art
R. Bocquel, à Bréauté, Seine-Maritime,
en 1984, d'après un plâtre de 1966
90×236×200 cm
Exemplaire numéroté *E.A. 1/2*
Signé *César*, avec le cachet
Bocquel Fondeur

Provenance: atelier de l'artiste; Marisa
del Re Gallery, Monte-Carlo

Achat, vente publique, Londres, Christie's,
2 décembre 1993, lot nº 269, repr.

Œuvre acquise grâce à la générosité de
Jacques Jottrand et Anne La Barre,
Mons, Belgique

Exposition

IIᵉ Biennale de Sculpture 89, Marisa del
Re Gallery, Monte-Carlo, 1989, repr. p. 29.

Edition de douze exemplaires, dont
deux épreuves d'artiste et deux Hors
Commerce.

Le modèle a été réalisé pour l'usine des
Parfums Rochas, à Poissy, en 1967,
fonte inoxydable, 250×660×550 cm.
Un exemplaire en polyuréthane,
collection Musée de Marseille.

Inv. nº 213

Visite de César à la
Fondation Pierre Gianadda,
les 8 et 9 juillet 1994

PHOTOS: STÉPHANIE BUSUTTIL
ET GEORGES-ANDRÉ CRETTON

Léonard et César à côté du Sein.

César devant le Sein.

*César et Stéphanie Busuttil
sur un* Mouton *de
François-Xavier Lalanne.*

César à côté du Grand Coq *de Brâncuşi.*

César et François Gianadda à Plan-Cerisier.

Léonard, César et François.

Annette, Léonard, César et François.

Léonard et César à côté du
Grand Coq *de Brâncuşi.*

*Annette, César et Léonard
sur les* Moutons *de
François-Xavier Lalanne.*

*César dans la voiture Pic-Pic de la collection du Musée de l'Automobile
de la Fondation.*

*Léonard et César dans la
Fonderie d'Art R. Bocquel, à Bréauté
(Seine-Maritime), à côté du* Pouce,
4 septembre 1998.

Marc Chagall

(Moishe Zakharovitch Shagalov, dit)
Vitebsk (Biélorussie), 1887 – Saint-Paul-de-Vence, 1985
Peintre, graveur et sculpteur français d'origine russe

ARCHIVES MARC ET IDA CHAGALL, PARIS

Biographie

Marc Chagall est né le 6 juillet 1887 à Vitebsk, en Biélorussie, dans une famille modeste, de tradition juive. Il part pour Saint-Pétersbourg en 1906 et entre à l'école Zvantseva.

En 1910, il s'installe à Paris dans un atelier de La Ruche et se lie d'amitié avec Apollinaire. Il expose au Salon des Indépendants et au Salon d'Automne.

En 1914, il se rend à Berlin, pour sa première grande exposition à la Galerie Der Sturm. Retourné en Russie, la guerre l'empêche de revenir en France. Chagall épouse Bella Rosenfeld en 1915. Leur fille Ida naîtra en 1916.

Il est nommé commissaire aux Beaux-Arts et directeur de l'Ecole de Vitebsk en 1918.

Chagall s'installe à Moscou en 1920 et brosse en deux mois l'ensemble des décors destinés au Théâtre juif de la ville. Mais, pour des raisons politiques, il s'exile à Berlin en 1922, où il publie *Ma vie*, avant de retourner à Paris en 1923. Le marchand Ambroise Vollard lui propose d'illustrer les œuvres de Gogol et de La Fontaine, avant *La Bible*, pour laquelle Chagall se rend en Palestine en 1931.

En 1933, à Mannheim, les nazis brûlent en autodafé plusieurs de ses œuvres. Chagall demande alors la nationalité française, qui lui sera accordée en 1937. A la déclaration de guerre, Marc et Bella Chagall se replient dans le sud de la France.

Oiseau, *marbre blanc de Vence.*

Poisson, *marbre blanc de Vence.*

En hiver 1941, grâce à Varian Fry, directeur de l'American Emergency Rescue Committee, Chagall peut partir pour New York. Il se lie avec le marchand Pierre Matisse, qui sera désormais son représentant aux Etats-Unis.

Il réalise les décors des ballets *Aleko* (1942) et *L'Oiseau de feu* (1945). L'actualité dramatique inspire gravement le travail de Marc Chagall. Aux Etats-Unis, les Chagall apprennent la Libération de Paris. Peu avant leur retour en France, Bella, atteinte d'une violente infection virale, décède.

Chagall, terrassé, ne trouvera aucune énergie pour peindre pendant près de neuf mois. Il rencontre Virginia McNeil, qui partagera sa vie pendant sept ans.

Aimé Maeght devient son marchand à Paris. Il rencontre et épouse Valentina (Vava) Brodsky. Installé à Paris et à Vence, il voyage en Israël en 1951. Chagall répond désormais à de nombreuses commandes et aborde de nouvelles techniques, en particulier la céramique et la sculpture, le vitrail, la mosaïque et la tapisserie. André Malraux lui propose de concevoir un nouveau plafond pour l'Opéra de Paris, au Palais Garnier, qui sera inauguré en 1964, tandis qu'il entreprend *La Cour Chagall* (1964), mosaïque spécialement réalisée pour le patio de la résidence de Georges et Ira Kostelitz, à Paris.

Le Musée national Message Biblique Marc Chagall à Nice est inauguré en 1973.

Sur l'invitation de la ministre de la Culture d'Union soviétique, Chagall se rend à Moscou en 1972 pour la première fois depuis son départ en 1922. A cette occasion, il signe cinquante ans plus tard les sept panneaux redécouverts du Théâtre juif.

Marc Chagall s'est éteint à Saint-Paul-de-Vence le 28 mars 1985, dans sa quatre-vingt-dix-huitième année.

19 novembre 2003, jour du 25ᵉ anniversaire
de la Fondation Pierre Gianadda:
*Léonard et Annette Gianadda entourent
Georges Kostelitz, donateur de* La Cour Chagall*,
lors de l'inauguration.*

Une infinie reconnaissance

Texte publié dans le catalogue *La Cour Chagall*, Fondation Pierre Gianadda, 2004

Nous avons connu Ira et Georges Kostelitz en 1989, alors qu'ils résidaient à Genève, à l'occasion de l'exposition Modigliani. Daniel Marchesseau était le commissaire de cette manifestation, sa première exposition à la Fondation Pierre Gianadda, et ils nous avaient prêté un chef-d'œuvre de leur collection.

Cette rencontre marqua le début d'une longue et fidèle amitié. Au fil du temps, des liens plus étroits se sont tissés, une confiance mutuelle s'est instaurée, concrétisée par des prêts successifs, importants. Bien des années plus tard, nous devions apprendre que la Fondation Pierre Gianadda était la seule institution à bénéficier des prêts de Georges et d'Ira. Un jour, nous fûmes invités à dîner dans leur splendide demeure parisienne: ce fut un éblouissement. Le repas, succulent, fut servi dans la salle à manger ornée de peintures commandées à Marc Chagall. Une grande baie vitrée s'ouvrait sur un jardin d'hiver où brillaient, magnifiquement éclairés, les trois panneaux d'une grande mosaïque de Chagall: un jardin des délices, *La Cour Chagall*. Au centre du patio, un petit bassin était agrémenté de deux sculptures en marbre blanc, également de la main du maître: *Poisson* et *Oiseau*.

Le 10 septembre 2001, Georges eut la grande douleur de perdre sa chère Ira, après plus de cinquante ans de vie commune. Peu de temps après, Georges nous invita à déjeuner à Gstaad. A cette occasion et à notre grand étonnement, il nous fit part de son intention de nous offrir, à tous deux, sa merveilleuse mosaïque de Chagall en mémoire d'Ira!

Les événements s'enchaînèrent ensuite rapidement, grâce notamment à l'intervention avisée et efficace de notre ami commun Daniel Marchesseau.

La dépose et le remontage d'une œuvre de cette dimension, délicate, précieuse, monumentale, ne furent pas une sinécure. C'est stoïquement que Georges Kostelitz souffrit les nuisances considérables inhérentes à une telle opération: bruit, poussière, va-et-vient continu des spécialistes durant tout l'été 2003.

L'inauguration de *La Cour Chagall* eut lieu en présence du donateur, le 19 novembre 2003, très précisément le jour du vingt-cinquième anniversaire de la Fondation Pierre Gianadda. Ainsi, l'histoire est parfois rattrapée par des événements troublants, énigmatiques, chargés de symboles: en effet, le 19 novembre 1978, nous inaugurions la Fondation Pierre Gianadda, en souvenir de Pierre, et, exactement un quart de siècle plus tard, en 2003, Georges nous offrait *La Cour Chagall*, en souvenir d'Ira.

Aujourd'hui, du fond du cœur, nous voulons dire notre infinie reconnaissance à notre ami pour le cadeau exceptionnel qu'il nous a fait, pour notre plus grand bonheur, mais également pour celui des milliers de visiteurs de la Fondation.

La Cour Chagall

Mosaïque monumentale, réalisée d'après
une aquarelle de Marc Chagall
par Lino et Heidi Melano, en 1964
267×117 cm
Pièce unique
Signée en bas sur le mur droit
Marc Chagall
Don de Georges Kostelitz en mémoire
de son épouse Ira, 2003
Œuvre spécialement réalisée pour le
patio de la résidence de Georges et
Ira Kostelitz, à Paris
Démontée et remontée à la Fondation
Pierre Gianadda par les restaurateurs
Sandrine et Benoît Cognard avec la
collaboration de Heidi Melano
Inaugurée à Martigny le 19 novembre
2003 pour le vingt-cinquième anniver-
saire de la Fondation Pierre Gianadda

Oiseau et *Poisson*
Deux fontaines taillées par Marc Chagall
en marbre blanc de Vence
Dalles de la terrasse, posées d'après un
dessin de Chagall, taillées dans un marbre
bleu extrait d'une carrière de Savoie

L'ensemble a été entièrement conçu par
Chagall. La mosaïque a été supervisée
attentivement par l'artiste, qui a lui-
même ajouté des tessèlles provenant
d'Israël.

Inv. n° 303

La Cour Chagall

La naissance d'une mosaïque exceptionnelle de Marc Chagall

Donation de Georges Kostelitz à la Fondation Pierre Gianadda (19 novembre 2003)

par Meret Meyer

> *[...] Au cours de ces dernières années, j'ai souvent parlé de la chimie de la couleur authentique, et de la matière comme mesure de l'authenticité.*
> *Un regard particulièrement aigu peut reconnaître qu'une couleur authentique, tout comme une matière authentique, contient inévitablement toutes les techniques possibles. Elle a aussi un contenu moral et philosophique.*[1]

Après quelques années d'exil en Amérique, dès la fin de la Deuxième Guerre mondiale, l'artiste œuvre en faveur de son retour en France. Mais ce n'est qu'en 1948 que les retrouvailles avec le sol français libéré peuvent être célébrées. Ce retour sur le Vieux-Continent constitue un tournant décisif pour la peinture de Chagall. D'une part, le peintre parvient à achever des œuvres commencées en Amérique, mais, d'autre part, une certaine sérénité et le fait de pouvoir s'enivrer de nouveau de *Paris, tu es mon second Vitebsk*[2] se dégagent de sa peinture.

Après plusieurs mois à Orgeval, Chagall choisit comme cadre de vie et de travail la Côte d'Azur, dont la lumière et la végétation se reflètent instantanément dans ses œuvres. La peinture devient plus sensuelle; les formes prennent leurs aises, elles deviennent généreusement amples, en se simplifiant parfois. Leur espace, conduit par la liberté, gagne successivement et spontanément en densité et en rayonnement grâce à la couleur et, bien entendu, à la lumière, deux aspects de la même réalité auxquels le peintre continue de se consacrer. Dorénavant, Chagall se concentre sur le lien entre la forme, la couleur et la lumière, d'œuvre en œuvre, en y pénétrant de plus en plus. La palette est enfin libérée de son expression symbolique et nostalgique, dans laquelle le peintre a puisé pour accéder à son identité culturelle lors de son arrivée en France dans les années vingt. Dès les années cinquante, son attention primordiale est dirigée vers la limpidité des rapports rythmiques des formes et vers l'accroissement de la profondeur, constituée de petites touches infinies, l'on oserait même ajouter impersonnelles et abstraites. Néanmoins, il s'agit bien de la *touche* personnelle de Chagall, de la *chimie* dont il parlait avec grand respect, à petite voix, comme si la raison d'être et l'essence même de la peinture sommeillaient quelque part dans le ciel. Cette nouvelle liberté révèle le caractère terrien de son art. La matière se met en éveil, explose, jaillit, des couches de couleur sont superposées afin de confronter l'œil à la densité et à la transparence des ombres dessinées, soigneusement modelées ou volontairement indéfinies, des «chuchotements», comme il aimait les appeler.

Cet intérêt pour la matière n'est certes pas nouveau. Depuis que le peintre a «apprivoisé» les univers de la céramique, de la sculpture, du vitrail, de la mosaïque et de la gravure, le dialogue avec la matière s'est établi comme autant d'angles que ces techniques lui ont permis d'explorer. Sélectionner pour créer les matériaux qui enrichissent la terre de France, l'argile, la pierre et le verre, ne signifie pas moins vouloir s'identifier à cette terre; la maîtriser, comme l'artiste le révèle dans toutes ces différentes techniques, célèbre une parfaite sérénité par rapport à l'identité culturelle.

Or, si des mouvements artistiques régnant en France ont prôné depuis les années cinquante le décloisonnement des disciplines et l'inclusion d'éléments étrangers à la peinture, Chagall, lui, se nourrit de toutes ces «autres» expressions artistiques pour mieux enrichir sa peinture.

Matière se prononce avec la même respiration que *forme*. Continuellement soucieux du sens de chaque

[1] Marc Chagall, «Why have we become so anxious?», *in: Bridges for Human Understanding*, John Nef ed., University Publishers, New York, 1964, p. 118.
[2] Marc Chagall, *Ma vie*, Paris, 1957, p. 161.

œuvre autant que de son message, le peintre est amené, dans un premier temps, à concevoir des cycles d'œuvres, soit à exposer, soit à éditer, dans leur ensemble. Mais il est également conduit à réfléchir sur une forme, un espace mieux adapté à des techniques «murales» qui permettent de le mettre en valeur d'une manière différente que les tableaux accrochés aux cimaises. Cela crée surtout la possibilité d'approfondir le lien entre l'œuvre et l'architecture.

Rappelons-nous que la conception de l'espace est déjà bien vivante dans son œuvre de jeunesse. Ses premiers décors majestueux et monumentaux pour le Théâtre juif Kamerny à Moscou en 1920, *La Boîte de Chagall*, sont des témoignages d'une fantastique innovation artistique, un *Gesamtkunstwerk* en soi, mariant somptueusement les quatre arts, la Musique, la Danse, la Littérature et le Théâtre.

Alors que les lieux que Chagall occupe en Amérique ne peuvent être identifiés dans les œuvres qu'il a peintes dans les années 1941 à 1946, les commandes de décors et de costumes de ballets pour le New York Theatre Ballet en 1942 *(Aleko)* et en 1945 *(L'Oiseau de feu)* ont par contre profondément marqué le peintre. Ce sont très certainement ces ouvrages pour la scène qui lui ont permis d'approfondir le mariage de l'«espace» pictural avec l'«espace» donné du livret musical et chorégraphique. De nouvelles possibilités de conception monumentale s'offraient à l'artiste. La relation simultanée de décors et de mouvements sur divers plans de la même scène a très certainement contribué, dès son retour en France, au dessein de la transcendance de l'œuvre unique.

Ses premières expériences en trois dimensions témoignent de la préoccupation de l'espace que l'artiste introduit aussitôt dans sa peinture. Dès 1949,

Pour perpétuer le souvenir de Madame Ira Kostelitz
son mari a offert à Léonard et Annette Gianadda

LA COUR CHAGALL

En 1964, pour agrémenter sa demeure parisienne, Ira avait commandé à

MARC CHAGALL

cette mosaïque monumentale ainsi que les deux sculptures

Oiseau et Poisson

Ce pavillon a été reconstitué à l'identique dans le Parc de la Fondation
pour accueillir définitivement et irrévocablement La Cour Chagall

L'inauguration a eu lieu le 19 novembre 2003
jour du 25ᵉ anniversaire de la Fondation Pierre Gianadda
en présence du donateur

la céramique incite le peintre à plus de densité et à des superpositions des couches de couleur, tout en intégrant le sujet dans la matière, souvent sculptée au-delà de la forme fonctionnelle. Le travail sur la sculpture permet l'approfondissement et l'exploration de l'espace, soit par des rajouts de matière, soit par des traits fortement gravés, le dessin incisé dans la matière créant la profondeur et le jeu entre les ombres et les teintes. Le travail sur le vitrail permet enfin d'accroître la perception de la complexité de la lumière contenue par la forme colorée et architecturale, ainsi que son rayonnement au-delà de l'intériorité. L'expérience à travers l'art du vitrail lui permet aussi de «jouer» avec les formes, de casser la relation entre l'objet signifié et le signe même, de les placer comme «accents». Par grandes touches fortement colorées, éventuellement rehaussées d'une matière supplémentaire, bidimensionnelle, collage de papier ou de tissu, il fait naître, à l'intérieur d'une création, un ensemble d'œuvres.

Les premières explorations créatrices de la matière et de la forme ainsi que de l'espace ont donc naturellement conduit Chagall vers l'art de la mosaïque. L'on peut supposer que les anciennes mosaïques qu'il a pu contempler et étudier dans leur cadre architectural lors de ses nombreux voyages dans certains pays du bassin méditerranéen, notamment en Israël, en Italie et en Grèce, au début des années cinquante, ont jeté les bases de son dessein de nouvelle création.

Toute approche souhaitée par Chagall d'un art autre que la peinture a toujours été déterminée par un réel souci respectueux de s'y abîmer et d'en apprivoiser les mystères et ses clés. Dans une lettre du 6 décembre 1955,

Lionello Venturi remercie Marc Chagall de répondre favorablement à une demande des mosaïstes de Ravenne en acceptant d'exécuter un modèle. Le premier essai de transposition est réalisé par Giuseppe Bovini d'après une gouache que Chagall peint spécialement, *Le Coq* (1958), et qu'il souhaite présenter, avec la mosaïque, lors d'une exposition à la Galerie Maeght à Paris. Or, le peintre n'est pas satisfait du résultat et décide de ne pas y donner suite. Pendant quelques années, l'artiste met son projet en veilleuse. En 1963, Chagall s'adresse à l'éditeur San Lazzaro, afin d'obtenir de la part de Severini qu'il lui conseille des mosaïstes capables d'exécuter une œuvre. Les recommandations de Severini ne se font pas attendre. Il indique avec précision les qualités de chaque mosaïste qu'il préconise, en suggérant surtout à son ami Chagall de faire plutôt travailler un artisan sous son contrôle en France, afin de suivre au mieux l'exécution. Des deux mosaïstes que Severini recommande chaudement pour leur talent, anciennement ses assistants dans son école, il suggère Lino Melano, «un bon mosaïste», travaillant dans un atelier à La Ruche. Celui-ci avait déjà œuvré pour Léger, également sur ses indications, à sa complète satisfaction. Severini souligne surtout la remarquable technique propre aux artisans de Ravenne de tailler les tesselles *alla martellina* et lui conseille d'employer pour une mosaïque à l'air libre uniquement des émaux,

Marc Chagall, Ira et Georges Kostelitz, Vava Chagall et Guy de Poligny à La Colombe d'Or à Saint-Paul, vers 1960.

capables de résister à d'importantes intempéries.

Quelques jours plus tard, Chagall adresse ses plus vifs remerciements à son ami Severini et prend aussitôt contact avec le mosaïste Lino Melano.

En 1964, Melano réalise une mosaïque d'essai d'après une esquisse, un oiseau en vol sur fond gris, comprenant toutes les nuances du fond gris créées par les battements d'ailes de l'animal.

L'art de la mosaïque peut enfin prendre son envol dans l'esprit pictural et conceptuel de Chagall.

Une première mosaïque est réalisée, *Les Amoureux* (1964-1965), dédiée à Aimé et Marguerite Maeght, pour orner le mur extérieur de la librairie de la Fondation Maeght à Saint-Paul, inaugurée en 1964. Lino Melano y transpose une œuvre récente de Chagall, dans laquelle le peintre déplace les formes de cou-

leur en fonction des contours noirs de formes «gravées», comme s'il «jouait» avec des verres de couleur. Elles prennent la place et la fonction d'importants «accents» abstraits. L'œuvre innove autant dans l'art de la mosaïque que Chagall le fait dans sa propre peinture: s'agit-il d'un «commentaire» artistique d'un vrai peintre qui se bat pour les privilèges de la peinture par rapport à la «décentralisation» et à la «fragmentation» croissante de l'être humain qui s'installent dans les années soixante? La mosaïque témoigne parfaitement de ce qui est lisible dans la peinture de Chagall: *Peut-être, me semblait-il, d'autres dimensions existent – une quatrième, une cinquième dimension qui ne seraient pas seulement celles de l'œil, et cela, je le souligne, ne me paraissait nullement de la «littérature», du «symbolisme», ni ce qu'on appelle la poésie dans l'art. Peut-être était-ce quelque chose de plus abstrait, de libéré – abstrait non dans le sens de ne pas rappeler le réel, mais plutôt d'ornemental, de décoratif, de toujours partiel. Peut-être était-ce quelque chose qui fait naître intuitivement une gamme de contrastes plastiques en même temps que psychiques, pénétrant le tableau et l'œil du spectateur de conceptions et d'éléments inhabituels et nouveaux...[3]*

Dès 1964, cette première transposition réussie suscite plusieurs autres projets: la grande mosaïque *Le Mur des lamentations*, réalisée par Lino Melano et deux autres mosaïstes italiens avec des pierres en provenance du désert du Néguev et d'Italie, destinée à la Knesset, à Jérusalem; la magnifique mosaïque *Orphée*, conçue pour l'extérieur de la demeure de John Nef à Washington, D.C., qui avait invité Chagall à participer à trois conférences interdisciplinaires de *Bridges of Human Understanding* depuis 1946 à l'Université de Chicago; la superbe *Cour Chagall*, qui se déploie sous la lumière naturelle du patio devant la baie vitrée de la magnifique salle à manger

3 Marc Chagall, «Quelques impressions sur la peinture française», *in: Renaissance*, II-III, 1945, p. 48.

entièrement dédiée aux peintures de Chagall dans la demeure privée parisienne des amis proches de Marc et Valentina Chagall, Ira et Georges Kostelitz.

Parmi toutes ces mosaïques, *La Cour Chagall* est exceptionnellement belle et très particulière. L'on pourrait même avouer ne pas en être surpris, compte tenu des liens étroits et profonds qui ont uni le peintre et son amie Ira. D'origine russe, Ira Kostelitz a manifesté pendant des décennies sa vive amitié pour Chagall, pour «Pouchkine», comme elle l'appelait affectueusement. Elle suivait, accompagnée de son mari Georges, avec grand intérêt, tous les projets de l'artiste. Leur correspondance en témoigne. A chaque rencontre, Ira et «Pouchkine» étaient habités par le chant de leur passion commune de l'art, de la beauté et de la vie, et ils s'«envolaient», tout en parlant russe, vers un air où le langage de *chimie* est unique, à peine audible, à condition de savoir l'écouter.

La maquette pour la mosaïque rayonne en couleurs, apposées à l'aquarelle et à la gouache, comme si l'essentiel s'était métamorphosé avec une légèreté tout immatérielle en brins de pensées et de sentiments. Une composition de branches courbées «lancées» s'ordonnent dans le ciel sur fond «blanc», emportées par des oiseaux, au premier plan, sur une esquisse d'évocation terrestre, sur fond de collines. L'on ne peut s'empêcher de penser à une maquette pour un rideau de scène monumental, devant lequel la scène se déroule. Un dialogue entre les deux univers s'établit sans jamais s'interrompre.

Chagall avait déjà innové le domaine du théâtre, en projetant symboles et métaphores dans le ciel, en l'occurrence sur certains rideaux du ballet *L'Oiseau de feu* d'Igor Stravinski, à New York, en 1945. La transposition de cette maquette extrêmement aérienne en mosaïque pour *La Cour Chagall* devait également rompre avec toutes les traditions existantes de l'art de la mosaïque. Car, traduire la poésie peinte en couleurs en matière, en composition de tesselles, sans que l'immatériel soit détaché du matériel, relève d'un défi que seules la confiance et les affinités établies entre l'artiste et l'artisan peuvent exprimer.

Des milliers de petites pierres du bassin méditerranéen, accueillant quelques fragments ramenés spécialement d'Israël par Chagall, une bénédiction à toutes les pierres soigneusement choisies en fonction de leurs teintes et du «jeu» en relief du traitement de l'ensemble, reconstituent la maquette en un triptyque aux volets ouverts, en angles arrondis, sur le monde extérieur.

C'est une chorégraphie de formes et de tonalités qui se déploie dans *La Cour Chagall*. A distance, l'on croit y reconnaître des pensées en forme de bouquets, suggérant de longues guirlandes fleuries, accrochées dans les airs des angles inférieurs aux angles supérieurs, formant des arcs-en-ciel, transportant structures, lignes, volutes, verticales, horizontales, généralement associés à la vie terrestre. Ici, tout se passe dans le ciel. Les mouvements, si invisibles qu'ils soient, quelques repères liés au ciel et à la terre existent. Un soleil habité par un visage fleuri dans l'angle supérieur gauche du panneau central évoque les plaisirs de la vie. Une nature morte sur une table devant un horizon maritime, au fond deux collines subtilement esquissées, sur le panneau droit, un pont au loin, à peine visible, jalonnent comme autant d'images identifiées, sans qu'elles s'imposent aux regards, sans qu'une anecdote précise puisse en être livrée.

De chaque côté, sur chaque panneau, figure un oiseau: au centre, un grand et généreux oiseau couronné orchestre toute la composition, son corps et une aile en jaune, la seconde dans un rouge flamboyant; sur le panneau droit, un magnifique paon «entrecoupant» la guirlande florale et végétale; un autre oiseau, dans un bleu lumineux, s'apprête à s'envoler de l'angle droit inférieur vers l'intérieur de la composition, comme s'il indiquait le regard à poser et invitait à voyager vers le ciel.

*Meret Meyer,
la petite-fille de
Marc Chagall, et
Léonard Gianadda
s'apprêtent à
dévoiler la plaque
commémorative…*

*… mais le soin en
revient à Annette
Gianadda et à
Georges Kostelitz!*

De près, le regard reste fasciné par la richesse du fond «blanc» qui n'est pas «vide». Au contraire, avec toutes les nuances du ciel clair, celui-ci reflète la densité et la transparence de l'air qui nous entoure et vibre de mouvements fleuris. Nous ne sommes pas moins éblouis par la composition que par les formes végétales, mariage mystérieux entre formes abstraites de couleurs vives, traduisant les touches colorées à l'aquarelle et à la gouache, et des traits qui se révèlent, tantôt dessous, tantôt dessus, appartenir à des mondes divers sans qu'on sache les identifier. La profondeur restituée par la mosaïque est exceptionnelle et unique. Le jeu entre les touches de couleur, même inattendu, utilisant des teintes fraîches et nouvelles de la palette chagallienne, et les rapports entre les tons, le dessin et le fond témoignent d'une extrême subtilité, comme si la matière des tesselles n'en traduisait que le souffle immatériel.

Les métaphores sont nombreuses et nous parlent non seulement des affinités entre le peintre et sa commanditaire, mais aussi du regard que nous sommes tous amenés à poser sur les valeurs essentielles, devenues universelles: les liens authentiques se traduisent en «matière», fleurissent, embellissent, se tissent au-delà des mers et des océans, au-delà des continents, et surtout traversent toutes les époques. Un hommage à tout ce qui est authentique?

Cette mosaïque magnifiquement conçue pour un lieu privé, pensée pour enrichir quotidiennement dans le rêve les regards auxquels la composition est dédiée, n'a pas moins contribué à une conception architecturale mariant l'extérieur à l'intérieur. Car, en préservant la distance entre la mosaïque et l'espace intérieur de la demeure d'où elle pouvait être contemplée, cette dernière conservait d'une certaine manière son autonomie et ne s'imposait pas. Or, la forme de la mosaïque reprenait exactement à l'extérieur le carré de l'espace intérieur, comme si celui-ci était prolongé, une longue «boîte» ouverte, entrecoupée par une baie vitrée, mais reliée par un magnifique sol «mouvant» en marbre gris et deux animaux en marbre blanc dialoguant à travers leurs jets d'eau de chaque côté d'un petit bassin central. Une innovation sans précédent lorsque l'on songe au mariage réussi entre la peinture de Chagall et la conception architecturale moderne et contemporaine de cet atrium, aux accents de l'art conceptuel qui dictait le monde des arts à ce moment-là.

Après presque quarante ans, la réussite de l'envol définitif de *La Cour Chagall* d'un lieu privé, à Paris, dans un parc public, celui de la Fondation Pierre Gianadda, à Martigny, son adaptation et son «acclimatation» conforme n'ont pu être accomplies que grâce à l'existence des nombreux messages actuels et universels que la mosaïque nous adresse et nous chante à chaque regard, à tout instant, aujourd'hui et demain.

M.M.

Eduardo Chillida

Saint-Sébastien (Pays basque), 1924 – Saint-Sébastien, 2002
Sculpteur espagnol

Grasse, 1985.

Biographie

Eduardo Chillida est né le 10 janvier 1924 à Saint-Sébastien, au Pays basque. Il arrive en 1943 à Madrid, pour y suivre des études d'architecture, qu'il abandonnera quatre ans plus tard pour se consacrer au dessin et à la sculpture.

Chillida part pour Paris en 1948 et réside au Collège d'Espagne. Il y rencontre Pablo Palazuelo, avec qui il entretiendra une amitié durable. Il s'intéresse alors essentiellement à la sculpture archaïque grecque, dont il s'inspire pour réaliser ses premières figures et torses en plâtre.

En 1951, Chillida décide de revenir sur sa terre natale. Il s'adonne aux formes abstraites et abandonne définitivement la figuration dans sa sculpture. Il change aussi de matériaux et emploie la technique de la forge, renouant ainsi avec la tradition ancestrale du fer en Pays basque.

Sa première exposition personnelle a lieu à la Galerie Clan à Madrid, en 1954, puis en 1955 à la Kunsthalle de Berne. Le philosophe Gaston Bachelard écrit un texte sur son œuvre, *Le Cosmos du feu* (1956).

Chillida se rend pour la première fois aux Etats-Unis en 1958. Il participe l'année suivante à la Documenta II de Kassel. Le Musée de Houston organise sa première rétrospective en 1966.

Chillida est nommé en 1971 professeur à l'Université Harvard.

En 1975, Chillida remporte le Prix Rembrandt de la Fondation Goethe. Dans les années quatre-vingt, son œuvre est internationalement reconnu: Médaille d'Or des Beaux-Arts (Madrid, 1981), Prix européen des Beaux-Arts (Strasbourg, 1983), Grand Prix National des Arts (Paris, 1984). Nommé Architecte honoraire du Conseil supérieur des architectes en 1989, il reçoit en 1991 le Praemium Imperiale du Japon.

Le 9 juin 1993, Chillida est élu, le même jour que Léonard Gianadda, membre de l'Institut de France à l'Académie des Beaux-Arts.

Après sa rétrospective à Saint-Sébastien en 1992, Chillida est élu à l'Académie des Beaux-Arts de Madrid en 1994, puis membre des académies de Boston et de New York en 1995. *De Música II* (1988) est installée à la Fondation Pierre Gianadda en 1996.

Après les hommages rendus au Musée Reina Sofía de Madrid et au Musée Guggenheim de Bilbao en 1999, Chillida est nommé en 2000 docteur *honoris causa* de l'Université de Salamanque et de la Universidad Complutense de Madrid. Cette même année, il ouvre sa fondation personnelle à Hernani (Pays basque): le Musée Chillida-Leku.

Eduardo Chillida s'est éteint en 2002 à Saint-Sébastien.

Le mardi 25 octobre 1988, on m'avait demandé de faire partie du jury du Prix L'Aventure de l'art au XXe siècle à la Fiac, à Paris. L'Espagne était l'hôte d'honneur.

A la Galerie Theo, je tombe sur une magnifique sculpture de Chillida, De Música II. Je m'enquiers du prix, demande à réfléchir. Quelque temps plus tard, je me rends à Madrid, décidé à acquérir cette œuvre... vendue dans l'intervalle!

A ma grande surprise et avec bonheur, je la retrouve un jour à la Galerie Artcurial, avenue Matignon, à Paris. Mais le prix de vente s'était envolé. J'entreprends d'âpres négociations... pendant plusieurs années, jusqu'à ce que la sculpture retrouve son prix initial! Elle arrive à Martigny en février 1997... une dizaine d'années après sa découverte à la Fiac!

Ainsi, certaines acquisitions se font en une minute, comme Le Grand Assistant *de Max Ernst, le temps de compter jusqu'à dix, comme pour* Indeterminate Line *de Bernar Venet, ou en dix ans, telle* De Música II *de Chillida...*

L.G.

De Música II

Acier, réalisé à la Forge industrielle de Patricio Etxeberria, à Legazpia, Pays basque, en 1988
141 × 211 × 216 cm
Pièce unique

Provenance: atelier de l'artiste, Saint-Sébastien

Achat, Galerie Artcurial, Paris, 1996

Expositions
Chillida, Galería Theo Espacio, Madrid, 1989, repr. p. 20.
Omaggio a Eduardo Chillida, Ca' Pesaro, Venise, 1990, repr. p. 90.
Chillida, Martin-Gropius-Bau, Berlin, 1991, repr.
Chillida – eine Retrospektive, Shirn Kunsthalle, Francfort, 1993, cat. n° 61.
Les Champs de la Sculpture, Champs-Elysées, Paris, 1996, repr. pp. 64-65.
Les Champs de la Sculpture in Tokyo, Museum of Contemporary Art, Tokyo, 1996, cat. n° 27, repr. pp. 64-65.
De Picasso à Barceló, Fondation Pierre Gianadda, Martigny, 2003, cat. n° 44, repr. p. 155.

Archives Musée Chillida-Leku 1988.001

Note
Eduardo Chillida réalisa quatre sculptures de la même série, dont la dernière, destinée à la ville de Bonn, en Allemagne, est placée près de la cathédrale. Elles sont toutes inspirées de la lecture de l'œuvre *De Musica* de saint Augustin, qui traite la métrique, le rythme, l'espace.
De Música I, 1987, 29,8 × 40,7 × 35 cm, acier, collection particulière.
De Música III, 1989, 193 × 319 × 261 cm, acier corten, collection Musée Chillida-Leku.
De Música IV, 1999, 224 × 275 × 216 cm, acier corten, Münsterplatz, Bonn.

Inv. n° 233

Aloïs Dubach

Né à Lucerne, en 1947
Sculpteur suisse, travaillant à Valangin (canton de Neuchâtel)

Biographie

Aloïs Dubach est né le 6 mars 1947 à Lucerne.
Dès 1970, il participe à diverses expositions personnelles et collectives, notamment à Bienne, Môtiers, Bex. Il est l'auteur d'œuvres monumentales à Colombier, Môtiers, Séoul (Corée du Sud), Mazzano (Italie).
Aloïs Dubach vit et travaille à Valangin.

Absence

Acier corten, réalisé à Valangin, en 1991
200 × 390 × 60 cm
Pièce unique

Achat, atelier de l'artiste, 1991

Exposition
Sculpture suisse en plein air 1960-1991, Fondation Pierre Gianadda, Martigny, 1991, repr. p. 37.

Inv. n° 300

Jean Dubuffet

Le Havre, 1901 – Paris, 1985
Peintre, sculpteur et écrivain français

Paris, 1969.

Biographie

Jean Dubuffet est né le 31 juillet 1901 au Havre, dans une famille de négociants en vins. Il s'y inscrit à l'Ecole des Beaux-Arts en 1916, puis entre brièvement à l'Académie Julian, à Paris. En 1924, il traverse une profonde crise de doute intérieur sur les valeurs culturelles et décide de cesser de peindre. Il entre dans l'affaire paternelle, puis fonde à Paris, en 1930, un négoce de vins en gros. Il se remet à la peinture en 1933, mais abandonne de nouveau en 1937 pour sauver de la faillite son établissement qu'il vendra en 1947. En 1942, pour la troisième et dernière fois, Dubuffet revient à la peinture. Sa première exposition, tumultueuse, a lieu en 1944, à la Galerie René Drouin, à Paris.

A partir de 1945, il intensifie ses recherches sur l'art brut – terme dont il est l'inventeur –, en particulier dans les hôpitaux psychiatriques, et fonde La Compagnie de l'Art Brut avec le soutien d'André Breton et Jean Paulhan. Après avoir publié *L'art brut préféré aux arts culturels* (1949), il organise la grande exposition de l'art brut au Musée des Arts décoratifs, à Paris (1967). En 1971, la Ville de Lausanne, à qui Dubuffet donne un ensemble de 4000 œuvres, lui propose l'installation au château de Beaulieu de la Collection de l'Art Brut.

Après plusieurs séjours au Sahara (1946-1949), Dubuffet partage son temps entre Vence et Paris. Il poursuit avec une dilection évidente une activité épistolière et littéraire intense parallèlement à ses travaux qu'il décline par séries selon un engagement fort, encouragé par Jean Paulhan et Michel Tapié: *Corps de dames* (1950), *Hautes pâtes* et *Petits tableaux d'ailes de papillons* (1953), *Assemblages* et *Petites statues de la vie précaire* (1955), *Texturologies* (1957), *Topographies* (1958), *Empreintes* et *Barbes* (1959), *Eléments botaniques* et *Matériologies* (1960). Il a pour marchands René Drouin, puis Daniel Cordier à Paris et Pierre Matisse à New York. Premières rétrospectives marquantes à Paris au Musée des Arts décoratifs (1960) et à New York au MoMA (1962).

En 1962, il commence le cycle extrêmement riche de *L'Hourloupe*, qui durera douze ans, et qu'il développera en particulier dans ses maquettes d'architecture. En témoignent *Figure votive** (1969) et *Elément d'architecture contorsionniste V* (1970). Dubuffet entreprend ainsi la construction du *Jardin d'hiver* et du *Cabinet logologique*, installés dans la *Closerie Falbala*, à Périgny-sur-Yerres. 1974 est l'année de la première représentation de *Coucou Bazar* lors de sa rétrospective au Guggenheim Museum, à New York, qui marque la fin de *L'Hourloupe*. Tandis qu'un long et pénible procès l'oppose à la Régie Renault – qu'il finira par gagner –, ses derniers cycles en peinture sont *Théâtres de mémoire* (1978), *Psychosites* (1981), *Mires* (1983) et *Non-lieux* (1984). Il rédige enfin sa *Biographie au pas de course*.

Jean Dubuffet s'est éteint le 12 mai 1985 à Paris.

Elément d'architecture contorsionniste V

Epoxy peint au polyuréthane, réalisé à la Société Résines d'Art Haligon, à Périgny-sur-Yerres, en 1970
300×444×198 cm
Pièce unique
Signé et daté

Provenance: atelier de l'artiste, Paris

Achat, Galerie Beyeler, Bâle, 1985

Expositions
Jean Dubuffet: A Retrospective, The Solomon R. Guggenheim Museum, New York, 1973, cat. n° 285, repr. p. 279.
Jean Dubuffet (rétrospective), Galeries nationales du Grand Palais, Paris, cat. n° 377.
Jean Dubuffet, Skulpturen, Art 5'74 (foire de Bâle), stand de la Galerie Beyeler, Bâle, 1974.
Sculptures au XXe siècle, Wenkenpark Riehen, Bâle, 1980, repr. p. 127.
Jean Dubuffet, Fondation Pierre Gianadda, Martigny, 1993, cat. n° 115b, repr. p. 183.
La sculpture des peintres, Fondation Maeght, Saint-Paul-de-Vence, 1997, cat. n° 187, repr. pp. 260-261.

Note
Première maquette réalisée le 30 juillet 1969 (Fascicule XXV, n° 30), dimensions 50×74×33 cm, conservée à la Fondation Dubuffet, à Paris, à partir de laquelle deux agrandissements successifs ont été effectués: *Elément d'architecture contorsionniste V (ouvert de trois portes)*, époxy peint au polyuréthane, 100×148×66 cm, janvier 1970 (Fascicule XXV, n° 31), également à la Fondation Dubuffet, à Paris. Ce maître modèle a servi à l'agrandissement définitif de l'œuvre au triple, aujourd'hui à la Fondation Pierre Gianadda.

Inv. n° 133

Elisheva Engel

Née en Israël, en 1949
Sculpteur néerlandais et suisse, travaillant à Genève

Juin 1986.

Biographie

Elisheva Engel est née en Israël en 1949. En 1973, elle est diplômée de la Rietveld Academie d'Amsterdam en graphisme, spécialité dessin animé.

Elle entre à l'Ecole Supérieure d'Art Visuel de Genève. Dès le début des années quatre-vingt, elle expose d'abord à Genève, puis dans toute la Suisse.

Ses sculptures sont réalisées en plâtre, ciment, polyester ou bronze.

Depuis 1982, elle enseigne l'expression plastique au Département de l'instruction publique du canton de Genève et travaille également pour «L'Art et les Enfants».

Elle vit et travaille à Genève, où elle a réalisé *Les Pique-niqueurs du dimanche.*

Les Pique-niqueurs du dimanche

1986
Trois personnages, une fois et demie grandeur nature, et une nappe en relief
115 × 220 × 270 cm
Pièce unique moulée en résine de polyester et peinte

Achat, atelier de l'artiste, Genève, 2001

Exposition
Repères, Musées cantonaux de l'Etat du Valais, 1986.

Inv. n° 271

Hans Erni

Né à Lucerne, en 1909
Peintre, graveur et sculpteur suisse,
travaillant à Lucerne et à Saint-Paul-de-Vence

16 juin 2004.

Biographie

Hans Erni est né le 21 février 1909 à Lucerne. Son père est mécanicien à bord d'un bateau du lac des Quatre-Cantons.

Après son apprentissage de technicien-arpenteur et de dessinateur-architecte, il entre en 1927 à l'Ecole des Arts et Métiers de Lucerne. Puis il s'installe à Paris et suit les cours de l'Académie Julian.

Il étudie ensuite à l'Ecole d'Etat des Arts libres et appliqués de Berlin. Erni travaille alors et jusqu'en 1933 sous le pseudonyme de François Grèques. Membre du groupe Abstraction-Création, il crée ses premières œuvres non figuratives.

Sa première exposition personnelle a lieu à la Galerie Schulthess à Bâle, en 1935. L'année suivante, Hans Erni réalise la fresque *Les Trois Grâces lucernoises* pour la gare de Lucerne, ainsi qu'une fresque abstraite pour la Section suisse de la Triennale de Milan organisée par Max Bill. Il est en 1937, à Zurich, un des membres fondateurs du groupe Allianz, l'Association des artistes modernes suisses.

En séjour à Londres à la fin des années trente, il entre en contact avec Ben Nicholson, Barbara Hepworth, Henry Moore et certains artistes et architectes ayant fui l'Allemagne nazie à la suite de la fermeture du Bauhaus: László Moholy-Nagy, Marcel Breuer et Walter Gropius.

Pour l'Exposition nationale à Zurich, en 1939, il réalise une fresque monumentale, *La Suisse, pays de vacances des peuples*, qui sera intégrée en 1990 dans les collections du Musée national suisse. Hors quelques travaux non figuratifs réalisés à la tempera sur papier, il abandonne l'art abstrait.

Durant la période de la guerre froide, Erni, aux opinions clairement de gauche, aux nombreux contacts internationaux, est surveillé par des agents suisses. Un dossier complet est constitué. Le conseiller fédéral Philipp Etter, du Parti démocrate-chrétien, l'empêche en 1951 de participer à la Biennale de São Paulo. En 1953, Erni reprend un atelier à Paris, où il retrouve Pablo Picasso et Louis Aragon.

De nombreuses expositions rythment les années cinquante, soixante et soixante-dix. Il crée les décors et les costumes pour *Le Rossignol* et *L'Histoire du soldat*, à l'occasion du quatre-vingtième anniversaire d'Igor Stravinski, à l'Opéra de Zurich, en 1961.

Le Musée Allerheiligen, à Schaffhouse, organise une exposition complète de ses œuvres en 1966. Erni est alors de nouveau accepté par la Confédération suisse, malgré certaines critiques. Il est nommé membre de la Commission fédérale des Beaux-Arts (1969-1976). Le Musée Hans Erni ouvre ses portes en 1979 dans un des bâtiments du Musée suisse des transports et des communications à Lucerne.

Hans Erni, qui a réalisé *Le Minotaure* pour le giratoire de l'avenue de la Gare à Martigny et *La Fontaine Ondine*, dessinée spécialement pour orner le bassin devant la Fondation, vit et travaille entre Lucerne et Saint-Paul-de-Vence.

La Fondation Pierre Gianadda prépare l'exposition du centenaire de l'artiste en 2009.

La Fontaine Ondine

Céramique, fond de bassin en plaques
de lave émaillées, réalisée avec le
céramiste Hans Spinner, à Grasse,
en 2003

121,3×940×162 cm

Pièce unique

Signé et daté en bas à droite
Erni juill 2003

Achat, atelier de l'artiste, 2003

Œuvre réalisée spécialement pour le
bassin ornant la façade de la Fondation
Pierre Gianadda, à Martigny, grâce à la
générosité de l'artiste

Inv. n° 304

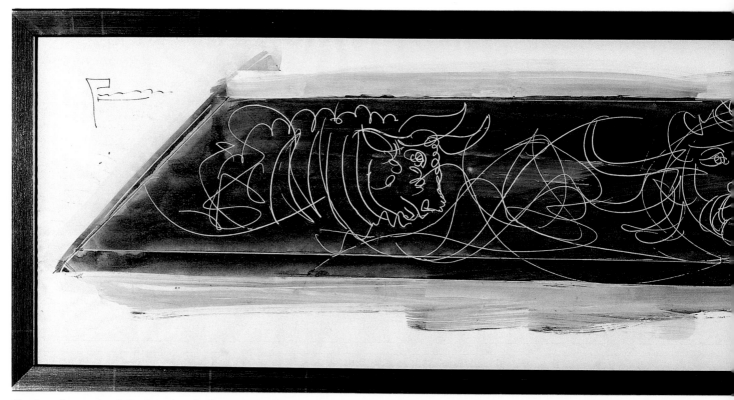

Dessin préparatoire de La Fontaine Ondine*. *Lavis d'aquarelle.*

La Fontaine Ondine, céramique (détails).

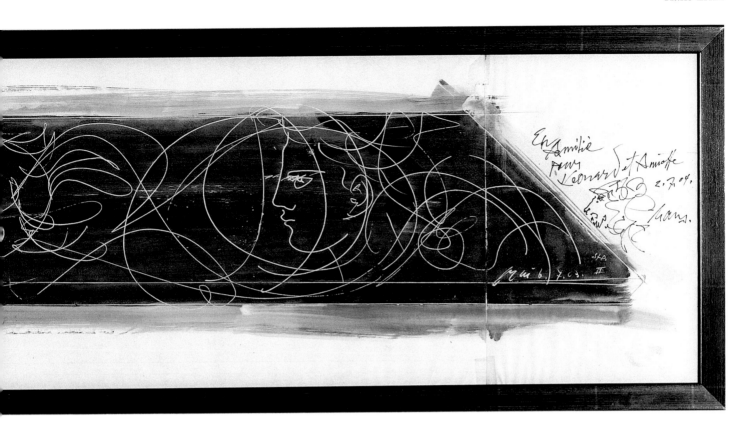

Préparation de l'exposition à la Fondation Pierre Gianadda, novembre 1998

PHOTOS: GEORGES-ANDRÉ CRETTON

L'artiste devant le plâtre original du Minotaure *destiné au giratoire de l'avenue de la Gare, à Martigny (voir p. 277).*

Hans Erni et Ruth Dreifuss, vice-présidente de la Confédération suisse.

Vernissage,
28 novembre 1998

Hans Erni et l'architecte suisse Mario Botta.

Doris et Hans Erni, Ruth Dreifuss et Léonard Gianadda.

Max Ernst

Brühl, 1891 – Paris, 1976
Peintre et sculpteur allemand, naturalisé français

A Huismes (Touraine), 1955.

Biographie

Max Ernst est né en 1891 à Brühl, près de Cologne. Il étudie la philosophie et l'histoire de l'art à l'Université de Bonn. En 1912, il est fortement impressionné, à l'exposition du Sonderbund, à Cologne, par les toiles de Van Gogh, Cézanne, Gauguin, Signac, Picasso, Matisse, Hodler, Munch… L'année suivante, il se rend à Paris et rencontre Guillaume Apollinaire, Robert Delaunay et Jean Arp. Pendant la Première Guerre mondiale, il est mobilisé dans l'artillerie allemande. En 1919, il rencontre Paul Klee à Munich et fonde le groupe dada à Cologne avec Arp, en 1920. Il retourne ensuite à Paris et se lie d'amitié avec André Breton, qui organise sa première exposition en France, puis avec Paul Eluard, Tristan Tzara, Jean Paulhan… Rapidement, Ernst s'impose parmi les champions du surréalisme. Il s'approprie la technique du frottage qui participe de l'écriture automatique et publie *Histoire naturelle* (1926) avant le premier roman-collage *La Femme 100 têtes* (1929). Il collabore avec Joan Miró aux décors de *Roméo et Juliette* pour les Ballets russes de Serge de Diaghilev (1926) et apparaît dans le film *L'Age d'or* de Luis Buñuel et Salvador Dalí (1930). Avec Alberto Giacometti, il commence à expérimenter la sculpture qu'il va développer dans sa maison de Saint-Martin-d'Ardèche (1937-1939).
Applaudies à New York depuis sa première exposition en 1931 chez Julian Levy, quarante-huit de ses œuvres figurent à l'exposition *Fantastic Art, Dada, Surrealism* au Museum of Modern Art (1936). En 1937, sa toile *L'Ange du foyer* exprime sa réaction engagée contre la guerre civile espagnole et tragique devant la montée du nazisme. Ressortissant allemand, il est poursuivi par les autorités françaises, puis par la Gestapo. Max Ernst réussit cependant, avec l'aide du journaliste américain Varian Fry, à quitter la France pour New York en compagnie de Peggy Guggenheim, en 1941, qu'il épousera l'année suivante. En 1946, il part s'installer avec Dorothea Tanning dans une maison également construite par lui-même à Sedona (Arizona) et reprend la sculpture.
Sa première rétrospective en Allemagne a lieu en 1951, dans sa ville natale de Brühl.
En 1953, Ernst retourne définitivement en France, où il est naturalisé en 1958. La reconnaissance internationale se confirme avec le Grand Prix de la Biennale de Venise (1954). Il travaille en Touraine puis à Seillans, en Provence, où il a sans doute exécuté *Le Grand Assistant* (1967), enfin à Paris. Une magistrale exposition est organisée pour son quatre-vingtième anniversaire au Musée de l'Orangerie, à Paris, en 1971.
Max Ernst s'est éteint à Paris, le 1er avril 1976, la veille de son quatre-vingt-cinquième anniversaire. Un musée lui est consacré depuis 2005 à Brühl.

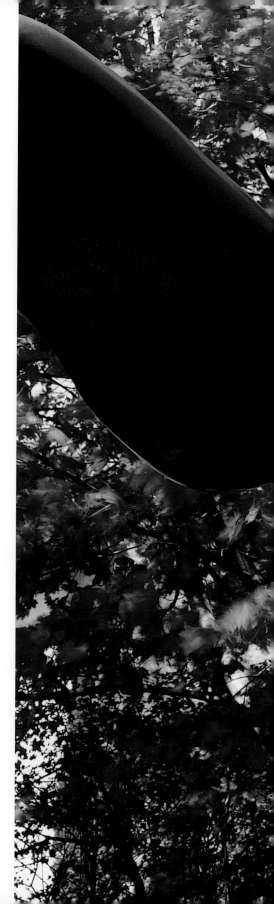

Le mercredi 4 décembre 1996, j'accompagnai Jean-Louis Prat à la Jeffrey Loria Gallery, à New York. Pour l'été 1997, il préparait l'exposition La sculpture des peintres *à la Fondation Maeght, à Saint-Paul-de-Vence. Très intéressé par* Le Grand Assistant, *Jean-Louis le demande en prêt à Jeffrey Loria... qui refuse, car il entend vendre cette œuvre dans l'intervalle. D'un air détaché, je demande alors au marchand combien peut valoir une sculpture comme celle-là. Sans se douter de quoi que ce soit, Jeffrey me répond: «350000 dollars.» Je me tourne alors vers Jean-Louis en lui disant: «C'est entendu. Tu as ta sculpture, tu n'auras même pas le transport à ta charge...»*

L. G.

Le Grand Assistant
ou Grand Génie

Bronze, patine noire, fondu par la Fonderie Susse, à Paris, en 1996, d'après un plâtre de 1967
156 × 223 × 70 cm
Exemplaire signé et numéroté sur la base *Max Ernst 2/8*
Cachet du fondeur derrière la base *Susse Fondeur, Paris*

Achat, Jeffrey H. Loria & Co., New York, 1996

Exposition
La sculpture des peintres, Fondation Maeght, Saint-Paul-de-Vence, 1997, cat. n° 147, repr. p. 205.

Note
Un exemplaire est installé près du Centre Georges Pompidou, à Paris, sur la rue Rambuteau, collection Fonds national d'Art Contemporain, Paris. D'autres épreuves se trouvent dans les collections du Louisiana Museum for Moderne Kunst, Humlebæk, Danemark, et de la Städtische Galerie, Lenbachhaus, Munich (exemplaire I/IV).

Edition de quatre exemplaires numérotés en chiffres romains et de huit numérotés en chiffres arabes.

Inv. n° 234

Jean Ipoustéguy

(Jean Robert, dit)
Dun-sur-Meuse (Meuse), 1920 – Doulcon (Meuse), 2006
Sculpteur et peintre français

Biographie

Jean Robert est né le 6 janvier 1920 à Dun-sur-Meuse, dans une famille d'origine populaire. Il fait son apprentissage de sculpteur et de peintre en 1938 grâce aux cours du soir de la Ville de Paris.

D'abord peintre, il participe à la décoration de l'église Saint-Jacques de Montrouge et prend alors le pseudonyme de Jean Ipoustéguy, nom de jeune fille de sa mère. En 1939, il est engagé dans l'infanterie à Dijon. En 1941, démobilisé, il devient clerc d'avoué, mais continue les cours de dessin, avant de fuir le travail obligatoire en Allemagne.

A partir de 1949, il se consacre à la sculpture et, pour subvenir à ses besoins, enseigne le dessin dans les écoles d'Issy-les-Moulineaux. Grâce au sculpteur Henri-Georges Adam, il entre au Salon de Mai, à Paris.

Vers 1958, en voulant «briser l'œuf de Brâncuşi», il sculpte *Casque fendu*. Apparaît alors son désir d'éclater les volumes. En 1962, après un voyage en Grèce, il modèle *La Terre*, sculpture emblématique qui l'impose auprès de la critique. La figure humaine devient sa seule inspiration. Il entre cette même année à la Galerie Claude Bernard, à Paris, où il restera vingt-deux ans. Cette collaboration lui permet d'abandonner l'enseignement. Il taille le marbre en Italie, à Carrare, dans les ateliers Nicoli.

En 1964, il reçoit le Prix Bright à la Biennale de Venise et, en 1968, le Prix de la ville de Darmstadt.

L'année 1974 est marquée par un drame familial: il perd sa fille Céline, âgée de 10 ans. Son visage sera un motif récurrent des sculptures qui suivront.

En 1979, la Ville de Berlin lui commande *L'Homme construit sa ville*, un grand ensemble sculptural édifié devant le Centre International des Congrès.

La sculpture d'Ipoustéguy s'éloigne cependant d'une certaine pureté initiale des volumes pour aboutir à un style plus charpenté, puissant et tourmenté.

Jean Ipoustéguy, installé depuis 1951 à Choisy-le-Roy, se retire en 2004 à proximité de sa maison natale à Doulcon, dans la Meuse. Très affaibli, il se consacrera jusqu'à sa mort à l'écriture et au dessin.

Jean Ipoustéguy s'est éteint le 8 février 2006 à Doulcon. Il a été inhumé au cimetière du Montparnasse, à Paris.

La Terre

Bronze, patine brune, fondu par la
Fonderie d'Art Fusions/David de
Gourcuff, à Charbonnières-les-Vieilles,
Puy-de-Dôme, en 2002, d'après un
plâtre de 1962
190×70×50 cm
Exemplaire signé, daté et numéroté sur
le pied gauche *III/III EA*

Provenance: succession de l'artiste

Achat, vente publique, Paris, Artcurial,
14 février 2007, lot n° 481, repr. p. 15

Expositions

*Ipoustéguy, sculptures et dessins
1957-1978*, Fonds National des Arts
Graphiques et Plastiques, Paris, 1978,
repr. pp. 36-37.
Ipoustéguy, Staatliche Kunsthalle,
Berlin, 1979, repr. pp. 73 à 78.
Ipoustéguy, Head Hand and Heart,
Chelsea Harbour, Londres, 1998.
Ipoustéguy, château de Montréal,
Issac, 1997-2001.

Note

La Terre est la première œuvre du
sculpteur à entrer dans une collection
publique suisse.

Edition de six exemplaires en chiffres
arabes et un exemplaire EA en chiffres
romains, fondus par Susse en 1962,
parmi lesquels:
I/III EA: Collection de l'artiste.
1/6: Hirshhorn Museum, Washington, D.C.
3/6: Tate Gallery, Londres.
Edition de deux exemplaires EA en
chiffres romains, fondus sous le contrôle
de l'artiste par la Fonderie d'Art Fusions/
David de Gourcuff en 2002: II/III EA et
III/III EA.

Inv. n° 339

François-Xavier et Claude Lalanne

Né à Agen, en 1927
Sculpteur français, travaillant à Ury (Seine-et-Marne)

Née à Paris, en 1924
Sculpteur français, travaillant à Ury (Seine-et-Marne)

Open-Air Sculpture Museum, Hakone, Japon, 16 avril 1992.

PHOTO: DANIEL MARCHESSEAU

Biographies

François-Xavier Lalanne, né en 1927 à Agen, étudie le dessin, la sculpture et la peinture à Paris. En 1948, il entre comme gardien au Louvre au Département des antiquités. L'année suivante, il s'installe dans un atelier de l'impasse Ronsin, à Montparnasse, où il se lie avec ses voisins: Constantin Brâncuşi, puis Jean Tinguely. Sa première exposition personnelle a lieu à Paris en 1952, à la Galerie Cimaise. Il y rencontre Claude à l'occasion du vernissage. Peu après, François-Xavier Lalanne abandonne la peinture.

Il décide en 1956 de travailler avec Claude.

Claude a étudié l'architecture à l'Ecole des Beaux-Arts, puis à l'Ecole des Arts Décoratifs.

Le couple apparaît pour la première fois sur la scène artistique en 1964, à la Galerie J., à Saint-Germain-des-Prés. Ils gagnent d'abord leur vie en réalisant des travaux de décoration et des éléments scéniques pour le théâtre et le cinéma.

Installés impasse Robiquet, ils se marient en 1962 et participent tous deux au Salon de la Jeune Peinture en 1965, où François-Xavier expose un troupeau de vingt-quatre moutons utilisables en banquette. La même année, Claude Lalanne conçoit le modèle d'un ensemble de couverts à base de feuillages et de coquilles d'escargots pour Salvador Dalí.

En octobre 1966, pour une exposition à la Galerie Alexandre Iolas, à Paris, ils décident d'exposer sous le nom *Les Lalanne*. L'exposition rencontre un franc succès auprès de la critique. En 1967, les Lalanne s'installent à Ury, près de Fontainebleau, dans une ancienne ferme où ils établissent deux grands ateliers parfaitement séparés. A Claude revient le travail de la galvanoplastie, qui lui permet de travailler en direct sur la peau des plantes et des fleurs au gré de son imaginaire; François-Xavier, en revanche, choisit la mise en volume d'un bestiaire de fantaisie, préalablement conçu et dessiné avec la plus extrême rigueur.

De nombreuses expositions sont organisées dès les années soixante-dix. François-Xavier et Claude conçoivent en outre plusieurs importants projets d'aménagement urbain, en particulier pour le Forum des Halles et la place de l'Hôtel-de-Ville, à Paris. Le Centre National d'Art Contemporain présente en 1975 leur première exposition d'ensemble.

Claude Lalanne réalise de nombreuses sculptures d'intérieur comme d'extérieur. Sa passion pour le jardin et la nature l'a conduite à maîtriser l'alchimie du vert en or dans le domaine particulier de la sculpture ornemaniste, qu'elle décline en mobilier comme en bijoux.

François-Xavier s'est fait reconnaître par la puissance de sa sculpture animalière dont, avec humour et fantaisie, il impose l'usage quotidien. L'Orangerie et le parc de Bagatelle présentent leur première rétrospective en 1998. Les Lalanne vivent et travaillent à Ury.

Claude Lalanne
La Pomme de Guillaume Tell

Bronze, fondu par la Fonderie Figini, à Fontenay-Trésigny, en 2006, d'après un plâtre de 2005
73×90×86 cm
Exemplaire signé et numéroté à la coupe de la queue de la pomme
4/8 Cl Lalanne 2006

Achat, atelier de l'artiste, 2006

Inv. n° 336

François-Xavier Lalanne
Mouton de pierre classique

Une épreuve

Epoxystone et bronze, fondu par la Fonderie Blanchet-Landowski, à Bagnolet, en 1991, d'après un plâtre de 1977
98×88×40 cm
Exemplaire signé à côté de l'œil gauche *FX Lalanne* et numéroté à côté de l'œil droit *233/500*

Achat, atelier de l'artiste, Ury, 1993

Œuvre acquise grâce à la générosité de Hildegard Maffre-Beck, Paris

Inv. n° 211

Moutons transhumants

Deux épreuves

Epoxystone et bronze, fondu par la Fonderie Blanchet-Landowski, à Bagnolet, en 1991, d'après un plâtre de 1988
90×104×39 cm
Exemplaires signés et numérotés à l'arrière de la tête *FX Lalanne 10/250* et *FX Lalanne 11/250*

Achat, atelier de l'artiste, Ury, 1993

Œuvres acquises grâce à la générosité de Hildegard Maffre-Beck, Paris

Inv. n° 211

Agneaux

Deux épreuves

Epoxystone et bronze, fondu par la Fonderie Blanchet-Landowski, à Bagnolet, en 1997, d'après un plâtre de 1996
52×61×17 cm
Exemplaires numérotés au-dessous de la tête *103/500* et *104/500*
Cachet du fondeur au-dessous de la tête *Blanchet Fondeur 1997*

Offerts par l'artiste, 1998

Inv. n° 239

Œuvres en relation

Troupeau de moutons gardé par un chien, Lycée technique, Agen.
Troupeau de moutons, Lieu d'Art et d'Action Contemporaine (L.A.A.C.), Dunkerque.
Le Mouton, parc du Palais de l'Elysée, Paris.
Troupeau de onze moutons de pierre, Musée Marie Laurencin, Tateshina Kogen, Chino-shi, Nagano-ken, Japon.
Trois moutons transhumants, Grand Hyatt Seoul Hotel, Séoul, Corée du Sud.

Léonard Gianadda, Claude et François-Xavier Lalanne et Daniel Marchesseau, devant un Mouton. *Musée Marie Laurencin, Tateshina Kogen, Japon, 1992.*

PHOTOS: HIROHISA TAKANO-YOSHIZAWA

Henri Laurens

Paris, 1885 – Paris, 1954
Sculpteur français

Henri Laurens et Tériade examinant une de ses gravures, Saint-Jean-Cap-Ferrat, 1951.

Biographie

Henri Laurens est né en 1885 à Paris, dans une famille d'artisans. Il entre en 1899 dans une école d'art industriel pour y apprendre «la sculpture décorative et pratique».

En 1902, il s'installe à Montmartre, et fait la connaissance en 1905 de Marthe Duverger, qu'il épousera. Leur fils, Claude, naîtra en 1908.

L'année 1911 marque sa rencontre avec Georges Braque. Ainsi adhère-t-il au cubisme. Il réalise des reliefs et des figures en cônes, sphères et cylindres, et travaille essentiellement à des constructions en bois et en plâtre.

Entre 1915 et 1917: première série de papiers collés, de constructions ou d'assemblages. De 1917 à 1919: séries de bas-reliefs en terre cuite et de pierres polychromées. 1918-1919: première pièce plus monumentale, *La Tête*, en pierre polychromée.

Pablo Picasso lui présente le marchand Léonce Rosenberg, qui le prend sous contrat en 1916 et organise sa première exposition personnelle en 1918.

A la fin de la guerre, Laurens abandonne les assemblages pour sculpter des bas-reliefs en pierre, bois ou terre cuite, et ses premières rondes-bosses cubistes.

Il exécute en 1921, pour la villa commandée par Jacques Doucet à Robert Mallet-Stevens, un portail «romano-cubiste». En 1922, il réalise les décors pour *Le Train bleu* des Ballets russes de Serge de Diaghilev. Des voyages en Italie du Nord et en Toscane, en 1929, font évoluer sa facture vers la sculpture à échelle monumentale. Il passe de compositions massives, architectoniques à une expression fluide et ondulante.

En 1937, Laurens participe à Paris à plusieurs pavillons de l'Exposition internationale. La Seconde Guerre mondiale est pour lui une période de retrait, assombrie par l'Occupation. Le sculpteur vit retiré à Paris, ses sculptures féminines deviennent plus massives. En 1948, Laurens représente la France pour la sculpture à la Biennale de Venise. En 1951, le Musée national d'Art Moderne de Paris lui consacre une grande rétrospective. En 1952, son œuvre monumental est salué par une commande publique de l'Université de Caracas, pour laquelle il réalise une version agrandie de l'*Amphion*, de 1937. La seconde version de *L'Automne* sera le dernier grand bronze du sculpteur. Henri Laurens s'est éteint à Paris en 1954.

Grande Maternité

Bronze, patine noire, réalisé par la Fonderie Valsuani, à Paris, d'après un agrandissement de la *Petite Maternité* (longueur 18,5 cm)
1932
54×142×56 cm
Exemplaire monogrammé *HL* et numéroté *4/6* sur la base côté droit
Cachet *G. Valsuani cire perdue* sur la base côté droit (dos)

Provenance: acheté par la Galerie Louise Leiris en 1972

Achat, Galerie Louise Leiris, Paris, 2007

Edition de sept exemplaires numérotés de 0/6 à 6/6, trois épreuves d'artiste et une épreuve offerte au Musée national d'Art Moderne, Paris. Trois épreuves se trouvent dans les collections du Nasher Sculpture Center, Dallas, du Museum Frieder Burda, Baden-Baden, et du Hirshhorn Museum and Sculpture Garden, Washington, D.C.

Inv. n° 341

Aristide Maillol

Banyuls-sur-Mer (Pyrénées-Orientales), 1861 – Banyuls-sur-Mer, 1944
Sculpteur et peintre français, d'origine catalane

Maillol dans son atelier, travaillant à Harmonie, *1943.*

PHOTO: KARQUEL,
FONDATION DINA VIERNY / MUSÉE MAILLOL

Biographie

Aristide Maillol est né le 8 avril 1861 à Banyuls-sur-Mer (Pyrénées-Orientales). Arrivé à Paris en 1882, il est élève de Cabanel à l'Ecole des Beaux-Arts. Cette période d'apprentissage, qu'il partage avec son ami Emile-Antoine Bourdelle, est particulièrement misérable.

Dans les années 1890, il débute comme peintre, dessine des cartons et réalise des tapisseries. Gauguin l'encourage. Il regagne Banyuls en 1893 et installe un atelier de tapisserie. En 1896, Maillol épouse Clotilde Narcisse. Il retourne à Paris et exécute ses premières statuettes en terre cuite, des céramiques et quelques bois – qu'il abandonnera bientôt pour le bronze. Sa première exposition, organisée chez le marchand Ambroise Vollard en 1902, réunit onze tapisseries et vingt-deux sculptures, que Rodin admire. Maillol commence une grande statue, qui deviendra *La Méditerranée*. Il rompt avec l'impressionnisme sculptural et trouve sa stylistique moderniste propre.

La Méditerranée, exposée au Salon d'Automne de 1905, est achetée, sur les conseils de Rodin, par le comte Kessler, collectionneur allemand, qui sera son plus important mécène. Désormais, son succès va grandissant. A la demande de Vollard, Maillol fait à Essoyes, en Champagne-Ardenne, le buste d'Auguste Renoir, qui, le voyant travailler, sera pris du désir de faire également de la sculpture. Singulièrement, Ambroise Vollard engagera Richard Guino pour assister Renoir dans ses projets de sculptures à partir de 1913, car il avait lui-même été formé par Aristide Maillol.

En 1930, Maillol commence une statue qui formera la figure centrale du groupe des *Trois Nymphes* (1937), dont *Marie* (1931) est la figure de gauche. Sa rencontre alors avec la jeune Dina Vierny, qui sera son assistante et son unique modèle pendant les dix dernières années de sa vie, est déterminante.

De nombreuses expositions ont lieu en France et à l'étranger, et Maillol est honoré d'importantes commandes publiques. En septembre 1939, il se retire à Banyuls-sur-Mer et revient à la peinture.

Victime d'un accident d'automobile, il s'est éteint à Banyuls-sur-Mer le 27 septembre 1944.

En 1964, Dina Vierny offre à l'Etat français dix-huit sculptures, installées sous l'autorité d'André Malraux au Jardin du Carrousel des Tuileries. En 1994, cinquante ans après sa mort, la Fondation Dina Vierny / Musée Maillol ouvre ses portes, dans l'Hôtel Bouchardon, 59-61, rue de Grenelle, à Paris, tandis qu'à Banyuls-sur-Mer est inauguré son musée iconographique.

Marie

Bronze, patine verte, fondu par la Fonderie Alexis Rudier, à Paris, avant 1944, d'après un plâtre de 1931
158×57×44 cm
Epreuve d'artiste
Signé au-dessus du socle *M*
Marque à l'arrière du socle
Alexis Rudier Fondeur Paris

Provenance: Dina Vierny, Paris

Achat, vente publique, New York, Christie's, 6 novembre 2002, lot n° 22, repr. p. 59

Exposition

Maillol, Mitsukoshi Museum of Art, Tokyo, 1994, repr.

Note

Marie est la figure de gauche du célèbre groupe *Les Trois Nymphes*, qui réunit le même modèle debout dans trois poses légèrement différentes.

Edition de dix exemplaires, dont six numérotés et quatre épreuves d'artiste, fondus au sable par le fondeur Alexis Rudier.
Tirages en plomb: jardin des Tuileries, Paris; Tate Gallery, Londres.
Tirages en bronze: Art Institute, Minneapolis; Musée des Beaux-Arts, Poitiers; Musée Maillol, Paris.

Inv. n° 285

Marino Marini

Pistoia (Toscane), 1901 – Viareggio (Toscane), 1980
Peintre et sculpteur italien

Biographie

Marino Marini est né en 1901 à Pistoia, en Toscane. Inscrit à l'Académie des Beaux-Arts de Florence, il suit les cours de peinture et de sculpture. Jusqu'en 1928, il est surtout peintre et graveur. Sa première sculpture importante, *Popolo*, est réalisée en terre cuite en 1929. Invité par Arturo Martini, il enseigne à la Villa Reale de Monza, près de Milan, où il sera professeur jusqu'en 1940.

En 1929, Marino Marini expose à Nice avec le groupe Novecento et voyage pour la première fois à Paris. Sa première exposition personnelle est organisée en 1932 à Milan.

Il obtient en 1935 le Premier Prix de la Quadriennale de Rome.

En 1938, Marino Marini épouse Mercedes Pedrazzini, surnommée Marina. Marino Marini décide de quitter la Villa Reale pour un poste à l'Académie de Brera, dans la section sculpture. A cause de la guerre, en 1943, il quitte l'Académie de Brera. Son atelier est détruit par un bombardement.

Installé à Tenero près de Locarno, dans le canton du Tessin, lieu de naissance de son épouse, il rencontre Germaine Richier et Alberto Giacometti. Plusieurs plâtres et bronzes sont exposés au Kunstmuseum de Bâle en 1944. A la fin de la guerre, Marino Marini retourne définitivement à Milan et ouvre un nouvel atelier. Il recommence également à donner des cours à l'Académie de Brera.

En 1948, lors de la 24e Biennale de Venise, une salle lui est consacrée et il remportera le Grand Prix de sculpture à la Biennale de Venise en 1952. Lié d'amitié avec Henry Moore, il rencontre le marchand américain Curt Valentin, qui organise une exposition de ses œuvres à New York en 1950. Une importante rétrospective est mise sur pied à la Civica Galleria d'Arte Moderna de Milan en 1973. Ses sculptures sont exposées à la Neue Pinakothek de Munich en 1976, puis au Japon en 1978.

Peggy Guggenheim installe au Palazzo Venier dei Leoni à Venise, sur la terrasse devant le Grand Canal, la sculpture *Le Cavalier*.

Marino Marini s'est éteint en 1980 à Viareggio, en Toscane. Le musée qui lui est consacré Piazza San Pancrazio, à Florence, est complété par le Centre Marino Marini de Pistoia.

Danseur

Bronze, patine brune, fondu par la Fonderia Artistica Battaglia, à Milan, du vivant de l'artiste, dans les années 1954-1955, d'après un plâtre de 1954
148×68×31 cm
Exemplaire signé sur la base avec le monogramme *MM*
Numéroté et timbre du fondeur sur la base *3/3 Fonderia Artistica Battaglia E C Milano*

Provenance: collection de l'artiste; Hanover Gallery, Londres; Lester Avnet, New York; Jeffrey H. Loria and Co., New York; vente anonyme, Sotheby Parke Bernet, Inc., New York, 14 mai 1980, lot n° 273; collection particulière
Achat, vente publique, New York, Christie's, 8 mai 2002, lot n° 338, repr. p. 199

Note
Le plâtre original se trouve au Museo San Pancrazio de Florence.

Inv. n° 276

Joan Miró

Barcelone, 1893 – Palma de Majorque, 1983
Peintre, sculpteur et céramiste espagnol

ARCHIVES JOAN MIRÓ

Biographie

Joan Miró est né le 20 avril 1893 à Barcelone. Après des études à l'Ecole de commerce, il suit les cours de l'Ecole des Beaux-Arts de la Lonja, puis s'inscrit à l'Ecole d'Art de Francesc Galí à Barcelone. Il y rencontre le céramiste Josep Llorens Artigas. Il réalise ses premières peintures à l'huile ainsi que des dessins d'après le toucher. A partir de 1915, Miró fréquente l'Académie libre de dessin du Cercle artistique de Sant Lluch. C'est le début de sa période «fauve».

Sa première exposition personnelle a lieu en 1918 à Barcelone. A 27 ans, en 1919, il vient pour la première fois à Paris, où il se lie d'amitié avec Picasso. Il passera désormais chaque été à Montroig (Catalogne) et chaque hiver à Paris.

Il se lie d'amitié avec Louis Aragon, André Breton et Paul Eluard, et participe activement aux expositions surréalistes. Commence alors la période des peintures «oniriques», qui se poursuivra jusqu'en 1927. Miró s'installe à Montmartre, où vivent déjà Arp, Eluard et Ernst. Pendant l'été 1932, de retour à Barcelone, Miró commence une série de petites peintures sur bois et réalise ses premiers objets poétiques, qui séduiront l'ami Calder. La Pierre Matisse Gallery, à New York, le représente désormais aux Etats-Unis. Pendant la guerre civile d'Espagne (1936), il est à Paris et à Londres. En 1937, il exécute *Le Faucheur*, installé face à *Guernica*, pour le Pavillon de la République espagnole à l'Exposition internationale de Paris et livre l'affiche *Aidez l'Espagne*. En 1939, les troupes de Franco envahissent Barcelone. Il revient à Paris, puis s'installe à Varangeville (Normandie). En 1940, de retour à Barcelone, il commence la série des *Constellations* et réalise jusqu'en 1944 un grand nombre d'aquarelles, gouaches, pastels et dessins autour du thème *Femme, Etoile, Oiseau*.

Ses premières céramiques, réalisées en collaboration avec Josep Llorens Artigas, datent de 1944. Miró exécute également ses premières petites sculptures en bronze.

En 1947, Miró se rend pour la première fois aux Etats-Unis. La Galerie Maeght le représente désormais en Europe.

A partir de 1953, il commence une série de céramiques en collaboration avec Josep Llorens Artigas et son fils, Joan Gardy Artigas.

Miró installe en 1956 son nouvel atelier construit par José Lluis Sert à Palma de Majorque.

En 1964, la Fondation Maeght à Saint-Paul inaugure le *Labyrinthe*, jardin décoré de sculptures et de céramiques exécutées avec la collaboration d'Artigas.

De nombreuses expositions et rétrospectives sont désormais organisées en Europe, aux Etats-Unis, ainsi qu'au Japon. La Fondation Joan Miró ouvre ses portes en 1976 à Barcelone.

Les expositions se multiplient à l'occasion de son quatre-vingt-cinquième anniversaire, en Europe, aux Etats-Unis, au Japon et en Amérique du Sud.

Joan Miró s'est éteint à 90 ans, le 25 décembre 1983, à Palma de Majorque.

106

Tête

Bronze, patine noire, fondu par la
Fonderia Artistica Bonvicini, à Vérone,
en 1985, d'après un plâtre de 1974
161 × 162 × 65 cm
Exemplaire signé et numéroté au dos
Miró 1/6 avec le cachet du fondeur
Fonderia Bonvicini Verona Italia

Achat, Galerie Maeght Lelong, Zurich,
1985

Œuvre acquise grâce à la générosité
de Brigitte Mavromichalis, Martigny

Expositions
Hall du Palais de Beaulieu, lors du
Comptoir Suisse, à Lausanne, en 1986.
Joan Miró, Fondation Pierre Gianadda,
Martigny, 1997, cat. n° 112, repr. p. 201.
De Picasso à Barceló, Fondation Pierre
Gianadda, Martigny, 2003, cat. n° 27,
repr. p. 91.

Inv. n° 126

Henry Moore

Castleford (Yorkshire), 1898 – Much Hadham (Hertfordshire), 1986
Sculpteur britannique

Henry Moore travaillant sur une maquette en plâtre dans son atelier, 1981.

Biographie

Henry Moore est né le 30 juillet 1898 à Castleford, dans le Yorkshire.
Son père l'oblige à effectuer une formation d'instituteur, avant de lui permettre de suivre la voie qu'il s'est choisie: la sculpture.
En 1917, enrôlé dans l'armée, il rejoint le front français où il est gazé.
De retour en Angleterre, Moore est le seul étudiant du Département de sculpture créé à la Leeds School of Art et obtient une bourse pour le Royal College of Art à Londres. En 1923, il séjourne pour la première fois à Paris et découvre Cézanne.
En 1924, Moore est nommé professeur à la Royal College of Art Sculpture School. Sa première exposition personnelle a lieu à Londres en 1928 avec quarante-deux sculptures et cinquante et un dessins. Pour sa première commande, cette même année, il crée un relief sculpté pour le siège des Transports publics londoniens.
Moore expose avec la Young Painters' Society, ainsi qu'au Pavillon britannique lors de la Biennale de Venise de 1930. Il est cofondateur du groupe avant-gardiste *Unit One* et fréquente Ben Nicholson, Barbara Hepworth et Herbert Read.
Il est contraint de démissionner en 1931 de son poste d'enseignant au Royal College of Art à la suite d'un scandale provoqué par son exposition aux Leicester Galleries. Mais, l'année suivante, il devient responsable pour la sculpture à la Chelsea School of Art. La première monographie consacrée à son œuvre est publiée par Herbert Read en 1934.
Il participe au comité organisateur de l'Exposition Surréaliste Internationale à Londres, en 1937, puis expose deux ans plus tard à l'Exposition internationale d'Art abstrait à Amsterdam.
Au début de la Seconde Guerre mondiale, Moore abandonne l'enseignement. Son atelier de Hampstead est bombardé; il déménage dans le Hertfordshire dans une ferme à Perry Green, près de Much Hadham. La Henry Moore Foundation y est inaugurée en 1977. Moore y réalise des sculptures monumentales pour les inscrire dans des espaces urbains comme dans des sites paysagés. Il a ainsi largement rénové la place de la sculpture contemporaine dans ses multiples environnements. Sa production comme sculpteur, dessinateur et graveur est représentée dans le monde entier.
Henry Moore s'est éteint le 31 août 1986 à Much Hadham.

Large Reclining Figure

Bronze, patine brune, fondu par la
Fonderie Morris Singer, à Londres,
en 1982, d'après un plâtre de 1982
115×236×110 cm
Exemplaire signé et numéroté sur la
base au coin arrière gauche *Moore 8/9*
Cachet du fondeur à l'arrière de la base à
gauche *Morris Singer Founders, London*

Provenance: l'artiste; Orde Levinson
Page, Londres; collection particulière

Achat, Marlborough Gallery, Londres,
1987

Expositions

A Tribute to Henry Moore, Marlborough
Fine Art, Londres, 1987, cat. n° 57, repr.
p. 84.
Henry Moore, Fondation Pierre Gianadda,
Martigny, 1989, repr. pp. 258-259.
Square, avenue de la Gare, Martigny, 1991.
Moore à Bagatelle, Les Jardins de
Bagatelle, Paris, 1992, cat. n° 25.
Palexpo, Genève, 1992.

Note

La première sculpture sur ce thème a
été réalisée en bois vers 1935-1936
(aujourd'hui conservée à l'Albright-Knox
Art Gallery, Buffalo, NY).

Edition de neuf épreuves et une épreuve
d'artiste, parmi lesquelles deux épreuves
à la Henry Moore Foundation, Much
Hadham, et au Museo de Arte Contemp-
poráneo, Caracas.

Une première version, plus petite, se
trouve à la Ishibashi Foundation, à Tokyo:
Reclining Figure, 1976, bronze, H. 40 cm.

Inv. n° 160

Alicia Penalba

San Pedro (province de Buenos Aires, Argentine), 1913 – Dax (France), 1982
Sculpteur argentin

Biographie

Alicia Penalba est née le 7 août 1913 à San Pedro, dans la province de
Buenos Aires, en Argentine.

A partir de 1930, elle étudie le dessin et la peinture à l'Ecole des Beaux-Arts
de Buenos Aires, puis reçoit une bourse du Gouvernement français, s'installe à Paris en 1948 et s'inscrit à l'Ecole des Beaux-Arts, dans la section
gravure.

Alicia Penalba abandonne la peinture pour se consacrer à la sculpture et
travaille durant trois ans auprès de Zadkine à l'Académie de la Grande
Chaumière. En 1951, elle exécute sa première sculpture non figurative et
détruit la quasi-totalité de sa production antérieure. Dès 1952, elle a déjà
acquis certaines des constantes stylistiques et formelles qui lui seront
propres, avec les *Totems*.

Sa première exposition personnelle a lieu à la Galerie du Dragon, à Paris,
en 1957. L'année suivante, elle expose avec six autres sculpteurs, dont
Chillida, Etienne-Martin et Hajdu, au Solomon R. Guggenheim Museum de
New York.

En 1961, Alicia Penalba est lauréate du Grand Prix International de
Sculpture de la Biennale de São Paulo. Elle a mis en œuvre de nombreux
projets d'intégration architecturale: *Fontaine*, pour le hall de l'Electricité
de France, à Paris (1959); *Relief*, pour Saint-Gobain, dont les éléments
composites sont fixés sur une paroi de verre transparente; *Sculpture-
fontaine*, à l'école de Firminy-Vert, construite par Le Corbusier. En 1963,
elle procède à l'assemblage de douze formes foliacées en béton de quatre
mètres de haut, pour la Haute Ecole des Etudes Economiques et Sociales
de Saint-Gall. *Le Grand Dialogue* fut exécuté peu après (1964).

Le Musée d'Art Moderne de la Ville de Paris lui consacre une exposition
rétrospective avec Wifredo Lam et Matta, en 1968.

En 1972, Alicia Penalba exécute une sculpture en polyester doré à la feuille
sur une cage de verre pour le nouveau siège de la Mortgage Guaranty
Insurance Corporation à Milwaukee, ainsi que la version monumentale
du *Grand Double* pour la MGIC Plaza, dont le deuxième exemplaire est
à la Fondation Pierre Gianadda. Elle reçoit en 1974 le Prix Calouste
Gulbenkian.

Alicia Penalba est morte prématurément dans un accident, à Dax, le 4 novembre 1982. Elle s'impose aujourd'hui comme l'un des sculpteurs les plus
puissants du XXe siècle.

Le Grand Dialogue

Bronze en deux éléments, patine vert
antique, fondu par la Fonderia Da Prato,
à Pietrasanta, Italie, en 1971, d'après un
plâtre de 1964
155 × 180 × 150 cm
155 × 150 × 160 cm
Exemplaire numéroté et signé sur
l'élément de gauche en bas au dos
I/III APENALBA

Provenance: collection particulière, Paris

Achat, vente publique, Paris, Guy et
Philippe Loudmer, 7 mars 1995,
lot n° 55, repr.

Expositions

Penalba, Jardins de la Ville d'Evian,
1981, cat. n° 4, repr.
Penalba, Musée d'Art Moderne de la Ville
de Paris, Paris, 1977, cat. n° 2, repr.

Edition de trois épreuves.

Inv. n° 220

Le Grand Double

Bronze, fondu par la Fonderia d'Arte Tesconi, à Pietrasanta, Italie, en 1973, d'après un plâtre de 1972
840×440×405 cm
Exemplaire signé et numéroté en bas à gauche *APENALBA 2/2*
Marque en bas à gauche *Fonderia d'Arte Tesconi, Italy, 1973*

Provenance: succession de l'artiste

Achat, Galerie Alice Pauli, Lausanne, 1988

Exposition
Penalba, Jardins de la Ville d'Evian, 1981, cat. n° 1, repr.

Note
La Mortgage Guaranty Insurance Corporation avait commandé *Le Grand Double* pour son siège, situé sur la Mortgage Guaranty Insurance Corporation Plaza, à Milwaukee (Wisconsin), USA. Le second exemplaire avait été mis en dépôt par l'artiste au Musée de Sculpture en Plein Air du Middelheim, à Anvers. La succession de l'artiste l'a cédé à la Fondation Pierre Gianadda, en 1988. Voir maquette p. 230.

Inv. n° 169

Antoine Poncet

Né à Paris, en 1928
Sculpteur français, travaillant en région parisienne

Antoine Poncet et Léonard Gianadda, 1991.

Biographie

Antoine Poncet est né le 5 mai 1928 à Paris, dans une famille d'artistes. Il est le fils de Marcel Poncet, peintre et verrier, et le petit-fils de Maurice Denis, peintre.

Poursuivant sa scolarité à Paris, il passe ses vacances à Vich, dans le canton de Vaud. En 1938, la famille s'installe dans cette commune, et Antoine Poncet poursuit ses études au Collège de Saint-Maurice (canton du Valais). Dès l'âge de 14 ans, il découvre la sculpture. Inscrit à l'Ecole des Beaux-Arts de Lausanne, il suit de 1943 à 1946 les cours du sculpteur Casimir Reymond, avant d'effectuer un stage chez Germaine Richier, à Zurich.

Bénéficiant d'une bourse de l'Etat français, il s'installe à Paris et travaille, à la fin des années quarante, auprès de Zadkine. Il rencontre également Jean Arp, Constantin Brâncuşi et Henri Laurens, et se lie d'amitié avec Alicia Penalba, Etienne-Martin, François Stahly, Isabelle Waldberg.

En 1952, Poncet est présent au Salon de la Jeune Sculpture, au Salon des Réalités Nouvelles et au Salon de Mai. Jusqu'en 1955, il est le collaborateur de Jean Arp. A son contact, il abandonne l'art figuratif, développe son propre langage formel et affine sa pratique technique. Poncet est lauréat en 1955 du Prix fédéral de la sculpture. En 1956, il participe à la Biennale de Venise. Depuis lors, il expose dans le monde entier. En 1957, Poncet reçoit, à Paris, le Prix André Susse. Sa première exposition personnelle est organisée à la Galerie Iris Clert, à Paris (1959). Il participe alors à de nombreuses manifestations: membre du jury du Prix Bourdelle, Biennale d'Anvers, Symposium de sculpture de Manazuru (Japon), président du comité du Salon de Mai en 1969. De 1964 date son apprentissage du marbre à Carrare. Il revient toutefois au bronze poli au début des années soixante-dix, sans toutefois abandonner la presse. En 1983, Poncet est lauréat du Prix Henry Moore du Musée de Hakone, au Japon. Il est élu en 1993 membre de l'Institut à l'Académie des Beaux-Arts, à Paris, et reçoit en 1996 le Prix de l'Hermitage à Lausanne. Il est membre du Conseil d'administration de la Fondation Jean Arp et de celle des Amis d'Antoine Bourdelle.

Antoine Poncet vit et travaille en région parisienne.

PHOTO: GEORGES DUMAS, PARIS

Translucide

Marbre rose aurore du Portugal,
taillé à Carrare, en 1979
160 × 120 × 50 cm
Pièce unique
Signé sur le socle *Poncet*

Achat, atelier de l'artiste, Paris, 1991

Œuvre acquise grâce à la générosité de Brigitte Mavromichalis, Martigny

Exposition
Sculpture suisse en plein air 1960-1991, Fondation Pierre Gianadda, Martigny, 1991, repr. p. 63.

Inv. n° 200

116

Jean-Pierre Raynaud

Né en 1939, à Courbevoie
Artiste plasticien français

*Jean-Pierre Raynaud devant l'œuvre
après son installation dans le jardin de
Sylvie et Eric Boissonnas, à Paris, 1982.*
PHOTO: DENYSE DURAND-RUEL

Biographie

Jean-Pierre Raynaud est né le 20 avril 1939 à Courbevoie.
Après son diplôme d'horticulture obtenu en 1958, il réalise des œuvres à partir de panneaux de signalisation et de simples pots de fleurs. Ces derniers deviendront rapidement le motif le plus récurrent de toute son œuvre, et il reçoit très vite un accueil favorable sur la scène internationale.
En 1968, il expose trois cents pots rouges remplis de ciment à la Kunsthalle de Düsseldorf et réalise un vaste environnement chez un collectionneur parisien: première apparition du carrelage avec joints noirs.
En 1969, il commence à construire sa propre maison à La Celle-Saint-Cloud, qui sera sa grande œuvre d'art avant qu'il ne la détruise en 1993. Il en exposera ensuite les «morceaux» au CAPC de Bordeaux. En 1974, il ouvre les portes de sa maison au public et réalise le premier Espace Zéro dans le Musée d'Art et d'Industrie de Saint-Etienne.
En 1986, il réalise l'installation de mille pots rouges dans une serre ancienne, au château de Kerguéhennec, en Bretagne. Le Musée national d'Art Moderne, Centre Georges Pompidou, installe *in situ* un Espace Zéro, intitulé *Container Zéro*, en 1988.
Raynaud installe un pot de cinq mètres à Tokyo Tachikawa City, en 1994. Le *Pot doré* de la Fondation Cartier est exposé à Berlin, en 1996, suspendu à l'extrémité d'une grue au-dessus du chantier de la Potsdamer Platz, puis il est placé durant trois semaines à Pékin, au cœur de la Cité interdite. Le *Pot doré* sera ensuite installé, en 1998, sur une stèle monumentale sur la piazza devant le Centre Georges Pompidou, à Paris.
Cette même année, une rétrospective est organisée à la Galerie nationale du Jeu de Paume, à Paris. Le *Drapeau* français tendu sur un châssis est présenté pour la première fois. En 2004, Jean-Pierre Raynaud réalise la pierre tombale de Pierre Restany au cimetière du Montparnasse, à Paris. En 2005, un pot monumental est inauguré «Place du pot rouge de Raynaud» à Harbin, en Chine.
Il vit et travaille à Paris et en région parisienne.

Grande Colonne noire

Sculpture-colonne constituée de douze pots en polyester stratifié et carreaux de faïence sur béton, réalisée à la Société Résines d'Art Haligon, à Périgny-sur-Yerres, en 1982
H. 386 cm; diamètre 33 cm
Socle: 32×32×61 cm
Pièce unique

Provenance: commande spéciale de Sylvie et Eric Boissonnas à l'artiste pour le jardin de leur hôtel particulier, Paris, 1982

Achat, vente publique, Paris, Etude Cornette de Saint Cyr, 31 mars 2007, lot nº 67, repr. p. 88

Note

Restaurée sous la direction de l'artiste, cette œuvre est sa première sculpture monumentale. Une autre version avec des pots blancs se trouve dans une collection particulière.

Archives Denyse Durand-Ruel nº 2892

Inv. nº 339

Pierre-Auguste Renoir

Limoges, 1841 – Cagnes-sur-Mer, 1919
Peintre français

et

Richard Guino

Gérone (Catalogne, Espagne), 1890 – Antony, 1973
Sculpteur, peintre et lithographe français

Renoir peignant à la maison de la Poste à Cagnes-sur-Mer, vers 1903-1907.
ARCHIVES DURAND-RUEL, PARIS

Biographie

Pierre-Auguste Renoir est né à Limoges le 25 février 1841. En 1845, la famille déménage à Paris. Adolescent, il entre en apprentissage dans un atelier de peinture sur porcelaine chez les frères Lévy.

En 1862, inscrit à l'Ecole des Beaux-Arts, il fréquente l'atelier privé de Charles Gleyre, où il rencontre Claude Monet, Frédéric Bazille et Alfred Sisley. La première œuvre qu'il expose au Salon en 1864, *Esméralda dansant avec sa chèvre*, connaît un véritable succès, mais il choisit de la détruire après l'exposition.

1870-1883: période impressionniste. Renoir et Monet vont peindre à La Grenouillère, entre Chatou et Bougival. On s'y retrouve pour discuter, danser et faire du canotage. En 1872, il rencontre le marchand Paul Durand-Ruel. En 1873, Renoir propose les *Cavaliers au bois de Boulogne* (Kunsthalle, Hambourg), qui seront refusés au Salon officiel. En 1874 se constitue la Société anonyme coopérative d'artistes peintres, sculpteurs, graveurs, etc., dont font partie, outre Renoir, Boudin, Degas, Cézanne, Monet, Berthe Morisot, Sisley… Leur première exposition, qualifiée avec mépris d'*impressionniste*, sera organisée chez le photographe Nadar en avril 1874; les suivantes auront lieu chez Durand-Ruel.

En 1880, il rencontre Aline Charigot, qui pose pour de nombreux tableaux, dont le célèbre *Déjeuner des canotiers* (1881). Renoir l'épouse en 1890. Ils auront trois fils: Pierre, en 1885, qui deviendra comédien, Jean, en 1894, cinéaste, et Claude, en 1901, dit «Coco», dont Renoir peindra souvent le trait et dont il laissera également un célèbre médaillon en bas-relief.

1883-1888: période ingresque. Renoir s'éloigne de l'impressionnisme. Le contour de ses personnages devient plus précis. Il dessine les formes avec plus de rigueur, les couleurs se font plus froides. La naissance de Pierre lui inspire une série de toiles sur le thème de la maternité.

1890-1900: période nacrée. Renoir infléchit son trait et abandonne la rigueur, tout en conservant le riche modelé de ses sujets.

A partir de 1889, de graves crises de rhumatismes le font souffrir.

A la rétrospective chez Paul Durand-Ruel, en 1892, cent dix œuvres sont exposées. Dès 1900, Renoir est un peintre unanimement applaudi. Au Salon d'Automne de 1904, une salle entière lui est consacrée.

En 1907, il achète le domaine des Collettes à Cagnes-sur-Mer, où il passe désormais l'hiver. Son état de santé s'aggrave. Des bandelettes sur ses doigts paralysés permettent de lui attacher son pinceau, pour pouvoir continuer à peindre.

En 1913, le marchand Ambroise Vollard lui présente le jeune Richard Guino afin qu'il puisse mener à bien ses projets de sculpture. Une véritable communion d'esprit s'établit entre les deux artistes; Renoir retrouve toute sa créativité, servie par le talent et la sensibilité de Guino. La première œuvre à quatre mains est *Petite Vénus debout*.

Après la mort de son épouse, Aline, en 1915, Renoir, soutenu par Guino, se lance avec audace dans de grandes sculptures. Il se fait construire un atelier en bois avec une verrière dans le jardin des Collettes. La *Grande Laveuse accroupie*, inspirée peut-être par son dernier modèle, Madeleine Bruno, date de 1917. On connaît environ une quinzaine de bronzes de sa main et une série de médaillons représentant Delacroix, Ingres, Corot, Cézanne, etc. En 1918, Renoir interrompt sa collaboration avec Guino.

Pierre-Auguste Renoir s'est éteint le 3 décembre 1919 à Cagnes-sur-Mer.

L'Eau
ou **Grande Laveuse accroupie**

Bronze, patine noire, fondu par la
Fonderie Susse, à Paris, sous la direction
de Jean Renoir, fils de l'artiste, en 1960,
d'après un plâtre de 1917
127×124,5×57,7 cm
Exemplaire signé *Renoir* et
by RENOIR 1960 et lettré *E*
Cachet du fondeur *Susse Fondeur Paris*

Provenance: Jean Renoir; Norton Simon
Museum, Pasadena (acquis en 1970);
vente publique, Sotheby's New York,
20 mai 1982, lot n° 206; M. et Mme Ray
Starck, Los Angeles; The Stan & Ray
Starck Foundation

Achat, vente publique, New York,
Sotheby's, 8 novembre 2006, lot n° 161,
repr. p. 77

Exposition
Pierre-Auguste Renoir. Richard Guino,
Galerie Henri Bronne, Monaco, 1994,
autre fonte, cat. n° 25, repr. p. 24.

Note
Plâtre exécuté par Guino en 1917 d'après
des esquisses de l'année précédente,
sous la direction de Renoir, paralysé.

Edition de six épreuves par Ambroise
Vollard.
Edition de dix-neuf épreuves fondues
par la Fonderie Susse.
7 épreuves de A à G.
4 épreuves d'artiste EA I à EA IV.
8 épreuves de 1 à 8.
2 épreuves HC.
Un exemplaire dans les jardins du
Museum Oskar Reinhart am Stadtgarten,
Winterthur, et un au Musée d'Orsay, Paris.

Inv. n° 337

Richard Guino, 1917.
ARCHIVES RICHARD GUINO

Biographie

Richard Guino est né le 26 mai 1890 en Espagne, à Gérone (Catalogne), de parents français. Son père est artisan ébéniste. Il finit ses études à l'Ecole des Beaux-Arts de Gérone en 1905, puis étudie jusqu'en 1909 à l'Ecole supérieure des Beaux-Arts de Barcelone. En 1910, Aristide Maillol le remarque et l'invite à travailler à ses côtés jusqu'en 1913.

A 23 ans, le marchand Ambroise Vollard l'engage pour assister Renoir, qui souhaite traduire en sculptures certaines œuvres. Les deux artistes travailleront ensemble de 1913 à 1918: Renoir prend toutes les décisions plastiques, Guino apporte son savoir-faire au maître dont les mains sont affreusement déformées par de douloureux rhumatismes articulaires. Guino sut taire sa propre sensibilité pour répondre avec fidélité à la curiosité et à l'appétence de son maître pour la représentation en ronde-bosse.

A la mort de Renoir, Richard Guino produit, à côté de ses propres sculptures, de nombreuses céramiques émaillées, ainsi que des éléments de mobilier. Il collabore ainsi avec la Manufacture de Sèvres pour des pièces en grès et biscuit, puis avec la maison d'édition Colin, qui édite ses bronzes, avant la Fonderie Susse Frères, à Paris, avec laquelle il collaborera jusqu'en 1955.

Richard Guino s'est éteint le 2 février 1973 à Antony.

Germaine Richier

Grans (Bouches-du-Rhône), 1902 – Montpellier, 1959
Sculpteur français

Germaine Richier dans son atelier avec son modèle Cacao. *Photo signée par son auteur, Luc Joubert, offerte à Léonard et Annette Gianadda par Sam Szafran, le 20 juillet 1994.*

Biographie

Germaine Richier est née le 16 septembre 1902 à Grans, dans les Bouches-du-Rhône. Elle étudie à l'Ecole des Beaux-Arts de Montpellier, dans l'atelier de Guigues, ancien praticien de Rodin. En 1926, elle se rend à Paris et sera jusqu'en 1929 l'élève particulière de Bourdelle. Elle travaille ensuite en toute indépendance et développe sa période réaliste, au cours de laquelle elle réalise huit nus et vingt-six bustes, qu'elle surnomme «mes gammes». Sa première exposition personnelle est organisée Galerie Max Kaganovitch, à Paris, en 1934. Elle visite l'Italie, en particulier Pompéi dont les corps pétrifiés la fascinent.

Elle est lauréate du Prix Blumenthal de Sculpture et obtient la Médaille d'honneur à l'Exposition internationale, à Paris, pour le Pavillon Languedoc-Roussillon (1937).

En 1939, Germaine Richier participe à l'Exposition internationale de New York. A la déclaration de guerre, elle se trouve à Zurich, où elle décide de rester avec son mari, le sculpteur suisse Otto Bänninger. Dans l'entourage d'Arp, Giacometti et Le Corbusier, elle donne des cours qui connaissent un grand succès. Elle réalise la sculpture *Juin 40*, qui exprime toutes les horreurs de la guerre, et *Le Crapaud*, premier exemple de son intérêt pour un certain monde animal.

Alors que les musées de Winterthur (1942), Bâle (1944) et Zurich (1947) organisent des expositions, Germaine Richier commence à mêler son propre bestiaire à ses figurations avec *La Petite Sauterelle* et le monde végétal avec *L'Homme-forêt*.

Après la guerre, elle partage son temps entre la France et la Suisse. Reconnue par ses pairs, Alberto Giacometti et Marino Marini, sa liberté de création explose: elle réalise des êtres hybrides *(La Mante)*, de nombreux petits bronzes, et inaugure avec *L'Araignée* une série de sculptures caractérisées par la présence de fils tendus et entrecroisés.

Germaine Richier commence en 1949 le *Christ* pour l'église Notre-Dame-de-Toute-Grâce du Plateau d'Assy (Savoie), ornée d'autres chefs-d'œuvre signés Matisse, Braque, Léger, Chagall, Rouault, Bonnard et Lurçat. De nombreuses expositions sont organisées depuis en Europe et aux Etats-Unis, et au Musée national d'Art Moderne, à Paris, en 1956.

Elle se préoccupe enfin d'inclure la couleur dans sa sculpture et travaille pour son exposition prévue au Musée d'Antibes.

Germaine Richier, sculpteur majeur du XXe siècle, meurt prématurément d'un cancer le 31 juillet 1959, à Montpellier.

La Vierge folle

Bronze, patine brune, fondu par la Fonderie Susse, à Paris, en 1949, d'après un plâtre de 1946
135×39×25 cm
Exemplaire signé et numéroté sur le talon gauche à l'intérieur *Richier 2/6*
Cachet du fondeur sur le bord extérieur du pied droit *Susse Fondeur Paris*

Provenance: à la mort de Germaine Richier, son mari, Otto Bänninger, décida d'offrir cet exemplaire de *La Vierge folle* à Vreni et Hugo Imfeld, élèves de Germaine Richier à Zurich

Achat, Kunstsalon Wolfsberg, Zurich, 1994

Expositions

Germaine Richier: rétrospective, Fondation Maeght, Saint-Paul-de-Vence, 1995-1996, cat. no 29, repr. p. 73.
De Vallotton à Dubuffet. Une collection en mouvement, Musée cantonal des Beaux-Arts, Lausanne, 1996-1997, cat. no 27, repr. p. 45.

Edition de onze épreuves numérotées de 0/6 à 6/6; HC1 à HC4; une épreuve d'artiste.

Inv. no 214

Auguste Rodin

Paris, 1840 – Meudon, 1917
Sculpteur français

*Auguste Rodin coiffé d'un béret
et portant une veste de velours tachée
de plâtre, vers 1880.*

ARCHIVES MUSÉE RODIN, PARIS

Biographie

Auguste Rodin est né le 12 novembre 1840 à Paris. Il fréquente l'Ecole des Frères de la Doctrine Chrétienne, puis poursuit ses études à Beauvais. Il étudie le dessin, mais échoue trois fois au concours d'admission à l'Ecole Supérieure des Beaux-Arts.

Pour aider sa famille, il travaille chez des décorateurs et sculpteurs, dont Jules Dalou, où il acquiert une grande pratique du modelage et de la sculpture.

En 1864, il rencontre Rose Beuret; leur fils, Auguste Beuret, naît en 1866. Rodin devient l'assistant du célèbre sculpteur Albert Ernest Carrier-Belleuse. Il fait la connaissance de Carpeaux et Barye.

Pendant la Commune, en 1870, il s'engage dans la Garde nationale, mais est réformé pour myopie. Il s'installe à Bruxelles en 1871, où il travaillera jusqu'en 1877. De retour à Paris, il expose au Salon *L'Age d'airain*, qui suscitera une ardente polémique. En 1880, l'Etat en acquiert le plâtre, et la direction des Beaux-Arts lui commande *La Porte de l'Enfer* pour le futur Musée des Arts décoratifs. Rodin obtient un atelier au Dépôt des marbres, rue de l'Université.

En 1883, il rencontre Camille Claudel, alors âgée de 19 ans.

En 1884, première ébauche du *Monument des Bourgeois de Calais*.

En 1888, il loue la «Folie-Neufbourg», où il retrouve Camille Claudel, dont il multiplie les effigies. Rodin accroît le nombre de figures pour *La Porte de l'Enfer*, à laquelle il travaillera jusqu'à la fin de sa vie sans jamais la fondre en bronze.

Après la commande en 1889 du *Monument à Victor Hugo*, il s'attache en 1891 à la puissante stature d'Honoré de Balzac. La Société des gens de lettres refuse l'œuvre en 1898.

En 1892, promu officier de la Légion d'honneur, il est nommé président de la section sculpture et vice-président à la Société nationale des Beaux-Arts.

Le *Monument des Bourgeois de Calais* est inauguré en 1895.

1898: rupture définitive avec Camille Claudel.

Pour l'Exposition universelle de 1900, il prépare son Pavillon, qui regroupera cent cinquante de ses œuvres, place de l'Alma à Paris, et qui connaîtra un immense succès international. Le Pavillon, démonté, sera reconstruit à Meudon à la Villa des Brillants.

En 1903, il succède à Whistler à la présidence de la Société internationale de Londres. Il est nommé membre du Conseil supérieur des Beaux-Arts en 1905 et expose pour la première fois au Salon d'Automne. En 1905, le jeune écrivain Rainer Maria Rilke devient son secrétaire. En 1908, il commence à habiter l'Hôtel Biron, à Paris, derrière les Invalides, où il concevra *La Prière* (1909).

Cybèle

Grand modèle

Bronze, fondu pour le Musée Rodin, à Paris, par la Fonderie de Coubertin, en 1990, d'après un plâtre de 1905
163×72×93 cm
Exemplaire signé et numéroté à l'avant
A. Rodin N II/III
Marque de la fonderie sur la base
FC © By Musée Rodin, 1990

Achat, Musée Rodin, Paris, 2002

Exposition

Rodin, Golubkina, Claudel. La rencontre cent ans après, Galerie nationale Tretiakov, Moscou, 2004, cat. n° 7, repr. p. 51.

Edition de sept épreuves en chiffres arabes numérotées de 1 à 7; trois épreuves en chiffres romains numérotées de I/III à III/III; deux épreuves anciennes, sans numéro.

Inv. n° 277

Le Baiser

Grand modèle

Bronze, fondu pour le Musée Rodin, à Paris, par la Fonderie de Coubertin, à Paris, en 2008, d'après un plâtre de 1886

181,5 × 112,3 × 117 cm

Exemplaire II/IV

Signé *A. Rodin*

Cachet du fondeur © *by Musée Rodin 2007 Fonderie de Coubertin France*

Achat, Musée Rodin, Paris, 2008

Note

Un exemplaire au jardin des Tuileries, Paris, un autre au National Museum and Art Gallery, Cardiff (pays de Galles).

Inv. n° 352

Naissance et pose du *Baiser*

Fonderie de Coubertin, février 2008.

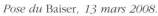
Pose du Baiser, *13 mars 2008.*

Auguste Rodin devant son atelier au Dépôt des marbres.

ARCHIVES MUSÉE RODIN, PARIS

La Méditation avec bras

Bronze, fondu pour le Musée Rodin,
à Paris, par la Fonderie de Coubertin,
en 1981, d'après un plâtre d'après 1900
158×78×66 cm
Exemplaire signé et numéroté à l'arrière
A. Rodin. N° 11
Marque du fondeur à l'arrière de la base
FC © By Musée Rodin, 1981

Achat, Musée Rodin, Paris, 1982

Expositions
Rodin, Fondation Pierre Gianadda,
Martigny, 1984, cat. n° 24, repr. p. 76.
Hôtel de Ville, Martigny, 1991.
Foire de Liège, 2000.
*Rodin, Golubkina, Claudel. La rencontre
cent ans après*, Galerie nationale Tretiakov,
Moscou, 2004, cat. n° 5, repr. p. 43.
*Claudel et Rodin. La rencontre de deux
destins*, exposition itinérante, Musée
national des Beaux-Arts, Québec;
Institute of Arts, Detroit; Fondation
Pierre Gianadda, Martigny, 2005-2006,
cat. n° 171, repr. p. 286.

Edition de onze épreuves en chiffres
arabes numérotées de 1 à 11;
une épreuve en chiffres romains
numérotée I/I.

Inv. n° 76

Rodin tombe gravement malade en 1916; il effectue trois donations successives de ses collections à l'Etat. L'Assemblée nationale vote l'établissement du Musée Rodin à l'Hôtel Biron.
Le 29 janvier 1917, Rodin épouse Rose Beuret, qui décédera le 14 février.
Auguste Rodin s'est éteint le 17 novembre 1917. Il est inhumé à Meudon.
Le Musée Rodin ouvre ses portes au public en 1919.

Albert Rouiller

Genève, 1938 – Genève, 2000
Sculpteur suisse

1985.

Biographie

Albert Rouiller est né le 25 mars 1938 à Genève. Après des études à l'Ecole des Beaux-Arts de Genève, à la fin des années cinquante il suit des cours de sculpture avec Max Weber et Henri Koenig, puis entre à l'Ecole des Arts décoratifs avec Georges Pougnier, où il étudie le moulage et le travail du plâtre. Il réalise ses premières sculptures en pierre de grand format, puis ses premières œuvres «articulées» à caractère organique et symbolique.

En 1962, Rouiller emménage dans une vieille ferme, à Soral, petit village proche de Genève.

La réalisation d'œuvres monumentales et les expositions, collectives comme personnelles, se multiplient. Il retournera au début des années quatre-vingt à des sculptures plus «fermées», très denses, aux volumes puissamment articulés, comme *Printemps 85*.

En 1988, l'artiste s'installe à Palma de Majorque, partageant son existence et sa création entre Genève et les îles Baléares.

Albert Rouiller s'est éteint à Genève le 25 juin 2000.

Printemps 85

Roche Corton de Bourgogne, en 1985
200 × 110 × 50 cm
Pièce unique

Achat, atelier de l'artiste, 1987

Exposition
Sculpture suisse en plein air 1960-1991, Fondation Pierre Gianadda, Martigny, 1991, repr. p. 73.

Inv. n° 301

Niki de Saint Phalle

(Catherine Marie-Agnès Fal de Saint Phalle, dite)
Neuilly-sur-Seine, 1930 – San Diego, Californie, 2002
Plasticienne franco-américaine, peintre, sculpteur et réalisatrice de films

Niki de Saint Phalle devant Vers la Lune, *1980.*

PHOTO: LEONARDO BEZZOLA

Biographie

Niki de Saint Phalle est née le 29 octobre 1930 à Neuilly-sur-Seine. La ruine du père, lors du krach boursier de 1929, conduit la famille à s'installer aux Etats-Unis. Sa scolarité est mouvementée, son caractère frondeur l'obligeant à changer maintes fois d'école. Elle s'intéresse très jeune à la littérature et au théâtre.

Elle s'enfuit à 18 ans avec l'écrivain Harry Mathews, qui fondera le magazine littéraire new-yorkais *Locus Solus*. Leur premier enfant, Laura, naît en 1951. L'année suivante, ils déménagent à Paris, où elle travaille un temps comme mannequin.

En 1953, après une hospitalisation due à une dépression nerveuse, elle peint.

Elle déménage à Majorque en 1955. A Barcelone, elle découvre Gaudí. Le parc Güell sera pour elle une révélation, et elle prend alors la décision de créer son propre jardin imaginaire.

De retour à Paris, elle rencontre le sculpteur suisse Jean Tinguely et prend un atelier, impasse Ronsin, derrière Montparnasse. Elle invente ses premiers *Tirs*, où le spectateur, armé d'une carabine, est invité à tirer sur des poches de couleurs, qui se répandent en longues traînées picturales sur un support en plâtre.

Pierre Restany l'invite à adhérer au groupe des Nouveaux Réalistes (1961). Dès 1964, elle réalise ses premières *Nanas* en polyester.

En 1971, elle épouse Jean Tinguely. Leur collaboration artistique sera intense: *Le Cyclop*, sculpture monumentale habitable dans les bois de Milly-la-Forêt (commencée en 1969), la *Fontaine Stravinsky*, pour le Centre Georges Pompidou à Paris (1982-1983), la fontaine de Château-Chinon, commandée par François Mitterrand (1988), et le *Giardino dei Tarocchi*, celui dont elle rêvait depuis sa jeunesse, à Garavicchio-Capalbio, en Toscane (1978-1989).

Dans les années soixante-dix, en convalescence après un très sérieux problème pulmonaire, séquelle de sa pratique du polyester, elle réalise enfin son rêve de construire son propre jardin de sculptures imaginé à partir de son interprétation personnelle du jeu de tarots. Dès 1978, les premières figures du tarot sont livrées, avec le concours de Jean Tinguely.

En 1982, Niki de Saint Phalle emménage dans le *Giardino dei Tarocchi*. Elle y habitera et y travaillera pendant les sept années qui suivront. C'est là qu'elle exécute *Les Baigneurs*.

Après la mort de Jean Tinguely, en 1991, elle commence une nouvelle série d'œuvres, les *Méta Tinguely*, en forme de baiser d'adieu à son compagnon.

Niki de Saint Phalle est aussi cinéaste: elle a écrit, produit, réalisé et joué dans plusieurs films.

Elle s'établit au milieu des années quatre-vingt-dix en Californie.

Niki de Saint Phalle s'est éteinte le 21 mai 2002 à San Diego.

Cecilia Bartoli et Léonard Gianadda devant Les Baigneurs, *4 septembre 2007.*

PHOTO: KURT REICHENBACH

Jean Tinguely, Léonard Gianadda et Paul Sacher, 28 août 1983.

PHOTO: MARCEL IMSAND

Les Baigneurs

Polyester peint et fibres de verre,
réalisé à la Société Résines d'Art Haligon,
à Périgny-sur-Yerres, en 1983
300×300×300 cm
Exemplaire signé et numéroté à l'arrière
sur le socle *Niki 1/2*

Provenance: Gimpel Fils Gallery, Londres;
collection particulière, New York

Achat, vente publique, New York,
Phillips, de Pury & Luxembourg,
12 novembre 2002, lot nº 134,
repr. p. 41

Œuvre acquise grâce à la générosité
du Fonds Cielbleu à la mémoire du
Dʳ Fritz Beck-Andreae

Expositions
Niki de Saint Phalle, Gimpel Fils
Gallery, Londres, 1984.
*Niki de Saint Phalle – Bilder – Figuren –
Phantastische Gärten*, Kunsthalle,
Munich, 1987.

Edition de deux exemplaires et
une épreuve d'artiste.

Inv. nº 293

George Segal

New York, 1924 – South Brunswick, New Jersey, 2000
Sculpteur américain

1985.

Biographie

George Segal, fils de petits commerçants, est né le 26 novembre 1924 à New York.

Au début des années quarante, la famille s'installe à South Brunswick, dans le New Jersey. George Segal étudie à la Cooper Union of Art and Architecture (NY), puis à la Rutgers University de New Brunswick.

En 1949, après des études au Pratt Institute of Design de Brooklyn, il est professeur au Art Education Department de l'Université de New York. Sa rencontre en 1953 avec Allan Kaprow est décisive. Lors de sa première exposition en 1958 à la Hansa Gallery, une coopérative d'artistes, il présente quelques sculptures devant ses tableaux. Les œuvres, figuratives, sont réalisées avec de la toile de jute imprégnée de colle ou avec de la filasse fixée sur une armature en grillage. En 1961, Segal use d'un matériau totalement neuf et insolite: les bandes de plâtre à usage médical, qui lui permettent de réaliser un moulage sur un modèle vivant. Il se livre à une première expérience sur son propre corps: *Man Sitting at a Table*.

En 1962, il abandonne définitivement la peinture pour se consacrer à la réalisation d'environnements composés d'effigies en plâtre mises en scène dans des décors d'objets trouvés. Dans les années soixante-dix, Segal compose des ensembles plus complexes, usant d'un plâtre plus adapté: l'hydrostone. En 1976, il développe le thème de la solitude urbaine et réalise *The Restaurant*, pour le Federal Office Building de Buffalo (NY). En 1983, avec la complicité du modèle Barbara Goldfarb, il crée *Woman with Sunglasses on Bench*.

A partir de 1993, il revient à la peinture de chevalet et réalise de nombreux portraits.

George Segal s'est éteint le 9 juin 2000 à South Brunswick.

Woman with Sunglasses on Bench
(Barbara Goldfarb)

Femme aux lunettes de soleil assise sur un banc

Bronze, patine blanche
Banc en métal et en fer forgé, réalisé par Johnson Atelier, Merceville, New Jersey, en 1983, d'après un plâtre de 1983
129,5 × 183 × 81,3 cm
Exemplaire numéroté derrière le pied *5/5*

Achat, Galerie Maeght Lelong, Zurich, 11 octobre 1985

Exposition
Reflet-Restitution, Abbaye Saint-André, Meymac, France, 1993

Edition de huit épreuves, dont cinq numérotées en chiffres arabes de 1 à 5 et trois épreuves d'artiste.
1/5: The Frederick R. Weisman Art Museum, Minneapolis, Minnesota, USA.
2/5: Contemporary Sculpture Center, Tokyo, Japon.

Inv. nº 125

Léonard Gianadda et George Segal avec Barbara Goldfarb, modèle de Woman with Sunglasses on Bench, *à la Galerie Maeght Lelong, à Zurich, 11 octobre 1985.*

Sam Szafran

Né à Paris, en 1934
Peintre, aquarelliste et pastelliste français, travaillant à Malakoff

Barcelone, 30 avril 2005.
PHOTO: MARTINE FRANCK
COLLECTION FONDATION PIERRE GIANADDA

Biographie

Né le 19 novembre 1934 à Paris de parents venus de Pologne, Sam Berger, dit Szafran, grandit au cœur des Halles. Enfant, sous l'Occupation, il trouve refuge dans le Lot. Pupille de la Nation en 1945, la Croix-Rouge le place dans une famille d'accueil, en Suisse, la plupart des membres de sa famille ayant été exterminés dans les camps nazis. En 1947, il embarque à Marseille avec sa mère et sa sœur pour rejoindre un oncle qui avait émigré en Australie. Adolescent turbulent, il exercera divers petits métiers, mais découvrira surtout la peinture anglaise.

De retour en France, en 1951, Sam Szafran s'inscrit aux cours du soir de dessin de la Ville de Paris, et fréquente le milieu très vivant de Montparnasse.

En 1953, il entre à l'Académie de la Grande Chaumière pour suivre les cours de Henri Goetz. Il y rencontre Jean Ipoustéguy, Orlando Pelayo et Antoni Clavé. A Saint-Germain-des-Prés, Sam Szafran se lie avec Django Reinhardt.

Sam Szafran, aux côtés de Léonard Gianadda, réalise l'empreinte de ses mains dans le plâtre pour la réalisation de sa plaque de bronze, 31 janvier 2003.

En 1957, il rencontre le sculpteur Jacques Delahaye. Cette amitié sera déterminante, avec celles d'Yves Klein et de Jean Tinguely. Premiers tableaux abstraits dès 1958, influencés par Nicolas de Staël et Jean-Paul Riopelle, mais, très vite, il revient à la figuration.

En 1960, l'artiste reçoit une boîte de pastels, ce qui entraîne son abandon de la peinture à l'huile. Il contribue fortement à ce que l'on a pu nommer la «renaissance» de cette exigeante technique un peu oubliée. Il approche Alberto Giacometti, et noue de solides amitiés avec Diego Giacometti, Raymond Mason, Joseph Erhardy.

En 1963 a lieu sa première exposition de groupe dans la galerie privée de Max Kaganovitch. Pierre Schneider, critique d'art reconnu, le présente au jeune marchand Claude Bernard. Sa première exposition personnelle se tient en 1965 chez Jacques Kerchache. Années difficiles. Thème des *Choux*.

Premières variations autour des *Ateliers*. En 1972, à l'occasion de l'exposition *Douze ans d'art contemporain* au Grand Palais, il rencontre Henri Cartier-Bresson, avec lequel il va nouer une relation fraternelle d'exception. Période des *Imprimeries*.

En 1974, il s'installe à Malakoff, où il vit et travaille depuis lors.

En 1986, il aborde la technique très subtile de l'aquarelle sur soie, sur ses thèmes récurrents des *Ateliers*, des *Serres* et des *Escaliers*.

2005 marque le début de sa collaboration avec le céramiste catalan Joan Gardy Artigas pour la réalisation de deux murs monumentaux, *L'Escalier* et *Philodendrons*, réalisés à la Fundació Tallers Josep Llorens Artigas (Barcelone).

De la Salle Belvédère au Pavillon Szafran

Texte publié dans le catalogue *Le Pavillon Szafran*,
Fondation Pierre Gianadda, 2006

Je me souviens de la surprise de Daniel Marchesseau le jour où je lui ai dit:
– Pourquoi ne pas proposer à Sam la commande d'une œuvre pour agrémenter la grande façade de la Salle Belvédère?
– Mais c'est évident et ça m'agace de n'y avoir pas songé moi-même!

L'accord de Sam Szafran ne fut pas facile à obtenir. Artiste plutôt intimiste, il parut tout autant intéressé qu'effrayé par l'importance de la surface à vaincre. Après un temps de réflexion, il répondit que, pour lui, la seule possibilité envisageable était une grande céramique et le seul céramiste capable de mener à bien une telle entreprise, son vieil ami Joanet Artigas… qu'il n'avait pas revu depuis de nombreuses années.

C'est Jean-Louis Prat qui le retrouva, le contacta, fixa les rendez-vous. Ainsi commença l'aventure…

Le projet, de son origine à sa réalisation, s'est étendu sur une période relativement longue, jalonnée d'épisodes de vrai bonheur. Tout d'abord participer au choix du sujet. Sam proposa plusieurs thèmes esquissés en formats à peine plus grands que des cartes postales. Quel privilège d'en disserter dans l'atelier de Malakoff, puis de suivre la réalisation de la céramique à Gallifa près de Barcelone! Ce fut le prétexte à de nombreuses et amicales rencontres entre amis: Martine Franck, Daniel Marchesseau, Jean-Louis Prat, Gérard Régnier…

Grâce aux deux généreux mécènes et amis de la Fondation, Jacques Jottrand et Anne La Barre, le 19 novembre 2005 était inaugurée la première céramique *L'Escalier* et, quelques mois plus tard, le 22 juin 2006, nos visiteurs découvraient *Philodendrons*.

Les sculptures qui ornent les giratoires de la ville de Martigny ont pratiquement toutes fait l'objet de commandes auprès d'artistes suisses. Mais les céramiques de Sam sont les seules œuvres de commande de notre Parc de Sculptures.

Après *La Cour Chagall*, un nouveau fleuron, *Le Pavillon Szafran*, vient s'ajouter à ce qui se révèle aujourd'hui être un véritable parcours de la sculpture du XXᵉ siècle.

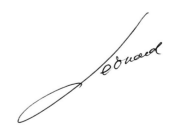

L'Escalier

Céramique monumentale, réalisée avec
Joan Gardy Artigas à Gallifa (Barcelone),
en 2005
Panneau de 220 carreaux de 33×33 cm,
formant un décor de 350×750 cm
Pièce unique
Signé en bas à droite *Sam Szafran* et
Artigas

Commande auprès de l'artiste, 2005

Œuvre acquise grâce à la générosité de
Jacques Jottrand et Anne La Barre,
Mons, Belgique

Inv. n° 328

Philodendrons

Céramique monumentale, réalisée avec Joan Gardy Artigas à Gallifa (Barcelone), en 2006

Panneau de 220 carreaux de 33×33 cm, formant un décor de 350×750 cm

Pièce unique

Signé en bas à droite *Sam Szafran* et *Artigas*

Commande auprès de l'artiste, 2006

Œuvre acquise grâce à la générosité de Jacques Jottrand et Anne La Barre, Mons, Belgique

Inv. n° 330

*Daniel Marchesseau,
Léonard Gianadda,
Joan Gardy Artigas
et Sam Szafran,
Martigny, 7 mars 2005.*

*Joan Gardy Artigas
et Sam Szafran,
Martigny, 7 mars 2005.*

*Joan Gardy Artigas,
Sam Szafran et
Léonard Gianadda,
Martigny,
18 novembre 2005.*

Martine Franck et Sam Szafran,
Martigny, 6 mars 2005.

Lilette et Sam Szafran, exposition Sam Szafran,
Fondation Pierre Gianadda, Martigny,
19 novembre 1999.

Lilette Szafran et
Annette Gianadda,
Martigny,
18 novembre 2005.

Sam Szafran, Natasha Gelman
et Léonard Gianadda, exposition
De Matisse à Picasso,
Collection Jacques et Natasha Gelman,
Fondation Pierre Gianadda,
Martigny, 18 juin 1994.

Sam Szafran et
Léonard Gianadda,
après sa réception à
l'Académie des Beaux-Arts,
Paris, 4 juin 2003.

*Sam Szafran, Léonard Gianadda,
Jean Clair et Annette Gianadda,
exposition* Sam Szafran,
*Fondation Pierre Gianadda,
Martigny, 19 novembre 1999.*

*Cecilia Bartoli,
Léonard Gianadda,
Daniel Marchesseau,
Jean Clair,
Joan Gardy Artigas
et Sam Szafran,
Martigny, 7 mars 2005.*

Antoni Tàpies

Né à Barcelone, en 1923
Peintre espagnol

A la Galerie Lelong, à Zurich,
24 novembre 2001.

Biographie

Antoni Tàpies est né le 13 décembre 1923 à Barcelone.

Pendant la guerre civile espagnole (1936-1939), il étudie au Liceu Pràctic, à Barcelone. En 1940, victime d'une grave infection pulmonaire qui lui impose deux années de convalescence, il s'intéresse à la philosophie et à la musique romantique, tout en suivant des cours de dessin. Ses premières œuvres sont des autoportraits de facture expressionniste.

Il abandonne en 1947 des études de droit et entre en contact avec les fondateurs de la revue *Dau al Set* («La Septième Face du dé»). Son univers de visions cosmiques, mystérieuses et spectrales, à fort contenu biographique, se construit. Encouragé par Joan Miró dès 1949, Tàpies séjourne à Paris, grâce à une bourse allouée par le Gouvernement français, et rencontre Picasso. Marqué par la pensée marxiste et concerné par la situation politique, Tàpies peint des thèmes sociaux, avant de s'orienter vers l'abstraction en utilisant des matériaux de récupération: terre, poudre, cordes, chiffons. Il participe en 1952 à la Biennale de Venise.

Lors de sa première exposition personnelle aux Etats-Unis (Chicago), il découvre l'expressionnisme abstrait américain.

Dès 1953, Tàpies abandonne la veine surréaliste et se rapproche de l'art informel, opérant un dépouillement radical de son langage plastique inspiré par les empâtements des murs des banlieues pauvres, autour du thème omniprésent de la croix traité en motif calligraphique à l'égal de ses graffiti. Sa première exposition personnelle à Paris est organisée à la Galerie Stadler, en 1956. Cette même année, avec Michel Tapié, il organise l'exposition *Arte Otro* à la Sala Gaspar, à Barcelone, qui présente au public espagnol les œuvres de Pollock, Kline, Dubuffet, Fautrier et Fontana.

Plasticien engagé, Tàpies exprime ses réflexions sur l'art dans de nombreuses publications polémiques en Catalogne et en Espagne. Il contribue à la campagne pour l'abolition de la peine de mort en Espagne et participe aux actions organisées par les opposants au régime de Franco pour le retour des droits démocratiques. En 1981, à Saint-Paul-de-Vence, il crée, avec la collaboration de Hans Spinner, sa première céramique.

En 1990, la Fundació Antoni Tàpies s'ouvre à Barcelone.

En 1994, Antoni Tàpies est élu à l'Académie des Beaux-Arts, à Paris. Il travaille en Catalogne.

*L'artiste exécutant l'œuvre
devant la maquette chez le céramiste
Hans Spinner, à Grasse, 2005.*

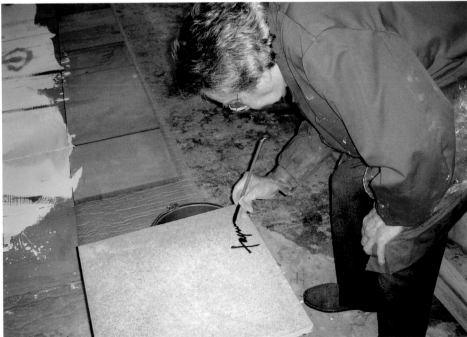

PHOTOS: HANS SPINNER

151

Mural

Céramique monumentale, réalisée
avec la collaboration de Hans Spinner,
à Grasse, en 2004

Panneau de 110 plaques de lave
mesurant chacune 50×50 cm, formant
un décor de 350×750 cm

Pièce unique

Achat, Galerie Lelong, Paris, 2005

Cette céramique monumentale sera
installée prochainement.

Inv. n° 316

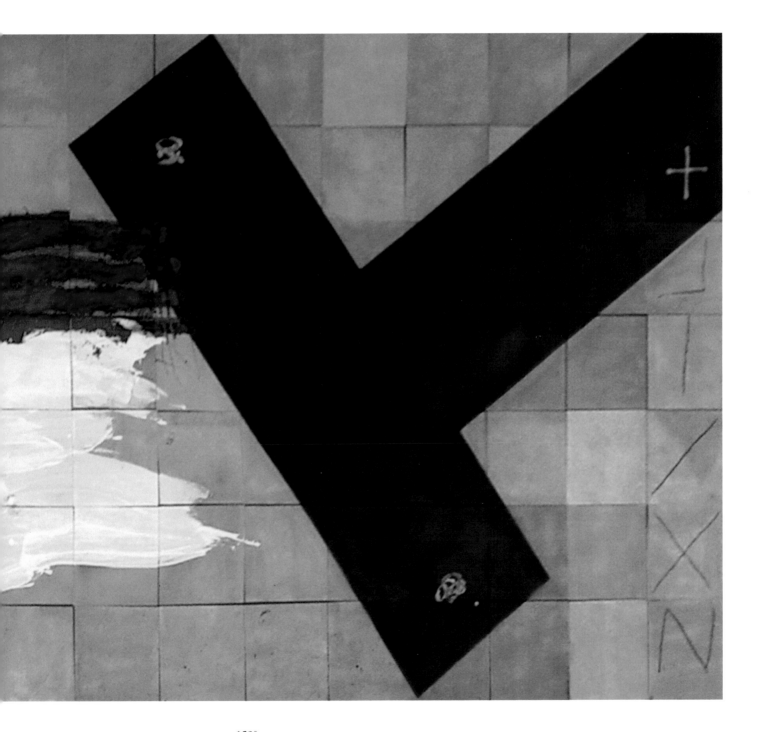

Chez le céramiste Hans Spinner, à Grasse, 15 avril 2005

*Daniel Marchesseau,
Léonard Gianadda
et Jean-Louis Prat.*

PHOTOS: HANS SPINNER ET
LÉONARD GIANADDA

Daniel Marchesseau,
Hans Spinner
et Jean-Louis Prat.

André Tommasini

Né à Lausanne, en 1931
Sculpteur suisse, travaillant à Lausanne

Biographie

André Tommasini est né en 1931 à Lausanne. Il accomplit son apprentissage de sculpteur sur pierre à Lausanne, de 1946 à 1949.

Au début des années cinquante, après ses études à l'Ecole des Beaux-Arts de Lausanne, il fait un stage chez Casimir Reymond, sculpteur, à Lutry.

Il participe depuis 1956 à de nombreuses expositions collectives: «Salon des jeunes» au Musée cantonal des Beaux-Arts de Lausanne; à Montreux; à Zurich; à la Biennale de l'Art suisse, à Lausanne, et dans des galeries.

Des expositions personnelles sont organisées en 1975 à la Galerie Numaga, à Auvernier, dans le canton de Neuchâtel, en 1982 à la Galerie de May, à Lausanne, et en 1987 à la Fondation Pierre Gianadda.

André Tommasini travaille essentiellement sur la pierre en taille directe, sans négliger d'autres matériaux.

Il vit et travaille à Lausanne.

Expansion I

Travertin Soraya poncé (Iran), taillé à l'atelier de l'artiste, en 1984
100 × 52 × 72 cm
Pièce unique
Achat, atelier de l'artiste, 1987

Exposition
Tommasini, Fondation Pierre Gianadda, Martigny, 1987, repr. p. 29.

Inv. n° 302

Bernar Venet

Né à Château-Arnoux-Saint-Auban (Provence), en 1941
Artiste plasticien français,
travaillant à New York, à Paris et au Muy (Provence)

Biographie

Bernar Venet est né en 1941 à Château-Arnoux-Saint-Auban, dans les Alpes de Haute-Provence. Ses premières peintures s'inspirent d'un primitivisme symbolique. Instruit de la démarche des Nouveaux Réalistes, d'Yves Klein en particulier, il exécute des premières peintures sur papier avec du goudron étalé à coups de pied, puis des cartons d'emballage enduits au pistolet de peinture monochrome glycérophtalique.

Rencontre déterminante avec Arman lors de son premier voyage à New York en 1966. Après un bref retour en France, il choisit de s'installer de façon permanente à New York. Premières œuvres conceptuelles.

A partir de 1967, Venet fréquente la communauté scientifique de la Columbia University (New York) et développe son œuvre personnelle autour de formules et de graphiques mathématiques.

Pour des raisons théoriques, il décide en 1971 d'arrêter toute production artistique. Débute alors une période de réflexion, pendant laquelle il écrit sur l'art conceptuel et sur son propre travail. La Sorbonne lui demande un cours sur l'art et la théorie de l'art, qu'il dispense pendant l'année 1974.

En 1976, il choisit de retourner au processus créatif et conçoit en 1979 ses premiers travaux tridimensionnels et maquettes de sculptures en acier corten: *Indeterminate Lines*.

En 1989, Venet acquiert au Muy une usine désaffectée, où il travaille l'été.

Au début des années quatre-vingt-dix, il crée plusieurs compositions musicales dont témoignent deux compact-discs, *Gravier/Goudron* et *Acier Roulé E25-2*.

Le maire de Paris, Jacques Chirac, l'invite en 1994 à présenter douze *Indeterminate Lines* sur le Champ-de-Mars. La sculpture de la Fondation s'inscrit en 1996 dans cette série. En 1997, Venet commence à New York une série de sculptures intitulée *Arcs × 4* et *Arcs × 5*.

La troisième version du film *Tarmacadam* (de 1963) sort en 1999. Une exposition est organisée au Musée d'Art Moderne et Contemporain (MAMCO) de Genève.

Après la publication d'un recueil de ses poèmes, *Apoétiques 1967-1998*, les écrits et entretiens de l'artiste entre 1975 et 2002 sont édités sous le titre *Art: A Matter of Context* (2004). Bernar Venet vit et travaille à New York, à Paris et au Muy.

Bernar Venet et Léonard Gianadda à côté de Indeterminate Line *dans le Parc de Sculptures, été 1997.*

Le 10 juin 1997, invité à visiter
la Foire de l'Art de Bâle par
M. Jean-Yves Bonvin, directeur
de la SBS Valais, je tombai sur
Indeterminate Line de Bernar
Venet, exposée à la Galerie Karsten
Greve, à Cologne. J'en demandai
le prix au responsable du
stand, qui articula le chiffre de
130000 francs. Je ne sais pas
ce qui me passa alors par la tête,
mais je lui déclarai: «Monsieur,
je vais vous faire une proposition
ferme mais définitive. Je compte
jusqu'à dix et, si vous acceptez ma
proposition avant le gong, je vous
signe le chèque et l'affaire est
conclue. Voilà, je vous offre
100000 francs.» Plus que surpris,
mon interlocuteur commença:
– Mais…
– Un
– Je voulais vous dire…
– Deux
– Mais encore…
– Trois
Arrivé à neuf, il me tendit la main
et me dit:
– D'accord…
C'est ainsi que Indeterminate Line
entra dans nos collections.
                                    L.G.

Indeterminate Line

Acier roulé, réalisé à l'Atelier CMW
Marioni, à Rozières-sur-Mouzon
(Vosges), en 1996
181×196×240 cm
Pièce unique

Achat à la Foire de Bâle, Galerie Karsten
Greve, Cologne, 1996

Œuvre acquise grâce à Valmont Group
(CVL Cosmetics SA), Morges

Inv. nº 230

Les arbres sentinelles du Parc

par Dany Sautot

«A la différence d'autres œuvres – peinture, sculpture ou édifice – un jardin croît et évolue avec le temps. Les plantes poussent, atteignent la maturité, déclinent, certaines au bout de six semaines, d'autres de six cents ans. Peu de jardins peuvent être laissés à eux-mêmes. Quelques années de négligence, et seule reste décelable l'ossature initiale – le modelé du sol, un mur, des marches, un bassin, un groupe d'arbres. [...] De leur côté, peintres et sculpteurs, dans leurs efforts pour se dégager des strates du passé, ont entrepris de se livrer à toutes sortes d'expériences mettant en jeu différents niveaux du conscient et de l'inconscient.

»L'art paysager, à mon sens, ne devrait pas avoir à passer par ces états d'âme, liés à la mutation d'une culture, sinon à sa désintégration. Ses sources à lui ne sont pas purement culturelles, il a d'autres soubassements. Une graine, une plante, un arbre doivent pouvoir obéir aux lois de leur nature.»

Russell Page, *L'Education d'un jardinier*, La Maison Rustique, 1994, pp. 46-47.

Martigny

«La ville se trouvait sur la route reliant Rome à l'Helvétie, à la Gaule et à la Germanie.»

Léonard Gianadda, *Connaissance des Arts*, Fondation Pierre Gianadda, hors série, 2003.

L'une des nombreuses sculptures contemporaines (Silvio Mattioli, *Triangle*, 2006) offertes par la Fondation à la Ville rappelle que Martigny demeure un carrefour d'où les routes mènent en Italie, en France ou au cœur de la Suisse romande.

Installée dans un coude formé par le Rhône, le long de la Dranse, la localité est, dès la préhistoire, un lieu de passage obligé par lequel transitent les hommes, soit en direction du Rhin et de la Gaule, soit vers l'Italie. Une quarantaine de kilomètres la séparant du terrible passage du Grand-Saint-Bernard, elle constitue un relais indispensable sur la route menant de Rome à la Grande-Bretagne. Connue sous le nom d'Octodurus, détruite, puis reconstruite «sur des terrains vierges de toute occupation antérieure, à l'abri des inondations de la Dranse»[1], la bourgade conserve aujourd'hui la mémoire de l'occupation romaine évoquée par différents édifices architecturaux, dont un sanctuaire au cœur du bâtiment de la Fondation, des vestiges de son enceinte sacrée et des thermes dans le Parc. Plantés à l'abri des courants d'air froid, profitant de la chaleur renvoyée par des murs exposés en plein soleil, de petits figuiers (*Ficus carica* 'Contessina') rappellent le voyage des plantes entrepris depuis la Rome antique.

[1] Hélène Walter, «Rome sur la route des Alpes», *in: Connaissance des Arts*, hors série, 2003.

Avant d'aborder l'histoire du Parc et de ses plantations, un rapide tour d'horizon permet d'appréhender son paysage environnemental au sein de la plaine du Rhône. Enclavée entre les Alpes valaisannes au sud et les Alpes bernoises au nord, la vallée fluviale s'élargit à l'est, vers Sion, et se resserre en cluse à l'ouest, en direction du lac Léman. Vus du Parc, les contrastes sont saisissants. Bordée par la voie de chemin de fer du Mont-Blanc Express reliant Martigny à Chamonix, la lisière sud est dominée par les à-pics vertigineux des Alpes valaisannes que dramatise la présence austère de résineux. A l'opposé, au-delà de la Fondation et du bourg, l'œil se perd dans les escarpements montagneux et ensoleillés des Alpes bernoises. Les cultures y sont étagées, d'abord en vergers puis en vignobles, au-dessus desquels culmine la tour du château de la Bâtiaz, bastide fortifiée érigée au début du XIIIᵉ siècle.

Cette mosaïque de paysages, mais aussi de microclimats et d'écosystèmes, a déterminé le caractère remarquable de cette région qui, au cours des années 1870, devait attirer le Nancéen Emile Gallé (1846-1904), l'un des artistes essentiels du mouvement de l'Art nouveau. Son carton à dessins sous le bras, il parcourt les Alpes à pied. Il y herborise, accumule des images «floristiques» qui nourrissent sa science de la botanique tout autant que son inspiration artistique.

«Les passages du Brenner dans le Tyrol, du Saint-Gothard, du Simplon, du Stelvio, du Saint-Bernard et du Splügen dans les Alpes suisses, ce dernier surtout, offrent des changements de climat si rapides, que, peu d'instants après avoir foulé aux pieds les neiges éternelles, le voyageur est transporté en pleine Hespérie, au milieu des figuiers et des orangers. C'est qu'en effet on peut s'avancer fort loin dans le sud à l'abri des Alpes sans que l'altitude permette à la latitude de se traduire par la température et la végétation; celles-ci, quoique dans une zone tempérée, sont tenues en bride et tout alpines sur les sommets; mais elles se transforment brusquement aussitôt que des abris naturels et surtout l'abaissement du sol le leur permettent. De là des contrastes piquants entre les plantes spontanées et cultivées, des surprises, des révélations inattendues pour le touriste arrivant du nord, des bonnes fortunes pour le botaniste, qui pourra cueillir d'une main la flore alpine, de l'autre la flore méridionale.»

Emile Gallé, *Ecrits pour l'Art*, Editions Jeanne Laffitte, 1998, réimpression de l'édition de Paris, 1908, p. 4.

Recréée dans le Parc, cette diversité botanique évoquée par Emile Gallé participe du sentiment de «naturel» qui en émane. Elle donne également une lecture particulière, puisque végétale, de l'histoire mouvementée de la région, ne serait-ce que par la cohabitation des figuiers *(Ficus carica)* de l'Empire romain, des bouleaux blancs *(Betula pendula)* du nord de l'Eu-

rope et des pins noirs d'Autriche *(Pinus nigra* ssp. *nigra)* du Tyrol du Sud. La multiplicité des origines déclinées par les essences (Amérique du Nord, Europe, Asie, Afrique du Nord) fait écho aux origines mêmes des artistes, dont les œuvres présentées dans le Parc constituent un ensemble majeur témoignant de l'histoire mondiale de la sculpture moderne.

Notifiées dans les rapports annuels d'activité du Conseil de la Fondation, les différentes périodes au cours desquelles le Parc a été agrandi ne sont plus perceptibles à l'œil du visiteur. L'harmonie créée entre les silhouettes des arbres et des arbustes, entre le tracé des allées et le dessin des vastes pelouses, entre les dénivellations et les monticules, entre les endroits ouverts et les lieux d'intimité, procure une impression d'unité, propice à une découverte heureuse des œuvres.

Au nom du frère

En 1976, Léonard Gianadda projette de construire un immeuble sur un terrain qu'il a acquis à la périphérie de la ville, à proximité de Martigny-Bourg. Les premiers coups de tractopelle donnés dans le sol mettent au jour les vestiges d'un temple gallo-romain… Cependant, le permis de construire est maintenu par l'Etat du Valais. Mais cette année-là, le destin de Léonard Gianadda bascule. Pierre, son frère cadet, décède des suites d'un accident d'avion.

Abandonnant immédiatement son projet initial de construction, Léonard Gianadda décide de bâtir, en lieu et place, un musée archéologique dans le cadre d'une fondation dédiée à la mémoire du disparu. Inaugurée le 19 novembre 1978, la Fondation Pierre Gianadda ouvre également ses portes à la création moderne et contemporaine pour, selon la volonté de son créateur, devenir un musée vivant. La force de persuasion de Léonard Gianadda, une forme d'ingénuité aussi, convainc les plus grands musées et les collectionneurs privés de prêter leurs œuvres à la Fondation à l'occasion d'expositions dont le prestige rejaillit bien au-delà des frontières suisses.

Des vergers au parc arboré

Trois étapes décisives ont présidé à l'actuelle configuration du Parc de Sculptures.

La première, en 1981, prolonge la visite du Musée archéologique par un parcours «gallo-romain» organisé sur les six mille mètres carrés de «jardins» jouxtant la Fondation.

Le terme «jardins», utilisé jusqu'en 1987 dans les rapports annuels d'activité, fait référence à l'occupation traditionnelle des sols par des parcelles de terrain consacrées à la culture maraîchère (dont la fameuse asperge du Valais) ou, plus fréquemment, à celle d'arbres fruitiers destinés à la production domestique d'eaux-de-vie et de liqueurs.

Objets d'attentions particulières, dont une taille appropriée, quelques exemplaires de ces arbres fruitiers vivent aujourd'hui une belle fin de carrière au sein du Parc (si l'on se permet une allusion empreinte d'anthropomorphisme, tentante dès qu'il s'agit d'arbres). Certains poiriers communs (*Pyrus communis* 'Louise Bonne') accueillent en leur cercle une généreuse *Pomme* de bronze, œuvre de Claude Lalanne. Comme un clin d'œil facétieux.

Remarquables par la beauté de leur forme traditionnellement taillée en gobelet, les abricotiers 'Luizet' (*Prunus armeniaca* 'Luizet') ménagent, dans

163

l'ouverture délimitée par leurs deux fourches, des cadrages insolites (et appropriés) aux œuvres exposées. L'exemple le plus frappant est certainement le dialogue entretenu entre la *Roue Oriflamme* de Jean Arp et l'un de ces 'Luizet'. Où le vide creusé dans l'acier au cœur de l'Oriflamme prolonge celui du dessin ouvert sur l'espace matérialisé par les deux branches maîtresses de l'arbuste. Outre le fait qu'ils soient «historiquement» indissociables du paysage valaisan, ces abricotiers, disséminés dans le Parc de la Fondation, la ponctuent de «focus naturels» sur les œuvres exposées. Et c'est sans doute là l'une des intuitions «particulières» de Léonard Gianadda de retenir la simple beauté familière du paysage construit de son enfance.

La deuxième étape sera franchie huit ans plus tard. Le projet – le désir – de consacrer une exposition à Henry Moore, mais aussi la volonté de constituer une collection permanente de sculptures en plein air supposent une extension des «jardins». En 1988, l'acquisition d'un vaste verger mitoyen avec la Fondation permet de doubler leur surface. Désormais, il sera fait référence au Parc. Au cours de l'hiver 1988-1989, des travaux titanesques sont entrepris. Un vaste plan d'eau, alimenté par une source, est creusé au-delà du mur d'enceinte d'origine romaine, la construction d'un petit pont

Témoins des anciens vergers, les abricotiers 'Luizet', à la taille caractéristique en gobelet, ponctuent le Parc.

Des figuiers (Ficus carica 'Contessina')
pour rappeler le voyage des hommes et
des plantes depuis la Rome antique.

permettant de franchir les vestiges. La parfaite intégration de l'étang dans son environnement ne tient pas du hasard. Léonard Gianadda décide de son tracé, depuis un point de vue situé en à-pic au-dessus de la Fondation, sur le flanc de la montagne. Muni d'un téléphone portable et d'une paire de jumelles, il dirige les ouvriers chargés d'en baliser à la chaux les contours. La présence de l'eau, des plantations qu'elle suggère (grands saules, bambous, graminées aquatiques, joncs…), recrée un univers à la fois poétique et ludique, au cœur duquel les œuvres exposées s'intègrent «naturellement». Jeux d'eau et de lumière imaginés par Pol Bury, quiétude à l'ombre d'un paulownia (*P. tomentosa*, dit «Arbre impérial de Chine») pour une femme assise sur un banc – rêvant? attendant? – devant l'onde (George Segal, *Woman with Sunglasses on Bench*), scène pastorale, à l'ombre des hauts bambous, animée par le troupeau de moutons, de brebis et d'agneaux de François-Xavier Lalanne. Souvent offerts par des amis de la Fondation, des couples de canards, eux aussi aux origines recherchées, participent de la vie «recréée» autour de l'eau. Leurs couvées seront désormais notifiées dans les rapports annuels.

En 1995, l'acquisition d'un terrain de trois mille mètres carrés longeant la voie ferrée ouvre, bien sûr, de nouvelles perspectives quant à l'extension du Parc de Sculptures, mais elle revêt également une tout autre

La présence de l'eau est l'un des éléments qui participent de la «nature recréée» dans le Parc et de l'intégration harmonieuse des sculptures, ici Woman with Sunglasses on Bench *de George Segal.*

Cet ancien arsenal a été totalement rénové et ses salles aménagées pour une exposition permanente consacrée à Léonard de Vinci. Ce long bâtiment est rendu invisible depuis la pelouse centrale de la Fondation par un haut talus constitué par le déblai des fouilles archéologiques. Ici, l'illusion chère aux tenants de l'art paysager est matérialisée par l'impression créée. L'Arsenal semble avoir été bâti dans une dépression du terrain.

La végétalisation répond parfaitement à la vue étudiée sur les sculptures qu'il offre du premier étage et de l'ascenseur en verre transparent courant sur le mur pignon orienté vers le Parc. Les différentes hauteurs des essences choisies organisent ici la perspective sur *Le Grand Double* d'Alicia Penalba et, plus loin, sur l'*Elément d'architecture contorsionniste V* de Jean Dubuffet. Ainsi, les formes horizontales, à l'exclusion des vastes pelouses, sont obtenues par des plantes couvre-sols, tel le rapide et persistant *Cotoneaster dammeri* 'Radicans' ou encore le compact *Juniperus squamata* 'Blue Carpet' au feuillage bleu intense. Les arbustes, pour la plupart caducs, jouent les animateurs, que ce soit par leur floraison comme *Forsythia* x *intermedia* 'Lynwood' et son festival d'or entre mars et mai, mais aussi par leurs formes: en boule pour le vigoureux *Viburnum opulus* 'Sterile' à la floraison blanche entre mai et juin et aux petites baies rouge vif en automne; touffue pour

signification aux yeux de Léonard Gianadda. Sur ce terrain se trouve l'Arsenal militaire construit en 1942 par son grand-père, Baptiste Gianadda, qui, à l'âge de 13 ans, avait quitté son Piémont natal, franchi à pied le Simplon pour être apprenti manœuvre à Martigny…

Scène pastorale au bord de l'étang, animée par le troupeau de moutons, brebis et agneaux de François-Xavier Lalanne.

Weigela 'Bristol Ruby' couvert de clochettes rouge cramoisi à la même époque... Comme dans le reste du Parc, l'absence de vivaces est compensée par le choix d'espèces dotées de floraisons se succédant au cours des saisons, par l'apparition de fruits sous forme de baies colorées, par des feuillages remarquables. Certaines écorces deviennent textures sur lesquelles la main et le regard se posent. Comme il le ferait devant les motifs abstraits

L'œil s'attarde sur les dessins improvisés inscrits dans l'écorce d'un platane.

d'un *ntshak*[2], l'œil s'attarde sur les dessins improvisés inscrits dans l'écorce d'un platane; même gamme de tons bruns allant du clair à l'obscur pour le tissage Kuba comme pour les exfoliations de l'arbre. En hiver, la belle

[2] *Ntshak*: tissu en raphia orné de motifs appliqués porté par les femmes de la cour Kuba, royaume de l'ex-Zaïre, aujourd'hui République démocratique du Congo (Musée Dapper, Paris, catalogue de l'exposition *Au royaume du signe*, du 25 mai au 24 septembre 1988).

Le Parc de Sculptures offre au visiteur la plus naturelle des promiscuités avec les œuvres exposées.

écorce liégeuse du copalme d'Amérique *(Liquidambar styraciflua)* s'offre au regard, une fois la flamboyante feuillaison d'automne disparue.

La volonté de créer un parc excluant toute sophistication se révèle par une juste proportion entre espèces créées (d'origine horticole) et espèces botaniques. De nombreux noisetiers, des charmes communs donnent ainsi une réplique «calme» aux arbustes dotés de floraisons éclatantes. Plantés en haie le long de la voie ferrée et marquant régulièrement les limites du Parc, ces arbustes favorisent également un habitat idéal pour toute une petite faune – des oiseaux aux insectes – participant à l'équilibre écologique du lieu.

Ainsi, de 1981 à 1995, des «jardins» au «Parc de Sculptures», des six mille aux dix-sept mille mètres carrés, la Fondation Pierre Gianadda est devenue un lieu ouvert tant aux amateurs d'art qu'aux amoureux des jardins. Des travaux de gros œuvre aux plantations, des espaces dédiés aux pique-niqueurs à la signalétique des essences, de l'entretien des pelouses – sur lesquelles, une fois n'est pas coutume, il est vivement recommandé de marcher – à l'éclairage, son aménagement relève de la volonté désintéressée de Léonard Gianadda d'offrir au visiteur la plus naturelle des promiscuités avec les œuvres exposées.

L'homme pressé

Les photographies du catalogue édité à l'occasion de l'exposition *Sculpture suisse en plein air 1960-1991* montrent le Parc à ses débuts, un genre d'adolescence signalée par de jeunes arbres aux troncs encore graciles, aux silhouettes inachevées; au stade de jeunes plantules, les haies de bordure ne dissimulent pas encore les maisons avoisinantes; il s'agit bien d'un vaste jardin animé par le dessin, entre tous reconnaissable, des élégantes fourches des abricotiers 'Luizet' taillés en gobelet. Quinze ans plus tard, le contraste est saisissant. Les légers bouleaux blancs se sont multipliés en cépées dont les flèches semblent tutoyer le ciel, les jeunes arbustes encore mal dégrossis ont acquis la majesté de vénérables sujets. Parmi ces champions de la vitesse: les paulownias, les saules *(Salix alba* 'Tristis'), les érables planes *(Acer platanoides)* et les érables argentés *(A. saccharinum)*, ou encore les cèdres de l'Atlas *(Cedrus atlantica)*. Le choix de ces essences, de ces arbres constructeurs d'espace, est bien dû à la course contre le temps menée par Léonard Gianadda. Créateur de cette Fondation, concepteur du Musée archéologique qu'elle abrite, décideur d'expositions capitales, organisateur passionné de concerts classiques qui attirent une foule cosmopolite de mélomanes avertis… Léonard Gianadda est un bâtisseur pressé et généreux. Son Parc, puissant et lumineux, est à son image.

Les écrins végétaux de la Fondation Pierre Gianadda

Les grands arbres, plantés en petits groupes ou en solitaires, constituent rapidement l'«ossature du Parc» sur laquelle sont greffées d'autres essences de croissance plus lente. Ces dernières, en nombre unitaire plus restreint, s'épanouissent en chambres de verdure, clairement identifiables les unes par rapport aux autres, au sein desquelles les sculptures s'inscrivent naturellement. Ménageant des effets de surprise, préservant des coins d'intimité, ouvrant des perspectives, créant des continuités, les végétaux donnent ici une dimension tant sensorielle que spirituelle au propos rayonnant du Parc.

Chaque sculpture participe d'un univers familier qui laisse cours aussi bien à la découverte qu'à la méditation, à la jubilation qu'au plaisir «simple» d'entendre les feuillages, de fouler l'herbe, de s'y asseoir, de prendre le temps d'être pénétré par l'histoire qui s'écrit ici, d'une œuvre à l'autre, d'une émotion à l'autre.

L'intuition n'est pas absente qui se prête au langage formel des œuvres. La solitude dramatique exprimée par le *Grand Guerrier de Montauban* [version avec jambe] d'Antoine Bourdelle semble exacerbée par la présence d'un immense cèdre bleu de l'Atlas (*Cedrus atlantica* f. *glauca*), à l'écorce fissurée, au feuillage blanc argenté tirant sur le bleu glauque comme si la patine de la sculpture nimbait le lieu de ses tons oxydés.

Nombreux dans le Parc, les paulownias aux immenses feuilles duveteuses et aux surprenantes floraisons en panicules verticales lilas rosé inspirent une certaine majesté empreinte de douceur et de quiétude. D'abord disposés en cercle, tel un sertissage précieux, autour du *Pouce* de César, ils épanchent leurs frondaisons jusqu'à *La Cour Chagall*, où, associés aux somptueux tilleuls des bois *(Tilia cordata)* et à la grâce aérienne de saules blancs, ils créent l'illusion d'une porte ouverte sur l'imaginaire de l'œuvre de Marc Chagall.

Punition d'un Eole jaloux d'amours bucoliques? La tempête de l'hiver 1999 a privé le *Sein* de César des tendres caresses que lui prodiguaient les longs

La puissance dramatique de l'œuvre d'Antoine Bourdelle semble exacerbée par la présence d'un immense cèdre bleu de l'Atlas.

Pins noirs autrichiens, épicéas serbes et bouleaux blancs encadrent magnifiquement l'œuvre majestueuse d'Alicia Penalba.

rameaux d'un saule blanc. Sensualité suggérée, les sculptures comme les arbres se prêtent aux jeux tant des mains que des fantasmes... Courbes d'une femme surgie de la nuit des temps, immortalisée par Henry Moore *(Large Reclining Figure)* et dont la peau de bronze accueille les éclaboussures d'un soleil tamisé à travers les ramures bleutées d'un large épicéa du Colorado *(Picea pungens)*.

C'est aussi ce juste équilibre entre conifères et arbres caducs qui permet au Parc de rester attrayant au cours des quatre saisons. Arbres architectes du paysage hivernal, les conifères assurent une continuité vers les montagnes, vers les mélèzes d'Europe *(Larix decidua)* dont Emile Gallé avait remarqué la présence au-dessus de Martigny: «Voici d'abord des forêts de mélèzes: ces arbres, toujours assez rares à l'état spontané, couvrent dans les Alpes certains versants méridionaux, ceux du Valais, par exemple, au-dessus de Martigny; leurs troncs rosés, leur feuillage léger et d'un vert tendre, leurs branches gracieusement inclinées annoncent en quelque sorte l'accès d'un climat plus doux» *(op. cit.,* p. 13). Seul, au milieu de la pelouse faisant face aux escaliers de la Fondation, le *Grand Coq IV* de Constantin Brâncuşi évoque la silhouette d'un pin sylvestre sculptée dans l'acier.

A proximité du *Grand Double*, l'œil retient la haute stature sombre des conifères – pins noirs d'Autriche *(Pinus nigra* ssp. *nigra)* et épicéas

de Serbie *(Picea omorika)* – ainsi que les cépées lumineuses des bouleaux blancs qui la cernent. Etrangement, la sculpture paraît abriter une âme végétale, exaltée par ses ramures de bronze sur fond végétal, à moins que ce ne soient les arbres eux-mêmes qui ne deviennent sculpture dans la sculpture, l'élan vers les cieux étant amplifié par les flèches blanches et argentées des bouleaux.

Beaucoup d'essences participent de la mise en lumière des œuvres. L'érable plane, parfois surnommé «érable blanc», planté en retrait de l'*Elément d'architecture contorsionniste V*, en est un éclatant exemple. Pourvu d'une frondaison dense vert brillant devenant feu à l'automne, il dispense un éclairage modulé par la brise ou les heures du jour sur les tourments blancs circonscrits dans le trait noir de l'œuvre de Jean Dubuffet.

(Comment ne pas songer au jardin clos imaginé par l'artiste pour la *Villa Falbala* à Périgny-sur-Yerres?) Dans une intimité préservée par un groupement de bouleaux blancs, *La Vierge folle* de Germaine Richier fixe, de l'autre côté du chemin, le *Danseur* de Marino Marini, dont le regard implorant lancé en direction du ciel se dévoile à travers deux 'Luizet'. Sa fragilité s'abrite à l'ombre des gracieuses ramures des saules blancs et d'un élégant copalme d'Amérique, dont un exemplaire est également planté à côté du *Stabile-Mobile* d'Alexander Calder comme un heureux hasard de retrouvailles outre-Atlantique.

Embrasse-t-il de ses bras étendus l'ensemble du Parc pour le protéger? *Le Grand Assistant* de Max Ernst, tel un totem Haïda chargé de mémoires, de légendes aussi, toisant l'avenir, provoque un rassemblement d'essences familières des paysages pérennes du Valais, tels les noisetiers de Lombardie (*Corylus maxima* 'Purpurea'), le fameux 'Luizet' (!) ou encore les bouleaux blancs. Enfin, comme de beaux intrus venus des tropiques, les *Philodendrons* de Sam Szafran, aux larges feuilles peintes sur la céramique, semblent recouvrer leur nature épiphyte, prêts à sortir de leur mur végétal pour se lancer à la conquête des arbres voisins…

Le Parc évoluera, d'autres sculptures y seront accueillies, certains arbres vieilliront, d'autres disparaîtront, de nouvelles essences seront plantées.

Parmi les nombreuses essences offertes à la Fondation Pierre Gianadda figure le magnolia à fleurs de lis, un don des amis de Mme Mireille Bonnet.

Depuis 2005, cet engouement pour le Parc et ses arbres a provoqué une nouvelle forme de mécénat, plusieurs personnalités ayant souhaité parrainer un arbre moyennant une contribution financière.

Nul doute que le Parc ne soit l'œuvre d'un observateur sensible, respectueux tout à la fois de la nature des végétaux qu'il y a installés ou conservés, de l'âme des artistes qu'il a choisi d'y exposer, de l'histoire intimement liée à la sienne propre et des visiteurs qu'il y accueille.

«Créer un jardin, c'est organiser tous ses éléments existants et lui en apporter de nouveaux, mais, avant tout, c'est prendre en compte, le plus précisément possible, tout ce qu'on a sous les yeux – le ciel et la ligne d'horizon, le sol, la couleur de l'herbe, l'essence et la forme des arbres. Chaque arpent de campagne a sa personnalité propre, chaque poignée de mètres carrés est une réinterprétation. Chaque pierre qui s'y trouve révèle quelque chose de la nature du sol et de sa structure sous-jacente; et les plantes qui poussent là, indigènes ou importées, dénotent la chimie végétale du lieu.»

Russell Page, *op. cit.*, pp. 46-47.

173

Portraits choisis

par Dany Sautot

ABRICOTIER 'LUIZET'

Prunus armeniaca 'Luizet'

Origine horticole, obtention du pépiniériste Gabriel Luizet à Ecully, près de Lyon, en 1838, 5 m. Particulièrement recherché et apprécié dans les régions montagneuses, car il supporte mieux le froid que les autres variétés. Il possède un port étalé et est, en général, taillé en gobelet. Son feuillage est vert brillant; au printemps, il est doté d'une floraison blanc rosé très parfumée; ses fruits à chair tendre et fondante sont récoltés en juillet.

AMANDIER **Prunus amygdalus**

Originaire d'Asie centrale (ancienne Perse: contreforts de l'Afghanistan et Iran), 6-10×6 m. Caduc au tronc tourmenté, au port élancé et étalé, à la cime clairsemée. De croissance rapide, son feuillage lancéolé est vert sombre, brillant sur le dessus, mat au revers. Ses fleurs blanches ou roses apparaissent dès la fin de l'hiver, puis il donne des fruits non comestibles contenant une ou deux graines comestibles.

L'exemplaire du Parc a été offert par Mme Mireille Morand.

BAMBOU

Phyllostachys viridiglaucescens

Originaire de Chine orientale, 5 à 12 m. Bel effet planté en masse grâce à ses chaumes vert foncé brillant aux feuilles étroites de 12 à 15 cm de long vert lustré dessus, vert glauque dessous (d'où son nom). Rhizomes assez traçants. Les premières pousses sortent dès le mois d'avril. Particulièrement rustique, il pousse en toutes conditions. Résiste bien au froid.

BOULEAU BLANC D'EUROPE

Betula pendula (syn. **B. verrucosa**)

Originaire d'Europe, de Russie (ouest de la Sibérie), 25×10 m. Caduc conique étroit pourvu de rameaux fins, souples, retombants et au feuillage léger. L'écorce blanche s'exfolie.

CÈDRE BLEU DE L'ATLAS

Cedrus atlantica f. glauca (syn. **Cedrus libani** ssp. **atlantica f. glauca**)

Originaire des montagnes de l'Atlas, 40×10 m. Conifère prenant avec l'âge un port épanoui. Son écorce est fissurée, gris argenté; il possède un intéressant feuillage blanc argenté virant au bleu pâle.

CÈDRE DE L'HIMALAYA
Cedrus deodara
Originaire de l'ouest du Népal à l'Afghanistan, 40×10 m. Conifère conique aux branches étalées, pendantes à l'extrémité. Ecorce brun foncé ou noire, feuilles verticillées vert vif à glauque. Il donne des cônes femelles en forme de tonneau. Très attrayant par ses longues aiguilles, sa flèche inclinée et l'aspect de ses branches très souples, légèrement retombantes.

CERISIER À FLEURS
Prunus 'Amanogawa'
Origine horticole, 8×4 m. Caduc au port érigé, au feuillage bronze or au printemps, lorsqu'il est encore replié, devenant souvent rouge, jaune et vert sur le même arbre en automne. En mai, bouquets de fleurs en coupe étalée, parfois semi-doubles, parfumées, rose pâle, maintenues à la verticale par des pédoncules robustes.

CERISIER À FLEURS *Prunus* 'Kanzan'
Origine horticole, 10×10 m. Caduc au port érigé, d'abord évasé, puis s'étalant avec l'âge. Les feuilles sont bronze au printemps, puis vert foncé. En avril-mai, avant et avec l'apparition des feuilles, il se couvre d'une profusion de fleurs, de 3 à 5 cm de diamètre, groupées par deux à cinq, doubles, rose foncé.

CHARME COMMUN
Carpinus betulus
Originaire d'Europe, de Turquie, d'Ukraine, 25×20 m. Caduc au port d'abord pyramidal, puis à cime ronde irrégulière. Belle écorce lisse, grise, striée. Les feuilles dentées vert moyen prennent de belles couleurs automnales. Au printemps, il produit des chatons, puis des fruits verts aux bractées proéminentes tri-lobées, formant des grappes.

COPALME D'AMÉRIQUE
Liquidambar styraciflua

Originaire d'Amérique du Nord, 20×12 m. Caduc au port élégant, souvent ramifié à sa base. A l'automne, son feuillage prend des teintes flamboyantes; en hiver, son écorce liégeuse est particulièrement décorative.

L'exemplaire du Parc a été offert par Mme Pilar de la Béraudière en mémoire de Marie-Elisabeth Irisarri-Weiller.

ÉPICÉA DU COLORADO
ou SAPIN BLEU
Picea pungens

Originaire d'Amérique du Nord, 15×5 m. Arbre conique ou en colonne, il possède une belle écorce écailleuse gris pourpré. Ses feuilles pointues gris-vert bleuté sont courbées vers le haut et recouvertes d'une cire glauque.

ÉPICÉA DE SERBIE *Picea omorika*

Originaire de Bosnie et de Serbie (vallée de la rivière Drina), 20×2-3 m. Conifère étroit partant en flèche, qui occupe peu de place. Ses branches sont pendantes, ascendantes à leur extrémité. Belle écorce brune se craquelant en plaques carrées; feuillage compact vert dessus, bleuté au revers, qui lui donne un aspect argenté.

ÉRABLE ARGENTÉ *Acer saccharinum*
(syn. *Acer dasycarpum*)

Originaire de l'est de l'Amérique du Nord, 18×15 m. Grand arbre de croissance rapide, à la silhouette régulière et à la ramure importante dont le feuillage vert clair, argenté dessous, vire joliment au jaune rosé à l'automne.

ÉRABLE ARGENTÉ LACINIÉ
Acer saccharinum 'Laciniatum Wien'

Origine horticole, 9 m. Caduc au port pleureur et à la cime arrondie. Son écorce grise s'exfolie en lanières. Ses ramilles, au feuillage vert clair sur le dessus, blanchâtre et duveteux au revers, retombent gracieusement. Il produit des fleurs vert pâle regroupées en petits bouquets en février-mars. Les fruits appelés samares mûrissent en mai-juin. De croissance rapide, il faut le placer à l'abri des bourrasques en raison de la fragilité de ses branches.

ÉRABLE DU JAPON
Acer palmatum 'Beni shichihenge'

Origine horticole, issu d'hybridations japonaises, 4 à 6 m. Arbuste rare, caduc au port arrondi. Son feuillage est un festival de couleurs: vert tendre marginé de rose vif ou de blanc lumineux au printemps, rouge flamboyant à l'automne. Délicat, il a besoin d'être arrosé régu-

lièrement… mais sans excès et sera exposé à la mi-ombre.

L'exemplaire du Parc a été offert par M. Daniel Marchesseau.

ÉRABLE PLANE *Acer platanoides*

Originaire d'Europe, 25×15 m. «Plane» renvoie à une contraction de «platane». Caduc, vigoureux, étalé, il porte de grandes feuilles ovales, larges, vert foncé virant au jaune vif, parfois au rouge en automne. Les corymbes érigés de fleurs jaunes en ombelles sont petits, mais d'un bel effet avant l'apparition des feuilles. Un arbre de culture très facile et de croissance rapide.

FAUX VERNIS DU JAPON
Ailanthus altissima

Originaire de Chine, 25×15 m. Caduc étalé aux grandes feuilles pennées, oblongues, elliptiques, atteignant 60 cm de long, vert rougeâtre puis vert moyen. En été, il fleurit en panicules terminales aux petites fleurs vertes suivies par des fruits brun-rouge semblables à ceux du frêne.

FIGUIER COMESTIBLE
Ficus carica 'Contessina'
(*Ficus* 'Contessina')

L'espèce type est originaire du bassin méditerranéen, 6 à 8 m. Il a besoin de soleil, d'un mur chaud qui lui renvoie la chaleur et le préserve du froid; en hiver, il vaut mieux le protéger.

MAGNOLIA DE SOULANGE
Magnolia x *soulangeana*

Originaire d'Asie, 8 à 10 m. Grand arbuste dont les fleurs en forme de grosses tulipes blanches teintées de rose pourpre à la base apparaissent en avril-mai, avant les feuilles.

MAGNOLIA À FLEURS DE LIS
Magnolia liliiflora 'Nigra' (appelé à tort *M.* x *soulangeana* 'Nigra')

Origine horticole (une obtention de 1861), 2,50×2,50 m. Caduc, il s'agit d'un arbuste compact, fleurissant très jeune. D'avril à juin, il se pare de fleurs rouge pourpre très foncé (tirant sur le noir) à l'extérieur, l'intérieur étant plus clair, délicieusement parfumées, en forme de gobelets étroits.

L'exemplaire du Parc a été offert par les amis de Mme Mireille Bonnet, professeur d'ophtalmologie, Lyon.

NOISETIER DE LOMBARDIE
Corylus maxima 'Purpurea'

Originaire du sud-est de l'Europe jusqu'au Caucase, 6×5 m. Arbuste ou arbre dressé, caduc, au feuillage vert moyen. En février, apparition de chatons jaunes pendants. En automne, fruits comestibles.

PAULOWNIA
Paulownia tomentosa,
dit Arbre impérial

Originaire de Chine, 12×10 m. Caduc, il croît très rapidement. Il porte de grandes feuilles duveteuses, opposées, ovales ou divisées en trois à cinq lobes, vert moyen ou vert jaunâtre. Les boutons floraux se forment en automne et s'ouvrent avant que les feuilles apparaissent. En mai, il se couvre de panicules, terminales, composées de fleurs parfumées, lilas rosé taché de pourpre et de jaune à l'intérieur, en forme de cloche ou de trompette, qui rappellent les digitales. Les paulownias se développent et fleurissent mieux dans les régions aux étés longs et chauds. Sous un climat rigoureux, mieux vaut les recéper chaque année; ils produisent alors de très grandes feuilles décoratives.

PIN DE MONTAGNE
Pinus mugo var. *mughus*

Originaire des Alpes orientales et des Balkans, 3×4 m. Conifère formant un gros buisson aux branches ascendantes au centre, remontantes aux extrémités. Ses grosses aiguilles sont d'un beau vert foncé.

PIN NOIR D'AUTRICHE
Pinus nigra ssp. *nigra*
(syn. *Pinus nigra* var. *austriaca*)

Originaire d'Autriche, d'Italie, des Balkans, 40×10 m. Conique, large aux branches étalées, il est doté d'un feuillage très dense, vert sombre. Souvent planté comme arbre d'abri et d'ornement.

PIN WEYMOUTH
Pinus strobus

Originaire d'Amérique du Nord (de Terre-Neuve à la Géorgie), 35×6 à 8 m. Arbre conique, grêle, aux branches tournées vers le haut à l'état jeune, devenant plus colonnaire avec l'âge. L'écorce, lisse, grise, noircit et se fissure.

PLATANE À FEUILLES D'ÉRABLE
Platanus x *hispanica*
(syn. *Platanus* x *acerifolia*)

Origine horticole, 30 m. Caduc vigoureux, formant une colonne large à l'écorce décorative teintée de brun, de gris et de crème s'exfoliant. Ses feuilles sont grandes – de 25 à 35 cm de long –, vert vif, divisées en trois à cinq lobes très marqués. (Par une taille appropriée, il peut former une véritable et spacieuse tonnelle!)

Il s'agit de l'essence préférée de Léonard Gianadda, qui en a sauvé plusieurs promis à l'arrachage en les replantant sur le parking attenant à la Fondation.

POIRIER COMMUN
Pyrus communis 'Louise Bonne'
(ou *P. c.* 'Louise Bonne d'Avranches')
Origine horticole, 6 m. Bonne variété de poirier à cultiver en altitude pour la chair sucrée et juteuse de ses fruits. Il donne une floraison blanc rosé en mars.

SAULE BLANC *Salix alba* 'Tristis'
(syn. *Salix* x *sepulcralis* 'Chrysocoma')
Origine horticole, 15×15 m. Caduc, à croissance rapide et au port étalé et pleureur. Ses rameaux souples, dorés, retombent jusqu'à terre et sont pourvus de longues feuilles vert vif, étroites, lancéolées, flottant au vent. Au printemps, en même temps que les feuilles, apparaissent des chatons retombants. Il se plaît en sol profond, frais mais drainé.

TILLEUL DES BOIS *Tilia cordata*
Originaire de l'Europe et du Cau-

case, 25×15 m. Caduc, arbre somptueux, formant une colonne large aux petites feuilles en forme de cœur vert foncé à revers bleuté virant au jaune à l'automne; en juin, il fleurit en cymes parfumées et jaune pâle.

TILLEUL DE CRIMÉE
Tilia x *euchlora*
15×12 m. Caduc, arbre au port arrondi d'une très grande rusticité et de taille moyenne, qui forme une couronne étalée aux branches légèrement retombantes. Sa floraison apparaît fin juin - début juillet en grandes grappes très mellifères blanc crème. Il convient à tous les sols et accepte le calcaire; le planter en sol frais et humifère (−34° C).

TULIPIER DE VIRGINIE
Liriodendron tulipifera
Originaire d'Amérique du Nord,

25×15 m. Caduc, grand arbre au port majestueux. Ses immenses feuilles en forme de lyre tronquées à la base sont superbes, surtout quand elles virent au jaune d'or à l'automne. En été, sur les sujets adultes, apparaissent des fleurs dressées en forme de tulipe vert-jaune teintées orange (−34° C).

VIORNE À FEUILLES RIDÉES
Viburnum rhytidophyllum
Originaire du centre et de l'ouest de la Chine, 5×4 m. Arbuste dressé, vigoureux, aux feuilles persistantes de 10 à 25 cm de long, oblongues et bords ondulés, gaufrées, nervurées, luisantes, vert foncé. Au printemps, petites fleurs tubulaires blanc crème, réunies en cymes ombelliformes de 10 à 20 cm de diamètre, très belles grappes de fruits ovoïdes rouges, noir luisant à maturité.

Les visiteurs de la Fondation peuvent s'offrir et offrir un arbre du Parc de Sculptures…

ERABLE DU JAPON

(Don de Daniel MARCHESSEAU)

Acer palmatum
´Beni Schichihenge´

Acéracées   Japon

CEDRE DE L'ATLAS

(Don de Jean GUEX-CROSIER)

Cedrus atlantica

Pinacées   Monts Atlas

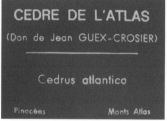

AMANDIER

(Offert par Mireille MORAND)

Prunus Amygdalus

Rosacées   Asie Mineure
Europe sud orientale

ARBRE AUX QUARANTE ECUS

(Offert par Claudie JUDRIN)

Ginkgo biloba

TILLEUL DE CRIMEE

Offert en mémoire de
Henri-Georges Clouzot 1907-1977
Cinéaste

Tilia x euchlora

Tiliacée   Sud-ouest Asie
                            Balkans

MAGNOLIER

Offert par les amis de Mireille Bonnet
Professeur d'ophtalmologie, Lyon

Magnolia soulangiana
Nigra

Magnoliacées   Hybride horticole
                      Chine

HETRE POURPRE

Offert par Inès Clouzot

Fagus Sylvatica
Purpurea

Fagacées   Europe-Asie

COPALME D'AMERIQUE

Offert en mémoire de
Marie-Elisabeth Irisarri-Weiller
par sa fille Pilar de la Béraudière et
ses petits-fils Jacques-Louis et Marc

Liquidambar   Styraciflua
Altingiacées   Amérique du Nord

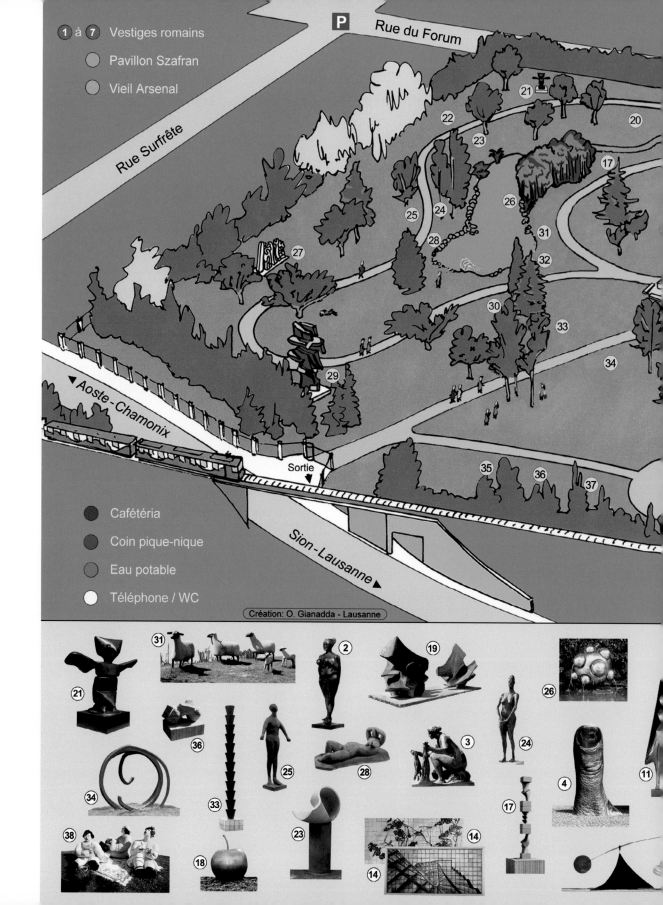

1 à **7** Vestiges romains

Pavillon Szafran

Vieil Arsenal

Cafétéria

Coin pique-nique

Eau potable

Téléphone / WC

Rue du Forum

Rue Surfrête

Aoste - Chamonix

Sortie

Sion - Lausanne

Création: O. Gianadda - Lausanne

Rue Pré - Borvey

Mithraeum 6

39 40

Centre - ville ►

P

Sortie
7

1	Bourdelle	11	Brancusi	21	Ernst	31	F.-X. Lalanne
2	Ipoustéguy	12	Calder	22	Poncet	32	Segal
3	Renoir-Guino	13	César	23	Max Bill	33	Raynaud
4	César	14	Szafran	24	Richier	34	Venet
5	Cour Chagall	15	Moore	25	Marini	35	Dubach
6	Rodin	16	de Saint Phalle	26	Pol Bury	36	Tommasini
7	Rodin	17	Arp	27	Dubuffet	37	Rouiller
8	Miró	18	C. Lalanne	28	Laurens	38	Engel
9	Chillida	19	Penalba	29	Penalba	39	Fontaine Erni
10	Maillol	20	Arman	30	Arp	40	Rodin

Amphithéâtre 7 + Musée et chiens du St-Bernard, Fondation B. et C. de Watteville 150 m ◄

Les choix d'un collectionneur

Arman

(Armand Pierre Fernandez, dit)
Nice, 1928 – New York, 2005
Peintre, sculpteur et plasticien franco-américain

(Biographie en page 26.)

La Ronde des violons*

Table basse, sculpture en bronze soudé
patiné brun avec un plateau rond en
verre, fondu par la Fonderie d'Art
R. Bocquel, à Bréauté, Seine-Maritime,
en 1985, d'après un plâtre de 1985
H. 41 cm; diamètre du verre 120 cm
Exemplaire 1/8
Signé sur l'un des violons *Arman*

Achat, Galerie Beaubourg, Paris, 1985

Archives Arman Studio APA#7030.85.265
Archives Denyse Durand-Ruel n° 1986

Inv. n° 123

Joan Gardy Artigas

Né à Paris, en 1938
Céramiste espagnol, travaillant à Gallifa (Barcelone)

Martigny, 7 mars 2005.
PHOTO: GEORGES-ANDRÉ CRETTON

Biographie

Joan Gardy Artigas est né en 1938 à Paris. Son père, Josep Llorens Artigas, ami de Pablo Picasso et de Joan Miró, s'impose, en renouvelant la technique des arts du feu, comme l'un des grands maîtres européens de la céramique. Elevé en Espagne de 1942 à 1958, il retourne à Paris à l'âge de 20 ans.

Après de brèves études à l'Ecole du Louvre, il installe son propre atelier de céramique, où il collabore d'emblée avec Marc Chagall et Georges Braque. Sa rencontre avec Alberto Giacometti en 1960, qui l'encourage à se consacrer à la sculpture, sera déterminante. Artigas aborde également la gravure et la lithographie, où il excelle.

En 1961, la Fondation March lui offre une bourse pour étudier la céramique au Japon, où il réalisera son premier grand mur pour l'Exposition universelle d'Osaka (1970).

Sa collaboration avec Joan Miró s'intensifie à partir de 1967. Toutes les céramiques de la maturité, parmi lesquelles plusieurs projets monumentaux, furent réalisées en commun. Citons en particulier les murs de la Fondation Maeght à Saint-Paul-de-Vence (1968), du Kunsthaus de Zurich (1971), de l'aéroport de Barcelone (1970), du siège d'IBM à Barcelone et du Wilhelm-Hack-Museum de Ludwigshafen (tous deux de 1979), du Palais des Congrès de Madrid (1980), de la Fundació Pilar i Joan Miró à Palma de Majorque (1991). Partageant son temps entre Barcelone et Paris depuis 1970, il a développé sa carrière propre de sculpteur. Il a ainsi réalisé de nombreuses œuvres monumentales, en particulier en France, pour le tunnel du Mont-Blanc (1976) et le Plateau d'Assy; en Espagne, pour l'autoroute de Gérone et la Caixa de Pensiones à Barcelone; aux Etats-Unis, pour les Olympiades à Atlanta.

Il travaille à de nombreux projets de céramiques, comme une spectaculaire cheminée pour le Palau Güell de Gaudí à Barcelone. Il a également collaboré avec Bruce Graham et le cabinet américain d'architecture S.O.M. au Caire, à Chicago, à Atlanta…

Ses œuvres sont régulièrement exposées: Galerie Maeght, Paris, Zurich et Barcelone; Galerie Lelong, Paris; Galería Celini, Madrid; et différentes institutions lui ont ouvert leurs salles: Wilhelm-Hack-Museum, Ludwigshafen; Meadows Museum Gallery, Dallas; Spanish Institute, New York; Spaightwood Gallery, Madison, Wisconsin; Palace Gallery, Tokyo.

En 1989, Joan Gardy Artigas crée en mémoire de son père la Fundació Tallers Josep Llorens Artigas, à Gallifa (Barcelone). Plusieurs ateliers, dans un site d'exception, y accueillent des artistes du monde entier qui viennent parfaire leur technique de la céramique. Ses dernières importantes réalisations sont les deux murs monumentaux réalisés avec Sam Szafran et destinés au Pavillon Szafran à la Fondation Pierre Gianadda: *L'Escalier* et *Philodendrons* (2005-2006).

Femme

Céramique, réalisée à la Fundació
Tallers Josep Llorens Artigas, à Gallifa
(Barcelone), en 2005
73×46×33 cm
Pièce unique
Signée

Achat auprès de l'artiste, 2006

Exposée à la Fondation Pierre Gianadda
pour l'inauguration du premier mur
L'Escalier du Pavillon Szafran, 23 juin -
12 novembre 2006.

Inv. n° 331

*Joan Gardy Artigas, entouré de
Léonard Gianadda et de Sam Szafran,
réalise l'empreinte de ses mains dans
le plâtre pour la réalisation de
sa plaque de bronze, 14 octobre 2004.*

Ventre

Céramique, réalisée à la Fundació
Tallers Josep Llorens Artigas, à Gallifa
(Barcelone), en 2005
63 × 50 × 20 cm
Pièce unique
Signée

Achat auprès de l'artiste, 2006

Exposée à la Fondation Pierre Gianadda
pour l'inauguration du premier mur
L'Escalier du Pavillon Szafran, 23 juin -
12 novembre 2006.

Inv. n° 331

Toro

Céramique, réalisée à la Fundació
Tallers Josep Llorens Artigas, à Gallifa
(Barcelone), en 2005
62×57×57 cm
Pièce unique
Signée

Achat auprès de l'artiste, 2006

Exposée à la Fondation Pierre Gianadda
pour l'inauguration du premier mur
L'Escalier du Pavillon Szafran, 23 juin -
12 novembre 2006.

Inv. n° 331

Eduardo Chillida

Saint-Sébastien (Pays basque), 1924 – Saint-Sébastien, 2002
Sculpteur espagnol

(Biographie en page 74.)

Lurra 34*

Terre chamottée, 1979
21×19×19 cm
Pièce unique

Achat, Galerie Beyeler, Bâle, 1982

Expositions
Chillida, Museum of Art, Carnegie
Institute, Pittsburgh, 1979-1980,
cat. n° 297.
Eduardo Chillida, Solomon R. Guggen-
heim Museum, New York, 1980.
Lurra. Terres de grand feu, Galerie
Maeght, Paris, 1980.
Eduardo Chillida, Galerie Beyeler, Bâle,
1982, cat. n° 28.
De Picasso à Barceló, Fondation Pierre
Gianadda, Martigny, 2003, cat. n° 43,
repr. p. 153.
Archives Musée Chillida-Leku 1979.013

Inv. n° 77

Christo

(Christo Javacheff, dit)
Né à Gabrovo (Bulgarie), en 1935
Plasticien américain d'origine bulgare, vivant à New York

Octobre 1988, Ibaraki, Japon: Christo et Jeanne-Claude marquent l'emplacement de chaque parapluie lors de la préparation de l'œuvre The Umbrellas: Japan-USA, *1984-1991.*

PHOTO: WOLFGANG VOLZ

Biographie

Christo Javacheff est né le 13 juin 1935 à Gabrovo, dans une famille d'industriels bulgares. Cette même année, Jeanne-Claude Denat de Guillebon naît le même jour à la même heure à Casablanca, dans une famille militaire française.

En 1953, Christo entre à l'Ecole des Beaux-Arts de Sofia. Il arrive à Prague en 1956 et étudie l'année suivante un semestre à l'Académie des Beaux-Arts de Vienne.

Apatride à Paris, il rencontre Jeanne-Claude en 1958. Ils côtoient le groupe des Nouveaux Réalistes.

Ses premières œuvres sont des peintures abstraites et des empaquetages d'objets (bouteilles, bidons, cartons, tables, etc.) dans de la toile ou du plastique. En 1964, les Christo s'installent à New York, ville qui sera désormais leur résidence permanente. Ils commencent à réaliser des projets d'envergure monumentale, intervenant de façon directe et éphémère sur des édifices, des monuments ou des paysages entiers.

Les réalisations destinées à l'extérieur sont signées par Christo et Jeanne-Claude, les dessins par Christo.

Leurs principales réalisations en collaboration sont les suivantes:

Valley Curtain (1970-1972): un rideau safran barre une vallée californienne.

Surrounded Islands (1980-1983): les îles de la baie de Biscayne, à Miami, sont encerclées d'une ceinture en polypropylène rose fuchsia.

Emballage du Pont-Neuf, Paris (1985): le plus vieux des ponts de la capitale française est emballé dans un polyester ocre-jaune.

Emballage du Reichstag, Berlin (1995): le monument est emballé dans un tissu argenté. Cinq millions de personnes se sont déplacées pour admirer l'œuvre.

The Gates, New York (2004-2005): un parcours de 37 km à travers Central Park, ponctué de 7500 portiques, hauts d'environ 5 m, placés à 4 m d'intervalle et tendus d'un rideau de tissu vinyle de couleur orange-safran.

Les projets artistiques de Christo et Jeanne-Claude, gigantesques et coûteux, sont en général entièrement financés par les artistes et la vente des études préparatoires. Leur prochaine réalisation, *Over the River*, prévoit de suspendre une toile de 10 km sur la rivière Arkansas, dans le Colorado, en suivant la ligne du cours d'eau. Elle devrait être exécutée durant l'été 2009. Naturalisés américains, Christo et Jeanne-Claude vivent et travaillent à New York.

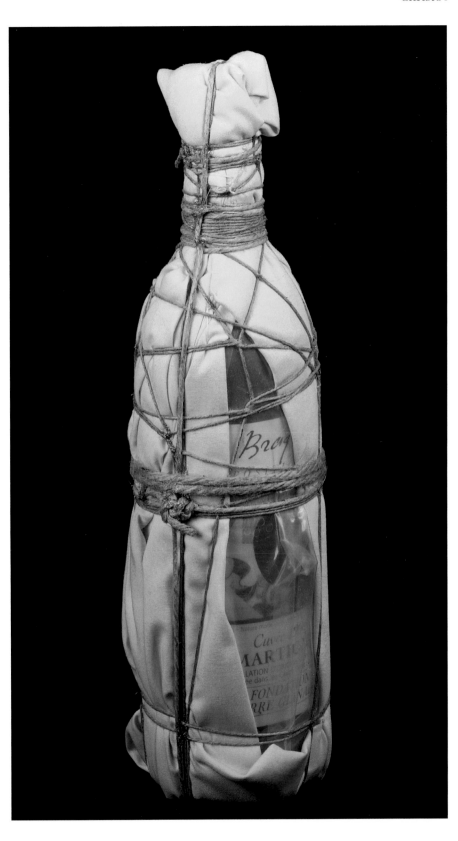

Wrapped Bottle 1992*

Polyéthylène, corde tressée, bouteille
de verre, 1992
H. 30,5 cm; diamètre 9 cm

Achat, Simon Chaput, marchand,
New York

Note
Le 22 juillet 1992, durant l'exposition
Braque, Christo et Jeanne-Claude ont
visité la Fondation. Je leur ai offert une
bouteille de vin de la *cuvée Braque* et,
quelque temps plus tard, le marchand
Simon Chaput me proposait l'œuvre
réalisée par Christo.

Inv. n° 216

Camille Claudel

Fère-en-Tardenois (Aisne), 1864 – Montdevergues (Vaucluse), 1943
Sculpteur français

1881.

Biographie

Camille Claudel est née le 8 décembre 1864 à Fère-en-Tardenois. Son frère Paul verra le jour en 1868.

En 1877, le sculpteur Alfred Boucher présente Camille Claudel à Paul Dubois, directeur de l'Ecole nationale des Beaux-Arts. Pressée par Camille, la famille Claudel s'installe à Paris en 1882. Elle s'inscrit alors à l'Académie Colarossi. Entrée comme praticienne dans l'atelier de Rodin en 1885, elle devient l'inspiratrice, le modèle et la compagne du sculpteur. Dès 1888, Camille Claudel prend ses distances avec sa famille. En plus de ses deux ateliers, Rodin loue pour elle et pour lui la «folie Payen» 68, boulevard d'Italie, à Paris. Camille Claudel obtient une mention honorable au Salon des Artistes Français avec le plâtre de *Sakountala*.

En 1892, elle se sépare de Rodin, qui continue de l'aider financièrement. L'Etat lui passe sa première commande en 1895: *L'Age mûr*. En 1897 commencent ses premiers dérèglements de santé qui la conduisent à sa rupture définitive avec Rodin. Elle achève le second projet de *L'Age mûr*, mais l'Etat annule sa commande. Elle connaît de graves difficultés financières au début des années 1900. Elle participe en 1902, pour la dernière fois, au Salon de la Société Nationale des Beaux-Arts. Entrée en 1903 à la Galerie Eugène Blot, elle présente en 1904 *La Fortune* au deuxième Salon d'Automne. Le marbre de *Vertumne et Pomone* est présenté au Salon des Artistes Français, comme le bronze de *L'Abandon* au Salon d'Automne. Paul Claudel publie *Camille Claudel statuaire*. Mais sa santé s'altère gravement. L'Etat lui achète le bronze de *L'Abandon* en 1907. En 1910, à l'Exposition des Femmes peintres et sculpteurs, elle présente notamment *L'Imploration*.

Dès 1912, Camille Claudel vit totalement recluse.

Elle est internée en 1913, quelques jours après le décès de son père, à l'Asile de Ville-Evrard et transférée en 1914 à l'Asile public d'aliénés de Montdevergues, dans le Vaucluse.

Camille Claudel s'y est éteinte trente ans plus tard, le 19 octobre 1943.

La Fortune

Bronze, patine brune nuancée, fondu par la Fonderie Eugène Blot, à Paris, vers 1904, d'après un plâtre antérieur à 1904
47,5 × 35 × 20,5 cm
Exemplaire 8/16
Signé sur la base, sur une vague de la terrasse *C. Claudel*
Cachet du fondeur sur la roue
Eug. Blot n° 8/Paris

Achat, vente publique, Paris, Etude Tajan, 15 octobre 1999, lot n° 27, repr. p. 7

Expositions
Foire de Liège, 2000.
Hommage à Camille Claudel, Musée Yves Brayer, Les Baux-de-Provence, 2002, repr. p. 26.
Rodin, Golubkina, Claudel. La rencontre cent ans après, Galerie nationale Tretiakov, Moscou, 2004, cat. n° 63, repr. p. 69.
Claudel et Rodin. La rencontre de deux destins, Fondation Pierre Gianadda, Martigny, 2006, cat. n° 92 B, repr. p. 359.

Note
Fonte d'édition d'époque au sable.
Le nombre de fontes se serait arrêté à seize.
Un exemplaire au Musée de Poitiers.

Inv. n° 253

L'Implorante*
ou Le Dieu envolé ou L'Imploration
ou La Suppliante

Petit modèle

Bronze, patine médaille, fondu par la Fonderie
Eugène Blot, à Paris, en 1905, d'après un plâtre
de 1898 environ
28,4×30,3×16,5 cm
Exemplaire numéroté *19*, signé sur la terrasse, près
du genou gauche *C. Claudel*
Cachet du fondeur *Eug. Blot/Paris*

Achat, vente publique, Millon-Jutheau, Hôtel
Drouot, Paris, 14 juin 1984, lot n° 12, repr. p. 11

Expositions
Camille Claudel – Auguste Rodin.
Dialogues d'artistes – Résonances, Kunstmuseum,
Berne, 1985, cat. n° 51.
Camille Claudel, Fondation Pierre Gianadda,
Martigny, 1990-1991, cat. n° 69, repr. couverture
du catalogue et p. 107.
Claudel, Kunsthalle, Brême, 1992.
Claudel, Städtische Kunsthalle, Düsseldorf, 1992.
Palexpo, Genève, 1993.
Foire de Liège, 2000.
Hommage à Camille Claudel, Musée Yves Brayer,
Les Baux-de-Provence, 2002, repr. p. 16.
*Rodin, Golubkina, Claudel. La rencontre cent ans
après*, Galerie nationale Tretiakov, Moscou, 2004,
cat. n° 59, repr. p. 65.
Claudel et Rodin. La rencontre de deux destins,
Fondation Pierre Gianadda, Martigny, 2006,
cat. n° 84 B.

Note
En 1900, Eugène Blot achète les droits de reproduction de *L'Implorante*, qui faisait encore partie
intégrante de *L'Age mûr*. Il expose cette œuvre
pour la première fois à Paris, en décembre 1905,
dans sa galerie du boulevard de la Madeleine.
Le catalogue distingue alors deux tirages de dimensions différentes: l'un à vingt exemplaires et l'autre
à cent exemplaires. Cependant, les documents de
cession de la Fonderie Eugène Blot à Leblanc-
Barbedienne de 1937 précisent que *L'Implorante* de
grande dimension a été vendue à cinq exemplaires
et celle de petite dimension à cinquante-neuf
exemplaires, marquant ainsi la limite des tirages
d'Eugène Blot.
Un exemplaire au Musée Rodin, à Paris,
un au Musée Albert-André de Bagnols-sur-Cèze,
un au Metropolitan Museum of Art de New York.

Inv. n° 96

Exposition Claudel et Rodin. La rencontre de deux destins,
Fondation Pierre Gianadda, 2006.

PHOTO: MICHEL DARBELLAY

L'Abandon*
ou Sakountala ou Çakountala
ou Çacountala
ou Vertumne et Pomone
Petit modèle

Bronze, patine noire, fondu par la
Fonderie Eugène Blot, à Paris, en 1905,
d'après un plâtre de 1886 environ
43×36×19 cm
Exemplaire 2/14
Signé sur la terrasse, à l'arrière *C. Claudel*
Cachet du fondeur et numéro de
l'épreuve suivant la signature
Eug. Blot nᵒ 2/Paris

Achat, vente publique, Paris, Ader Picard
Tajan, 20 juin 1984, lot nᵒ 28, repr.

Expositions
Camille Claudel – Auguste Rodin.
Dialogues d'artistes – Résonances,
Kunstmuseum, Berne, 1985, cat. nᵒ 30.
Camille Claudel, Fondation
Pierre Gianadda, Martigny, 1990-1991,
cat. nᵒ 87, repr. p. 129.

Camille Claudel, Musée Rodin, Paris,
1991.
Auguste Rodin – Camille Claudel, Basil
& Elise Goulandris Foundation, Andros,
Grèce, 1996.
Foire de Liège, 2000.
Hommage à Camille Claudel, Musée
Yves Brayer, Les Baux-de-Provence,
2002, repr. p. 16.
Rodin, Golubkina, Claudel. La rencontre
cent ans après, Galerie nationale Tretiakov,
Moscou, 2004, cat. nᵒ 61, repr. pp. 37, 68.
Claudel et Rodin. La rencontre de deux
destins, Fondation Pierre Gianadda,
Martigny, 2006, cat. nᵒ 94 B, repr.

Note
Modèle édité en deux dimensions:
grande, tirée à vingt-cinq épreuves –
réduction, à cinquante épreuves.
Les musées de Cambrai et de Poitiers
conservent des éditions du modèle de
62 cm. Un marbre en taille directe fut
également exécuté pour la comtesse
Arthur de Maigret et exposé en 1905
au Salon des Artistes Français. Il est
conservé au Musée Rodin depuis 1952.
Il existe également un plâtre teinté et
deux terres cuites originales.

Inv. nᵒ 95

Honoré Daumier

Marseille, 1808 – Valmondois (Val-d'Oise), 1879
Sculpteur, peintre, lithographe et caricaturiste français

Vers 1861-1865.

Biographie

Honoré Daumier est né le 26 février 1808 à Marseille. Sa famille s'installe à Paris en 1816.

Malgré les réticences de son père, il prend des cours de dessin à l'Académie Suisse et à l'Académie Boudin. Alexandre Lenoir, fondateur du Musée des Monuments français, l'encourage. Chez l'éditeur Belliard (1825), il est chargé de la préparation des pierres lithographiques et réalise des copies de dessins. Il livre à *La Caricature* ses premières pages politiques. Ses satires de Louis-Philippe le rendent rapidement célèbre, en particulier celle le représentant en Gargantua (1832), ce qui lui vaut une condamnation à six mois de prison.

A la fermeture de *La Caricature*, Daumier s'oriente vers le dessin de mœurs, dans lequel il s'épanouira jusqu'à la Révolution de 1848. En 1836, il crée le personnage de Robert Macaire, bourgeois parvenu de la monarchie de Juillet, qui lui inspirera cent lithographies publiées par *Le Charivari*. Installé en 1845 dans l'île Saint-Louis, il épouse Marie-Alexandrine Dassy. Outre Baudelaire, Steinlen et Daubigny, ses amis fidèles, il fréquente alors les peintres Corot et Dupré, ainsi que les sculpteurs Barye, Préault, Geoffroy-Dechaume. *Le Bourgeois en promenade* date de cette période.

La Révolution de 1848 permet à Daumier de retrouver sa verve politique et de réaliser une série sur les parlementaires. En 1850, il crée le personnage de Ratapoil, figure du propagandiste radical. En 1851, Daumier se penche sur la justice avec la série *Les Avocats et les Plaideurs*. Tandis qu'un décret rétablit la censure en 1852, Daumier reprend ses caricatures sociales. Dans les années 1860, remercié du *Charivari*, il ralentit sa production lithographique, mais continue le dessin et la sculpture.

En 1865, il doit, pour des raisons financières, quitter Paris et s'installer en forêt du Vexin à Valmondois, où il se consacrera à la peinture. Isolé, dans une situation matérielle douloureuse – Corot lui achète sa maison qu'il lui prêtera jusqu'à la fin de ses jours –, Daumier, nommé membre d'une commission pour la sauvegarde des musées, acceptera une pension du Gouvernement en 1877.

Honoré Daumier s'est éteint à Valmondois en 1879.

Le Bourgeois en promenade*

Bronze, fondu par la Fonderie Valsuani,
à Paris, d'après un plâtre de 1846
environ

17,2×6×8 cm

Exemplaire signé sur la base au côté
droit *h.D.*

Numéroté à l'arrière de la base *16/30*

Cachet à l'arrière *Cire perdue Valsuani*

Achat, vente publique, Genève, Galerie
Motte, mars 1973, lot n° 71, repr.

Inv. n° 23

Edgar Degas

(Hilaire Germain Edgar de Gas, dit)
Paris, 1834 – Paris, 1917
Peintre, sculpteur et photographe français

Dans le jardin du sculpteur Paul Albert Bartholomé, vers 1910.

Biographie

Edgar Degas est né en 1834 à Paris, dans une famille aisée. En 1853, il s'inscrit comme copiste au Musée du Louvre.

En 1855, admis à l'Ecole des Beaux-Arts, il rencontre brièvement Ingres qu'il admirera toute sa vie et dont il visitera les rétrospectives en 1867 et 1911.

En 1856, il part pour l'Italie, où il restera trois ans et où il nouera une grande amitié avec Gustave Moreau. En 1859, de retour à Paris, Degas rencontre Manet. C'est le début d'une relation amicale forte, quoique parfois conflictuelle. Premières études de chevaux et peintures d'histoire. Sa première exposition a lieu au Salon officiel en 1865. Degas participe aux réunions d'artistes du Café Guerbois. Ses premières représentations de musiciens, danseuses et repasseuses datent de 1869.

En 1870, il publie une lettre ouverte (critiques et propositions) à «Messieurs les Jurés du Salon» à l'occasion de sa dernière participation.

Pendant le conflit franco-prussien, Degas s'engage dans l'artillerie. Le marchand Durand-Ruel lui achète pour la première fois des œuvres en 1872. Automne-hiver 1872-1873: séjour à La Nouvelle-Orléans avec son frère René de Gas. Premiers troubles de la vision. La famille connaît de graves difficultés financières, suite au décès du père, et Degas s'engage alors à rembourser d'importantes dettes.

La Société anonyme coopérative d'artistes peintres, sculpteurs, graveurs, etc. (Degas, Renoir, Monet, Sisley, Cézanne, Berthe Morisot…), organise une exposition en 1874. La critique les nommera *Les Impressionnistes*. Outre la peinture à l'huile, Degas pratique le pastel et s'initie à la difficile technique du monotype.

Il participe en 1876 à la deuxième exposition du groupe à la Galerie Durand-Ruel. Le groupe indépendant présente sa troisième exposition en 1877. En 1878, une œuvre de Degas est exposée à New York grâce à Mary Cassatt. La quatrième exposition du groupe est organisée et présente vingt-cinq de ses œuvres.

Pendant les années 1880, il produit nombre de sculptures en cire et de gravures. Sont présentées alors les cinquième, sixième et septième expositions du groupe. Degas consacre de plus en plus de temps à sa collection d'œuvres d'art. C'est à la sixième exposition qu'il présente la sculpture *Petite Danseuse de quatorze ans*, en 1881.

Passionné par la découverte de la photographie, il réalise aussi de nombreuses prises de vues.

Pour des raisons de santé, Degas vit très retiré à partir de 1904. Presque aveugle, il se consacre à la sculpture et au pastel. (*Danseuse agrafant l'épaulette de son corsage, vers 1914.*)

En 1912, Degas doit déménager de la rue Victor-Massé. Soutenu par Suzanne Valadon, il s'installe boulevard de Clichy. Mais, très désemparé, il cesse de travailler.

Edgar Degas s'est éteint le 27 septembre 1917 des suites d'une congestion cérébrale. Il est inhumé au cimetière de Montmartre.

Danseuse agrafant l'épaulette de son corsage (Figure 64)

Bronze, patine brune, fondu par la Fonderie A. A. Hébrard, à Paris, entre 1921 et 1931, d'après une cire datée entre 1882 et 1895
35,2×15,9×11,8 cm
Exemplaire O
Signé sur l'angle intérieur gauche de la terrasse *Degas*
Cachet sur l'angle postérieur droit
Cire perdue A. A. Hébrard 64/O

Achat, collection particulière, Paris, le mercredi 4 juin 2003, jour de l'installation de Léonard Gianadda sous la Coupole

Expositions

Au cœur de l'impressionnisme. La famille Rouart, Musée de la Vie Romantique, Paris, 2004, cat. nº 20, repr. p. 125.
Degas en blanc et noir, Musée Angladon, Fondation Angladon-Dubrujeaud, Avignon, 2004, cat. nº 36, repr. p. 52.

Note

Tous les bronzes de Degas sont des tirages posthumes, réalisés à la demande des héritiers de l'artiste par le fondeur Hébrard sous le contrôle du sculpteur Paul Albert Bartholomé, ami de Degas.

Danseuse agrafant l'épaulette de son corsage est le nº 64 de la série des fontes réalisées par Adrien Hébrard en 1919-1921, à vingt-deux épreuves chacune, dont vingt pour le commerce. Chaque épreuve porte, outre la signature de Degas et le cachet du fondeur, un chiffre qui identifie le sujet (de 1 à 72) et une lettre (de A à T).

De nombreuses épreuves de cette fonte sont répertoriées dans les collections publiques:
A: The Metropolitan Museum of Art, New York.
P: Musée d'Orsay, Paris.
Q: The National Gallery of Art, Washington, D.C.
R: Ny Carlsberg Glyptotek, Copenhague.
S: Museu de Arte de São Paulo, Brésil.

Inv. nº 292

Jean Dubuffet

Le Havre, 1901 – Paris, 1985
Peintre et sculpteur français

(Biographie en page 79.)

Figure votive*

Epoxy peint au polyuréthane, réalisé
à la Société Résines d'Art Haligon,
à Périgny-sur-Yerres, en 1969
Sujet composé de quatre éléments créés
en 1968
155×91×76 cm
Pièce unique
Monogramme et daté au côté droit
J.D. 69

Provenance: atelier de l'artiste, Paris

Achat, Galerie Beyeler, Bâle, 1986

Expositions
Jean Dubuffet, Fundación Joan March,
Madrid, 1976, cat. n° 66, repr. p. 61.
Jean Dubuffet – œuvres de 1963 à 1976,
Badischer Kunstverein, Karlsruhe, 1977,
cat. n° 22, repr. p. 34.
Jean Dubuffet, Fondation Pierre Gianadda,
Martigny, 1993, cat. n° 118, repr. p. 188.
La sculpture des peintres, Fondation
Maeght, Saint-Paul-de-Vence, 1997,
cat. n° 186, repr. p. 255.

Inv. n° 134

Hans Erni

Né à Lucerne, en 1909
Peintre, graveur et sculpteur suisse,
travaillant à Lucerne et à Saint-Paul-de-Vence

(Biographie en page 83.)

Le Minotaure*

Bronze, fondu par la Fonderia Artistica
Mariani, à Pietrasanta, Italie, en 1999,
d'après un plâtre de 1999
22 × 17 × 15 cm
Exemplaire signé et numéroté
sur le socle *Erni 2/12*

Achat, Artefides, Lucerne, 2001

Exposition
Hans Erni, Fondation Pierre Gianadda,
Martigny, 1999 (plâtre), cat. n° 84, repr.
p. 175.

Note
Première version préparatoire au
Minotaure monumental destiné à un
giratoire de Martigny. Voir p. 277.

Inv. n° 266

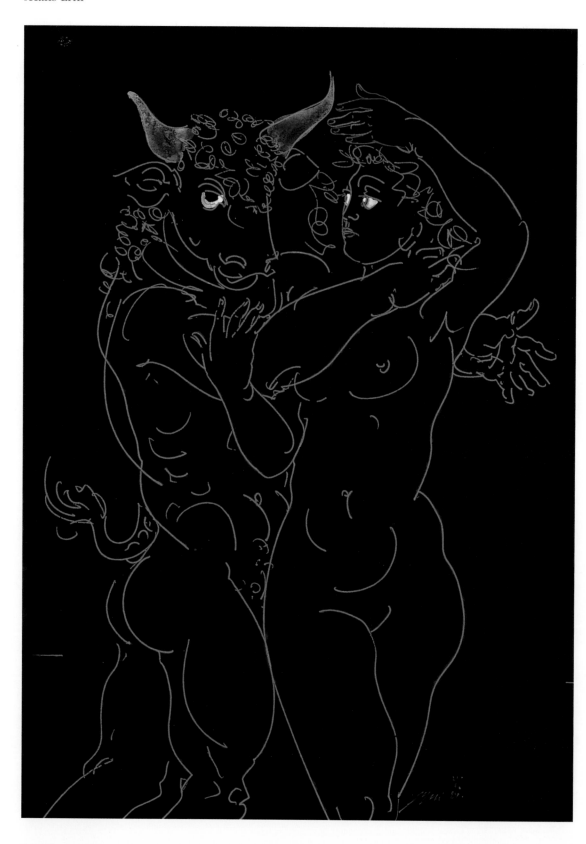

Hans Erni,
La Jeune Fille
et le Minotaure*,
étude préparatoire,
1984, tempera sur
papier, 65×50 cm.

La Jeune Fille et le Minotaure*

[Piscine privée]

Carreaux de lave émaillée blanc brillant,
réalisés par Carrelages de la Bresque,
à Salernes-en-Provence, en 1985,
d'après un dessin au trait en noir
de 1984

Panneau de carreaux de 15×30 cm,
formant un décor de 360×150 cm et
une superficie de 45 m²
Pièce unique signée et datée au bas du
dessin *Erni 21.9.84*
Commande spéciale auprès de l'artiste,
1984

Inv. n° 174

Michel Favre

Né à Lausanne, en 1947
Sculpteur suisse, travaillant à Martigny

Biographie

Michel Favre est né en 1947 à Lausanne.

Après un apprentissage de marbrier, il s'initie à d'autres techniques de sculpture et suit des cours aux écoles des Beaux-Arts de Berne et de Saint-Gall. Il parfait sa formation en Suisse romande et en Suisse alémanique.

Passionné par l'archéologie et la photographie, il entreprend plusieurs voyages en Europe occidentale, dans les pays méditerranéens et en Afrique du Nord.

Michel Favre ouvre son atelier de sculpture à Martigny, en 1972. Dès 1975, de nombreuses expositions personnelles sont organisées en Suisse et à l'étranger. En 1988, il reçoit le Prix de la Fondation Henri & Marcelle Gaspoz.

En 1998, le Prix MAC-2000 lui est décerné à Paris. Ses œuvres figurent dans des collections publiques et particulières en Suisse, Allemagne, France, Belgique, Hollande, Grande-Bretagne, Italie, Espagne, Grèce, Suède, Etats-Unis, Canada, Corée du Sud et Australie.

Michel Favre vit et travaille à Martigny.

10 septembre 2007.

PHOTO: GEORGES-ANDRÉ CRETTON

Michel Favre à la Fonderie Strassacker, à Süssen, Allemagne.

Synergie du Bourg*
Bronze, coulé à cire perdue à la Fonderie Strassacker, à Süssen, Allemagne, en 2007
6×6×33 cm
Signé *M. Favre*
Offert par l'artiste, 2007
Note
Maquette du giratoire du Pré-de-Foire.
Voir p. 281.
Inv. n° 345

Gabriele Garbolino Rù

Né à Turin, en 1974
Sculpteur italien

Biographie

Gabriele Garbolino Rù est né à Turin le 16 octobre 1974. Ayant obtenu en 1992 sa maturité artistique au Liceo Artistico R. Cottini de Turin, il est diplômé de sculpture à l'Académie des Beaux-Arts de cette ville en 1996. Il participe à de nombreuses expositions collectives en Italie. Auteur de diverses restaurations dans son pays, il répond également à des commandes publiques.
Gabriele Garbolino Rù vit et travaille à Turin.

Répondant à l'offre de Gil Zermatten, le sculpteur a réalisé le portrait en argile de Léonard Gianadda et apporté les dernières retouches à l'atelier de Martigny, le 27 octobre 2007.

*Dans l'atelier de
Gil Zermatten, à Martigny.*

Léonard Gianadda*
Bronze, fondu par la Fonderie Gil Zermatten, à Martigny, et par la Fonderia Artistica di Piero de Carli & C. SNC, à Volvera, Toscane, en 2007
Portrait d'après nature modelé en argile
Exemplaire 1/3 signé sous l'épaule gauche *G. Garbolino Rù*

Offert par Gil Zermatten, 2007

Inv. n° 351

212

Alberto Giacometti

Borgonovo, 1901 – Coire, 1966
Sculpteur et peintre suisse

Rue d'Alésia à Paris, 1961.

Biographie

Alberto Giacometti, né le 10 octobre 1901 à Borgonovo, en Suisse, est l'aîné de ses frères et sœur Diego, Bruno et Ottilia. Ils seront ses premiers modèles avec sa mère, Annetta, et son père, le peintre postimpressionniste Giovanni Giacometti.

Encouragé par son père – ami des peintres Ferdinand Hodler et Cuno Amiet –, Alberto Giacometti découvre très tôt sa passion et son don artistiques. Copiant les œuvres des maîtres qu'il admire (Dürer, Van Eyck, Rembrandt…), il réalise avec facilité sa première sculpture en 1914.

Après avoir étudié au Collège de Schiers (1915-1919), il fréquente brièvement l'Ecole des Arts et Métiers de Genève. En 1920, le jeune artiste entreprend deux voyages en Italie, où le Tintoret, Giotto, Cimabue et un buste égyptien le marqueront.

Installé à Paris à partir de 1922, Alberto Giacometti fréquente assidûment Montparnasse, le Louvre et les galeries d'art contemporain et primitif. Il suit les cours d'Antoine Bourdelle et réalise des études d'après nature.

En 1925, la difficulté de réaliser ce qu'il voit le pousse à s'engager dans l'aventure postcubiste et surréaliste. Faisant appel à sa mémoire et à son imaginaire, il réalise des sculptures-objets appréciées par les surréalistes. Mais ses recherches le mènent à une impasse en 1934-1935.

A contre-courant, il entreprend, à l'instar de Cézanne qu'il admire, de rendre sa vision de la réalité. Il sculpte des figures dans leur espace qui deviennent, malgré lui, minuscules ou qui disparaissent (vers 1940). Par la suite, ses figures, en mouvement ou immobiles, s'agrandissent tout en s'amincissant (vers 1950).

Les dernières années de sa vie, Alberto Giacometti dessine, peint et sculpte des portraits à travers lesquels il cherche à capter le regard, signe de vie. Il s'est éteint le 11 janvier 1966 à Coire (canton des Grisons) et est inhumé à Stampa.

Mary Lisa Palmer

Tête de femme [Flora Mayo]

Bronze à la cire perdue, patine verte, fondu par la Fonderie Susse, à Paris, en 1990, d'après un plâtre de 1927
30,5 × 22,8 × 9,3 cm
Exemplaire signé, numéroté et avec la marque du fondeur à l'arrière *Alberto Giacometti 5/8 Susse Fondeur Paris*
Cachet du fondeur à l'intérieur
Susse Fondeur Paris Cire Perdue

Provenance: succession Annette Giacometti, Paris

Achat, vente publique, Paris, Christie's, 28 septembre 2002, lot n° 22, repr. p. 59

Exposition
Alberto Giacometti, sculptures, peintures, dessins, Musée d'Art Moderne de la Ville de Paris, Paris, 1991-1992, cat. n° 35, repr. p. 120 (une autre épreuve).

Note
Rencontrée à Paris en 1925 dans la classe de Bourdelle à l'Académie de la Grande Chaumière, Flora Lewis Mayo fut la maîtresse d'Alberto Giacometti jusqu'en 1929. Tandis qu'Alberto faisait ce portrait, elle réalisa en retour le buste de son amant (plâtre).

Inv. n° 281

Petit Buste de Silvio
sur double socle

Bronze à la cire perdue, patine verte, fondu par la Fonderie Pastori, à Genève, en 1978, d'après un plâtre de 1942-1943
18,5 × 12,5 × 11,2 cm
Exemplaire signé et numéroté, avec le cachet du fondeur à l'arrière de la base
A. Giacometti 8/8 M. Pastori Cire perdue

Provenance: succession Annette Giacometti, Paris

Achat, vente publique, Paris, Christie's, 28 septembre 2002, lot n° 14, repr. p. 51

Exposition
La sculpture dans l'espace, Rodin, Brancusi, Giacometti..., Musée Rodin, Paris, 2005-2006, cat. n° 53, repr. p. 71.

Note
Silvio Berthoud (1937-1991), neveu d'Alberto (né en 1901), de Diego (né en 1902) et de Bruno (né en 1907) Giacometti, est le fils de leur sœur Ottilia (née en 1904), qui mourut en couches en 1937, et de Francis Berthoud.

Un autre exemplaire de cette sculpture se trouve au Bündner Kunstmuseum de Coire.

Inv. n° 280

Diane Bataille

Bronze, fondu par la Fonderie Susse, à
Paris, en 1980, d'après un plâtre de 1947
47,5×12,5×13,5 cm
Exemplaire 8/8
Signé au dos de la base
Alberto Giacometti
Cachet *Susse Fondeur. Paris 8/8*
Timbré à l'intérieur *Susse fondeur Paris,
cire perdue*

Provenance: Galerie Maeght, Paris;
collection Aimé Maeght, Paris

Achat, vente publique, Londres, Christie's,
28 juin 1982, lot n° 41, repr. p. 73

Expositions

Giacometti, Fondation Pierre Gianadda,
Martigny, 1986, cat. n° 85, repr. p. 141.
Giacometti, exposition itinérante,
Nationalgalerie, Berlin; Staatsgalerie,
Stuttgart, 1988.
Giacometti, Centre d'Art Reina Sofía,
Madrid, 1991.
Palexpo, Genève, 1992.
*Alberto Giacometti: sculptures, peintures,
dessins*, Musée d'Art Moderne, Basil &
Elise Goulandris Foundation, Andros,
Grèce, 1992.
Hommage au Dr Henri Cuendet, Galerie
de l'Hôtel de Ville, Yverdon-les-Bains,
1994.
Astrup Fearnley Museum of Modern Art,
Oslo, 1997.
Giacometti, Musée des Beaux-Arts,
Montréal, 1998.
I Giacometti – La valle, il mondo,
Fondazione Mazzotta, Milan, 2000.
Alberto Giacometti, Stampa–Paris,
Bündner Kunstmuseum, Coire, 2000.
Museo d'Arte della città di Ravenna, 2005.

Note

Diane était la femme de l'écrivain
Georges Bataille, ami du peintre depuis
1929, et dont le livre *Histoire de rats*
sera justement illustré d'eaux-fortes par
Alberto Giacometti cette même année
1947 (Editions de Minuit, Paris).
Conservé dans la collection particulière
d'Aimé Maeght, le plâtre a fait l'objet
d'une édition en bronze en 1980 sous la
supervision d'Annette Giacometti.

Inv. n° 74

La Mère de l'artiste lisant sur le banc

Pierre lithographique gravée par l'Atelier Mourlot, à Paris, d'après un dessin de 1955
69,5 × 54,3 × 5 cm

Le dessin a pu être réalisé à Stampa, en 1955, lorsque Alberto Giacometti en exécute un très proche de la mère. A la même époque, il réalise quelques autres dessins représentant des sculptures dans son atelier suisse. Des lithographies, de mêmes dimensions, en ont été tirées en Suisse par la Schweizerische Graphische Gesellschaft. Aucun tirage lithographique à partir de cette pierre n'est répertorié dans les catalogues des expositions 1970 du Milwaukee Art Center et de la Galerie Engelberts. Cependant, un tirage d'essai a dû être effectué par les Etablissements Mourlot. En procédant à l'inventaire de la succession d'Annette Giacometti, en 1994, un tirage fait à partir de cette pierre lithographique a été répertorié sous le numéro «JT 776».

Achat, Paris, 2002

Inv. n° 282a

Sculptures dans l'atelier

Pierre lithographique gravée par l'Atelier Mourlot, à Paris, d'après un dessin de 1958
43×32,5×4,3 cm

Une épreuve d'essai de cette lithographie est reproduite dans le catalogue de l'exposition *Alberto Giacometti – Dessins, estampes, livres*, Galerie Engelberts, Genève, octobre-novembre 1970, p. 68, cat. n° 64. Elle a également été reproduite dans le catalogue d'exposition *Alberto Giacometti*, Galerie Cramer, Genève, 1985, cat. n° 65. Cette lithographie a pu être réalisée pour le projet du livre *Paris sans fin*.

Achat, Paris, 2002

Inv. n° 282b

Diego Giacometti

Borgonovo, 1902 – Paris, 1985
Sculpteur suisse

Biographie

Diego Giacometti est né à Borgonovo en 1902. Il est le fils du peintre Giovanni Giacometti et le frère du sculpteur Alberto Giacometti, né en 1901. En 1905, la famille déménage à Stampa (canton des Grisons). Après le collège et de courtes études commerciales à Bâle, Diego fait un voyage en Egypte dont il restera longuement marqué. Il retrouve son frère à Paris en 1925 et restera désormais son assistant. Les deux frères, installés depuis 1927 dans un atelier derrière Montparnasse, réalisent entre 1935 et 1939, à la demande du décorateur Jean-Michel Frank, une large gamme d'accessoires d'intérieur, en particulier des vases et des lampes édités à la commande. Par ailleurs, Diego exécutera les moulages avec une discrétion et un dévouement absolus et fait la patine pour les bronzes de son frère. Il sera son premier modèle, en sculpture comme en peinture, jusqu'à sa mort en 1966.

Pendant la guerre, de 1941 à 1945, Alberto Giacometti ayant rejoint la Suisse, Diego reste à Paris et garde l'atelier, pour le protéger de l'occupation allemande. Il crée lui-même quelques modèles de flacons de parfum, des présentoirs de vitrine…

A partir des années cinquante, Diego Giacometti s'impose dans un milieu choisi de collectionneurs comme un exceptionnel créateur d'éléments mobiliers et d'objets décoratifs. Après la mort de son frère en 1966, Diego se concentre totalement sur sa propre production. On lui doit l'ensemble du mobilier pour le Musée Picasso, inauguré, peu après sa mort, à Paris en septembre 1985.

Diego Giacometti s'est éteint à Paris, le 15 juillet 1985. Il est inhumé à Stampa. Son frère cadet, Bruno Giacometti, a offert avec son neveu, Silvio Berthoud, le fonds d'atelier Diego Giacometti au Musée des Arts décoratifs à Paris, qui conserve aujourd'hui plus de cinq cents éléments de travail, maquettes, maîtres-modèles de ce grand artiste meublier.

Petit Homme debout*

Elément décoratif pour une table basse, vers 1976
Bronze
18,5×6×3,3 cm
Signé au dos de la base *DIEGO DG*

Don, M. Grenet, Luxembourg, 1986

Inv. n° 150

Gidon Graetz

Né à Tel-Aviv, en 1929
Sculpteur suisse, travaillant à Vinciglia (Fiesole), près de Florence

ARCHIVES GIDON GRAETZ

Biographie

Gidon Graetz est né le 29 novembre 1929 à Tel-Aviv. Il suit les cours de 1954 à 1958 à l'Académie des Beaux-Arts de Florence, puis à l'Ecole des Beaux-Arts de Paris, avec Marcel Gimond.

Depuis 1959, Gidon Graetz vit et travaille à Vinciglia (Fiesole). Depuis 1971, et après des premières œuvres figuratives, il a développé ses recherches dans une forme libre. De nombreuses expositions ont été organisées en Europe et aux Etats-Unis.

Composition nº 1*

Marbre macédonien blanc, taillé à l'Atelier Sem Geraldini, à Pietrasanta, Italie, en 1976
50×40×40 cm
Pièce unique

Achat, Galerie Lopes, Zurich, 1982

Expositions

Gidon Graetz: Sculpture, Kunstverein, Munich, 1977.
Gidon Graetz: Sculpture, Galerie Lopes, Zurich, 1977.
Gidon Graetz, Galerie Cour Saint-Pierre, Genève, 1978.
Aéroport Zurich-Kloten, 1978.
Gidon Graetz, Chiostri di Santa Croce, Florence, 1978, repr. pp. 32-33.
Galerie Schoeneck, Riehen, 1980.
Skulpturenmuseum, Marl, Allemagne, 1982.
Galerie Lopes, Zurich, 1982.

Inv. nº 79

Yves Klein

Nice, 1928 – Paris, 1962
Peintre français

Yves Klein avec le Globe terrestre bleu *(RP 7), 14, rue Campagne-Première, Paris, vers 1960.*

PHOTO: HARRY SHUNK

Biographie

Yves Klein est né le 28 avril 1928 à Nice. Son père est paysagiste et sa mère, Marie Raymond, un des premiers peintres informels à Paris.

Après la Seconde Guerre mondiale, il étudie à l'Ecole Nationale de la Marine Marchande et à l'Ecole Nationale des Langues Orientales. Il suit des cours de judo et fait ses premiers essais en peinture, se liant d'amitié avec Claude Pascal et Arman.

Il mène en 1947 ses premières expériences avec les monochromes et des empreintes de ses mains et de ses pieds, qu'il traite comme des objets de culte. Il lit la *Cosmogonie des Rose-Croix*, de Max Heindel, texte fondateur qui souligne la connaissance par l'imagination, considérée comme la plus puissante des facultés humaines.

Yves Klein voyage en Italie et accomplit son service militaire en Allemagne. Sa première exposition a lieu à Londres en 1950.

Souhaitant devenir judoka professionnel, il part se perfectionner au Japon, dont il revient ceinture noire quatrième dan, grade qu'aucun Français n'a atteint à cette époque, avec l'objectif d'enseigner son art à l'Institut Kodokan, à Tokyo. A son retour en Europe, il est nommé directeur technique, puis professeur de judo à la Fédération Nationale d'Espagne, à Madrid.

La Fédération Française de Judo refusant de reconnaître son diplôme, il ouvre en 1955 sa propre école qu'il décore de monochromes. A court d'argent, il la ferme l'année suivante. Yves Klein expose en 1955 au Club des Solitaires, à Paris, des monochromes de différentes couleurs sous le titre *Yves Peintures* et à la Galerie Colette Allendy en 1956 *Yves, Propositions monochromes*. Sa rencontre avec le critique d'art Pierre Restany est déterminante: sa carrière est désormais lancée.

Il entame en 1957 son «époque bleue», un choix confirmé par la découverte, lors d'un voyage à Assise, des ciels de Giotto, en qui il reconnaît le précurseur de la monochromie bleue: uniforme et spirituelle.

Il commence en 1958 ses premières expériences avec le «pinceau vivant». Les premières présentations semi-publiques des *Anthropométries* ont lieu en 1960 à la Galerie d'Art Contemporain, à Paris. Restany fédère alors le groupe des Nouveaux Réalistes. Klein publie *Dimanche 27 novembre – Journal d'un seul jour*, avec *Le Saut dans le vide* en première page, dont ce sera l'unique publication. Le bleu «Klein» est officialisé lorsqu'il dépose le brevet de sa formule sous le nom d'I.K.B. *(International Klein Blue)*. Il épouse Rotraut Uecker en 1962 et commence le moulage de ses amis proches: Arman, Raysse et Pascal. De cette époque date *La Vénus d'Alexandrie (Vénus Bleue)*.

Théoricien de la couleur pure et absolue, du vide, de l'air, du feu, Yves Klein, météore de la peinture contemporaine, meurt le 6 juin 1962 à Paris d'une crise cardiaque, à l'âge de 34 ans.

La Vénus d'Alexandrie (Vénus Bleue)

Pigment pur et résine synthétique sur plâtre peint I.K.B. *(International Klein Blue)*
Edité par les Editions Galerie Bonnier, à Genève, en 1982, d'après un plâtre de 1962
70 × 28 × 24,5 cm
Cachet *Editions Galerie Bonnier, Genève*
Numéroté sous la jambe gauche *208/300*

Provenance: Galerie Bonnier, Genève; Akira Ikeda Gallery, Japon

Achat, vente publique, New York, Sotheby's, 10 novembre 2005, lot n° 231, repr.

Note

Yves Klein réemploie ici un moulage de l'*Aphrodite de Cnide* de Praxitèle, exécutée en 350 av. J.-C., qui était la déesse de la beauté et de l'amour. Les Romains en exécutèrent des répliques qu'ils nommèrent Vénus, la déesse des jardins, puis de l'amour et de la beauté. Une Vénus en marbre (29,5 cm de haut), réplique en réduction de l'*Aphrodite de Cnide* de Praxitèle, mise au jour en 1939, est présentée au Musée gallo-romain de la Fondation Pierre Gianadda.

Edition de trois cent cinquante-trois épreuves, dont trois cents numérotées de 1 à 300, cinquante numérotées de HCI à HCL et trois épreuves d'artiste.

Inv. n° 325

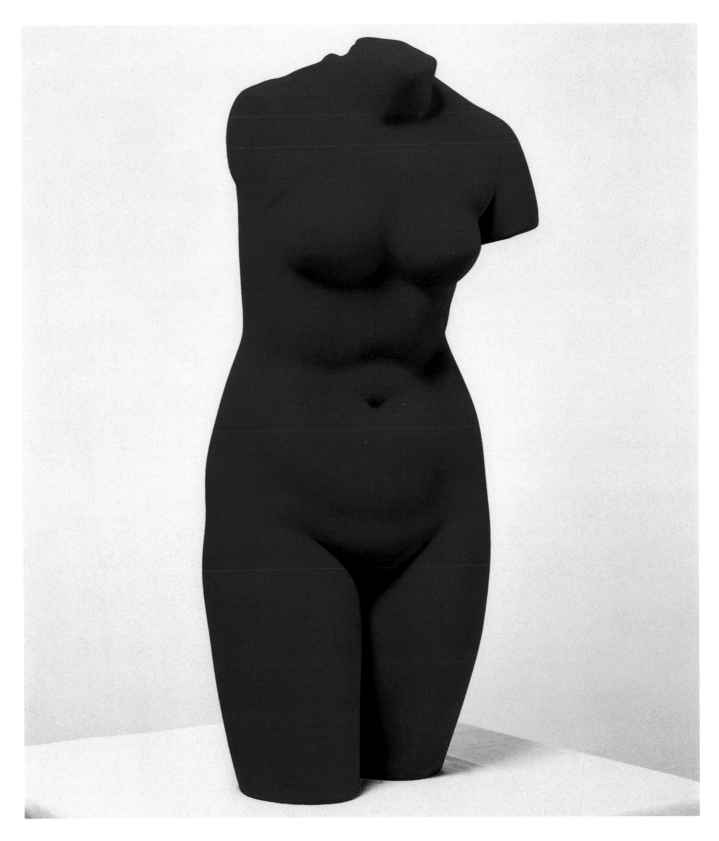

Baltasar Lobo

Cerecinos de Campos (Zamora), 1910 – Paris, 1993
Sculpteur espagnol

Biographie

Baltasar Lobo est né le 22 février 1910 à Cerecinos de Campos, près de Zamora (province de Castilla y León). Son père est menuisier.

Il étudie à l'Ecole Cervantès de Benavente, où il dessine d'après des plâtres. Pendant son apprentissage dans un atelier d'art religieux populaire à Valladolid, sous la direction de Don Ramón Numez, directeur de l'Académie des Beaux-Arts, il suit les cours du soir à l'Ecole des Arts et Métiers.

En 1927, il obtient une bourse pour l'Académie San Fernando à Madrid. Cependant, déçu par l'enseignement, il quitte l'école au bout de trois mois et perd sa bourse. Lobo vit difficilement en taillant des pierres tombales et suit des cours du soir. A Madrid, il découvre l'art ibérique et l'art contemporain de Picasso, Miró et Gargallo.

Lobo rencontre en 1933 Mercedes Guilhen, qu'il épousera en 1936. Pendant la guerre civile, Lobo, qui lutte aux côtés des républicains, dessine des œuvres libertaires.

Réfugié à Paris en 1939, il est aussitôt aidé par Picasso et devient le collaborateur de Henri Laurens. Il est alors très influencé dans ses propres œuvres par la plastique de son maître, dont il conservera durablement l'empreinte. Son œuvre s'oriente cependant vers un formalisme plus abstrait.

Il expose pour la première fois à la Galerie Vendôme à Paris en 1945, et entreprend ensuite sa large série des *Maternités*, dont un bronze, monumental, lui sera commandé pour la Cité universitaire de Caracas en 1953. Les expositions collectives et personnelles se multiplient. Il trouve son épanouissement dans le milieu artistique parisien. Se défiant pourtant des avant-gardes, il revendique l'héritage de Laurens, Brâncuşi et Arp. Le nu féminin inspire de manière récurrente ses marbres et ses bronzes. *Femme à genoux sans tête* (1967-1968) témoigne directement de sa plastique entre tradition et modernité.

Baltasar Lobo s'est éteint le 4 septembre 1993 à Paris.

Femme à genoux sans tête*

Bronze, patine verte, fondu par la Fonderie Susse, à Paris, en 1970, d'après un plâtre de 1967-1968
27 × 10 × 10 cm
Exemplaire signé et numéroté sur la jambe droite *Lobo 4/8*
Cachet du fondeur sur la jambe gauche *Susse Fondeur Paris*

Provenance: Galerie Villand et Galanis, Paris

Achat, vente publique, Paris, Francis Briest, 22 novembre 1984, lot n° 26, repr.

Archives Lobo Malingue n° 6819

Inv. n° 101

Baltasar Lobo

225

Aristide Maillol

Banyuls-sur-Mer (Pyrénées-Orientales), 1861 – Banyuls-sur-Mer, 1944
Sculpteur et peintre français, d'origine catalane

Maillol dans son atelier, travaillant à Harmonie, 1943.

Biographie

Aristide Maillol est né le 8 avril 1861 à Banyuls-sur-Mer (Pyrénées-Orientales). Arrivé à Paris en 1882, il est élève de Cabanel à l'Ecole des Beaux-Arts. Cette période d'apprentissage, qu'il partage avec son ami Emile-Antoine Bourdelle, est particulièrement misérable.

Dans les années 1890, il débute comme peintre, dessine des cartons et réalise des tapisseries. Gauguin l'encourage. Il regagne Banyuls en 1893 et installe un atelier de tapisserie. En 1896, Maillol épouse Clotilde Narcisse. Il retourne à Paris et exécute ses premières statuettes en terre cuite, des céramiques et quelques bois – qu'il abandonnera bientôt pour le bronze. Sa première exposition, organisée chez le marchand Ambroise Vollard en 1902, réunit onze tapisseries et vingt-deux sculptures, que Rodin admire. Maillol commence une grande statue, qui deviendra *La Méditerranée*. Il rompt avec l'impressionnisme sculptural et trouve sa stylistique moderniste propre.

La Méditerranée, exposée au Salon d'Automne de 1905, est achetée, sur les conseils de Rodin, par le comte Kessler, collectionneur allemand, qui sera son plus important mécène. Désormais, son succès va grandissant. A la demande de Vollard, Maillol fait à Essoyes, en Champagne-Ardenne, le buste d'Auguste Renoir, qui, le voyant travailler, sera pris du désir de faire également de la sculpture. Singulièrement, Ambroise Vollard engagera Richard Guino pour assister Renoir dans ses projets de sculptures à partir de 1913, car il avait lui-même été formé par Aristide Maillol.

En 1930, Maillol commence une statue qui formera la figure centrale du groupe des *Trois Nymphes* (1937), dont *Marie* (1931) est la figure de gauche. Sa rencontre alors avec la jeune Dina Vierny, qui sera son assistante et son unique modèle pendant les dix dernières années de sa vie, est déterminante.

De nombreuses expositions ont lieu en France et à l'étranger, et Maillol est honoré d'importantes commandes publiques. En septembre 1939, il se retire à Banyuls-sur-Mer et revient à la peinture.

Victime d'un accident d'automobile, il s'est éteint à Banyuls-sur-Mer le 27 septembre 1944.

En 1964, Dina Vierny offre à l'Etat français dix-huit sculptures, installées sous l'autorité d'André Malraux au Jardin du Carrousel des Tuileries. En 1994, cinquante ans après sa mort, la Fondation Dina Vierny / Musée Maillol ouvre ses portes, dans l'Hôtel Bouchardon, 59-61, rue de Grenelle, à Paris, tandis qu'à Banyuls-sur-Mer est inauguré son musée iconographique.

Baigneuse debout

Bronze, patine noire, fondu par la
Fonderie Alexis Rudier, à Paris,
d'après un plâtre de 1900 environ
66,5×18×16 cm
Monogrammé sur la base à côté du
pied droit

Provenance: Peter Emil Noelle,
Witten/Ruhr, RFA; Galerie Alex Vömel,
Düsseldorf; Dr. Dieter Niessen, Bedburg;
collection particulière, Suisse

Achat, Galleria Pieter Coray, Lugano, 1985

Expositions
Selezione, Galleria Pieter Coray, Lugano,
1984, cat. nº 3.
Sculpture, A. Herstand & Company,
New York, 1985.

Note
Proche d'une première version en bois
(1896), aujourd'hui au Stedelijk Museum,
Amsterdam.
Baigneuse debout est l'une des compositions les plus répandues de Maillol et
Ambroise Vollard la fit reproduire en
édition non limitée. Les fontes des
débuts portent la signature *Aristide
Maillol*, les œuvres ultérieures seulement le monogramme. Maillol fit couler
le modèle – avec signature complète –
à la Fonderie Rudier. Un modèle en cire
de la collection Zoubaloff entra au
Kröller-Müller Museum à Otterlo. La
sculpture *Baigneuse debout* fut particulièrement appréciée des artistes. Pierre
Bonnard en possédait un exemplaire
qui lui inspira plusieurs peintures; on la
reconnaît également sur le portrait de
Bonnard peint par Vuillard. Maurice
Denis en possédait une version en terre
cuite.

Inv. nº 122

Henri Matisse

Le Cateau-Cambrésis, 1869 – Nice, 1954
Peintre, dessinateur et sculpteur français

Vence, 1943.

Biographie

Henri Matisse est né le 31 décembre 1869 au Cateau-Cambrésis.

Au cours d'une convalescence, sa mère lui offre pour son vingtième anniversaire une boîte de couleurs. Il s'inscrit alors à l'Ecole Maurice-Quentin de La Tour, à Saint-Quentin, dans le département de l'Aisne, réservée aux dessinateurs en textile.

En 1890, il abandonne le droit et une carrière de clerc pour se consacrer à sa vocation artistique. En 1891, il s'installe à Paris, où il fréquente l'atelier de Gustave Moreau. Il y rencontre Georges Rouault, Albert Marquet, et visite les expositions Cézanne et Corot. En 1894 naît sa fille Marguerite. En 1896, il expose pour la première fois au Salon des Cent et au Salon de la Société nationale des Beaux-Arts dont il devient membre associé sur proposition de Puvis de Chavannes. En 1898, il épouse Amélie Pareyre dont il aura deux enfants, Jean en 1899 et Pierre en 1900, qui deviendra marchand d'art à New York.

Henri Matisse passe plusieurs mois à Londres, où il découvre la peinture de Turner. A partir de 1900, il travaille à l'Académie de la Grande Chaumière, sous la direction d'Antoine Bourdelle. Fréquentant l'atelier d'Eugène Carrière, il fait la connaissance d'André Derain, qui lui présente Maurice de Vlaminck.

Matisse expose au Salon des Indépendants (1901) et participe à la première édition du Salon d'Automne (1903). Il expose en 1904 chez le marchand Ambroise Vollard. Au Salon d'Automne de 1905, Matisse, avec Albert Marquet, Maurice de Vlaminck, André Derain et Kees Van Dongen, provoque un scandale avec des toiles aux couleurs pures et violentes, posées en aplat. Le critique Louis Vauxcelles les appelle les *Fauves*, dont Matisse deviendra le chef de file.

Après de nombreux voyages (Maroc, Russie…) et expositions, Matisse s'installe à Nice en 1917.

Igor Stravinski et Serge de Diaghilev lui commandent les costumes et les décors pour le spectacle *Le Chant du rossignol* des Ballets russes. Le Dr Barnes lui commande *La Danse* pour sa résidence de Merion (Philadelphie).

En 1941, atteint d'un cancer, Matisse ne peut plus voyager. Il poursuit son travail en utilisant la technique des gouaches découpées, qui lui permet de «dessiner dans la couleur». Il commence la série *Jazz*, qui sera publiée en 1947 par l'éditeur Tériade. Lors de l'évacuation de Nice, il part pour Vence, où il se lie d'amitié avec André Rouveyre.

Après la Libération, une grande rétrospective est organisée au Salon d'Automne en 1945. Il achève la décoration dépouillée de la chapelle du Rosaire à Vence (1951), qui fut pour lui l'«aboutissement ultime de toute une vie de travail».

En 1952 a lieu l'inauguration du Musée Matisse au Cateau-Cambrésis, sa ville natale.

Henri Matisse s'est éteint le 3 novembre 1954 à Nice, où il est enterré au cimetière de Cimiez. Le Musée Matisse y est ouvert en 1963.

Pierre lithographique

Gravée par l'Atelier Mourlot, à Paris,
en 1964, d'après un dessin de 1954

Don de Sam Szafran, 2004

Pierre lithographique faisant partie d'un
ensemble d'études réalisées par Matisse
pour l'illustration des *Lettres portugaises*.

Ces études, regroupées dans le *Catalogue
raisonné des ouvrages illustrés*, sont
restées inédites.
Propriété de l'artiste, elles sont demeurées
chez Mourlot en vue d'une édition
future. En 1964, Mourlot fut autorisé à
utiliser l'une de ces pierres pour illustrer
la couverture de l'un de ses catalogues.

La couverture de l'ouvrage a figuré à
l'exposition itinérante *Prints from the
Mourlot Press*, organisée par la Smith-
sonian Institution, Washington, D.C.,
1964-1965, avec des textes de Jean
Adhémar, S. Dillon Ripley et Fernand
Mourlot.

Inv. n° 313

Alicia Penalba

San Pedro (province de Buenos Aires, Argentine), 1913 – Dax (France), 1982
Sculpteur argentin

(Biographie en page 112.)

Petit Double n° 3 *

Bronze, fondu par la Fonderia d'Arte Tesconi, à Pietrasanta, Italie, en 1973, d'après un plâtre de 1972
26,7×12×12 cm
Epreuve d'artiste signée et numérotée en bas *APENALBA Ep Ar*
Cachet du fondeur en bas *Fonderia d'Arte Tesconi, Italy, 1973*

Provenance: collection de l'artiste; collection particulière

Achat, Galleria Pieter Coray, Lugano, 1990

Exposition
Alicia Penalba sculture-collages, Galleria Pieter Coray, Lugano, 1980, cat. n° 4, repr.

Note
Modèle préparatoire à la sculpture monumentale *Le Grand Double*, installé dans le Parc de Sculptures de la Fondation Pierre Gianadda, à Martigny. Voir p. 115.

Inv. n° 191

Ailée n° 5 *

Bronze, fondu par la Fonderia Da Prato, à Pietrasanta, Italie, en 1976, d'après un plâtre de 1976
76×115×65 cm
Exemplaire signé et numéroté sous une aile *APENALBA 2/8*

Provenance: atelier de l'artiste

Achat, Galerie Alice Pauli, Lausanne, 1982

Expositions
Penalba, Jardins de la Ville d'Evian, 1981, cat. n° 14, repr.
Alicia Penalba, Parc de Sculptures de la Fondation Pierre Gianadda, Martigny, 1994.

Inv. n° 75

Pablo Picasso

Málaga, 1881 – Mougins, 1973
Peintre et sculpteur espagnol

Vallauris, 1953.

Biographie

Pablo Ruiz Picasso, peintre, dessinateur, sculpteur, graveur, céramiste et l'artiste le plus novateur et prolifique de son temps, est né le 25 octobre 1881 à Málaga. Après l'Ecole des Beaux-Arts de Barcelone, où son père est professeur (1896), il est reçu à l'Académie Royale San Fernando à Madrid, mais préfère visiter les salles du Prado. De retour à Barcelone en 1899, il fréquente le milieu avant-gardiste et le cabaret «Els Quatre Gats». Il fait un premier séjour à Paris en 1900, où le marchand Ambroise Vollard l'expose (1901). Au cours de cette période dite «bleue», Picasso, qui se lie avec le poète Max Jacob, peint des scènes de cabaret et de prostituées, puis exprime sa commisération envers les déshérités *(Enterrement de Casagemas)*. Après un bref retour en Espagne, Picasso s'installe en 1904 à Montmartre, au Bateau-Lavoir, qui marque le début de sa «période rose», où il s'attache au monde des saltimbanques. De cette époque datent ses premières sculptures, parmi lesquelles *Arlequin. Tête de Fou* (1905). Avec Fernande Olivier, sa compagne jusqu'en 1911, il fait la connaissance de Guillaume Apollinaire, Matisse, Braque, Léger, Van Dongen, Gertrude Stein… *Le Bordel d'Avignon*, rebaptisé par André Salmon *Les Demoiselles d'Avignon*, marque son affranchissement radical de la peinture cézannienne et scelle la naissance de l'art moderne par le cubisme (1907, le mot est du critique Louis Vauxcelles), qui reflète également son intérêt pour la sculpture ibérique et l'art primitif – africain et océanien. Après le cubisme cézannien, la période analytique *(Portrait de D.-H. Kahnweiler*, 1910) le conduit vers ses premiers papiers collés (1912). Fin 1914, Paul Rosenberg devient son marchand. En 1917, il prépare à Rome les décors et les costumes du ballet *Parade* (Cocteau/Satie) à la demande de Diaghilev pour les Ballets russes. Il y fait la connaissance de Stravinski et de la ballerine Olga Khokhlova, qu'il épousera en 1918.

En 1925, Picasso participe, Galerie Pierre, à la première exposition surréaliste. Il rencontre en 1927 Marie-Thérèse Walter, alors âgée de 17 ans, et aborde la sculpture en fer avec Julio González. Il s'adonne également à la gravure *(Suite Vollard)* et à l'illustration de livres *(Les Métamorphoses* d'Ovide – *Le Chef-d'œuvre inconnu)*. En 1936, Paul Eluard lui présente Dora Maar, peintre et photographe. Commandée pour le Pavillon républicain espagnol de l'Exposition internationale de 1937, *Guernica*, son œuvre la plus monumentale, traduit avec un expressionnisme déchirant son horreur de la guerre civile en Espagne, des dictatures et de la mort de l'art. Picasso, qui rencontre Françoise Gilot en 1943, adhère en 1944 au Parti communiste français et peint *Les Massacres de Corée* (1951). En 1954, Picasso, dont le Musée des Arts décoratifs présente la première rétrospective à Paris, rencontre Jacqueline Roque. Il se passionne pour la céramique et collabore avec le cinéaste Henri-Georges Clouzot pour *Le Mystère Picasso*.

Il revisite les maîtres (*Les Ménines* d'après Vélasquez, *Le Déjeuner sur l'herbe* – Manet, *L'Enlèvement des Sabines* – Poussin…). Le Museu Picasso ouvre en 1963 à Barcelone, tandis que le château d'Antibes, où il a travaillé en 1946, devient Musée Picasso en 1966.

Pablo Picasso s'est éteint le 8 avril 1973 à Mougins et est inhumé à Vauvenargues.

Le Musée Picasso s'est ouvert à Paris en 1986, le Museo Picasso à Málaga en 2003.

Arlequin. Tête de Fou

Bronze à patine noire
Fonte réalisée par le marchand
Ambroise Vollard, entre 1905 et 1939,
d'après un plâtre de 1905
41×36×22 cm
Signé au dos *Picasso*

Provenance: l'artiste; Mme Paul Guillaume,
Paris; Buchholz Gallery, New York;
Walter P. Chrysler, Jr., New York;
The Phillips Memorial Gallery,
Washington, D.C.

Achat, Galerie Beyeler, Bâle, 1981

Expositions
Picasso, estampes 1904-1972, Fondation
Pierre Gianadda, Martigny, 1981,
cat. n° 138*bis*, repr. p. 150.
Sculptures de Picasso, exposition itiné-
rante, Nationalgalerie, Berlin, 1983,
Kunsthalle, Düsseldorf, 1984, cat. n° 4,
repr. p. 21.
*De Cézanne à Picasso dans les collections
romandes*, Fondation de l'Hermitage,
Lausanne, 1985, repr. p. 124.
Spagna – 75 anni di protagonisti nell'arte,
Villa Malpensata, Lugano, 1986.
L'impressionnisme en sculpture, Galleria
Pieter Coray, Lugano, 1989, cat. n° 46,
repr. p. 74.
Picasso 1905, exposition itinérante,
Museu Picasso, Barcelone, 1992,
Kunstmuseum, Berne, 1992, cat. n° 73,
repr. p. 213.
Hommage au Dr Henri Cuendet, Galerie
de l'Hôtel de Ville, Yverdon-les-Bains,
1994.

*Pierrot – Melancholy and Mask from
Watteau to Picasso*, Haus der Kunst,
Munich, 1995, cat. n° 56, repr. p. 72.
The Colour of Sculpture, exposition
itinérante, Van Gogh Museum,
Amsterdam, 1996, Henry Moore Institute,
Leeds, 1997, repr. p. 221.
La sculpture des peintres, Fondation
Maeght, Saint-Paul-de-Vence, 1997,
cat. n° 83, repr. p. 139.
Picasso, Musée d'Art moderne et d'Art
contemporain, Liège, 2001, cat. n° 33,
repr.
Jours de cirque, Grimaldi Forum,
Monaco, 2002, repr.
*A Very Private Collection: Janice H.
Levin's Impressionist Pictures*, The
Metropolitan Museum of Art, New York,
2002-2003, autre fonte, cat. n° 35, repr.
p. 132.
De Picasso à Barceló, Fondation Pierre
Gianadda, Martigny, 2003, repr. p. 13.
Au cirque, le peintre et le saltimbanque,
Musée de la Chartreuse, Douai, 2004,
repr. p. 67.
*An Impressionist Eye: Painting and
Sculpture from the Philip and Janice
Levin Foundation*, Birmingham Museum
of Art, Birmingham, 2004-2005, autre
fonte.
Max Jacob, portraits d'artistes, exposi-
tion itinérante, Musée des Beaux-Arts,
Quimper, 2004, Musée des Beaux-Arts,
Orléans, 2005, cat. n° 20, repr. p. 29.
Picasso et le cirque, exposition itinérante,
Museu Picasso, Barcelone, 2006-2007,

Fondation Pierre Gianadda, Martigny,
2007, cat. n° 100, repr. p. 162.

Note
Arlequin. Tête de Fou est la deuxième
sculpture de Picasso.
Le nombre exact de fontes réalisées par
le marchand de Picasso, Ambroise
Vollard, entre 1905 et 1939 (date de sa
mort) n'est pas connu, mais ne doit pas
dépasser quinze exemplaires. Bien que
Valsuani soit généralement considéré
comme le fondeur auquel Vollard faisait
appel, le Comité Picasso précise que les
fonderies Susse et Rudier ont également
réalisé quelques épreuves du *Fou*. Le
modèle original a été détruit à la mort
d'Alexis Rudier en 1953. Les fontes
«Vollard» offrent différentes patines, mais
sont toutes de dimensions égales.

En 1990, des exemplaires de la sculpture
étaient conservés dans de nombreuses
collections publiques, parmi lesquelles:
The Art Institute, Chicago.
Bridgestone Museum of Art, Tokyo.
The Hirshhorn Museum and Sculpture
Garden, Washington, D.C.
Musée d'Art Moderne de la Ville de Paris.
Musée Picasso, Paris.
Musée d'Art Moderne, Troyes.
The Norton Simon Museum of Art,
Pasadena.
The Phillips Collection, Washington, D.C.
The Philadelphia Museum of Art.
Kunstmuseum, Winterthur.

Inv. n° 62

Antoine Poncet

Né à Paris, en 1928
Sculpteur français, travaillant à Paris

(Biographie en page 116.)

Les Ailes de l'Aurore*

Bronze patiné, fondu par la Fonderie
Blanchet-Landowski, à Bagnolet,
en 2001, d'après un plâtre de 2000
25,5×28,5×6 cm
Exemplaire 1/8
Signé en bas sur la base *A Poncet*
Cachet du fondeur, daté et signé sur la
base *Landowski Fondeur 2001 1/8*

Offert par l'artiste, 2001

Note

Ce bronze est la maquette en terre
glaise (1995) de l'œuvre monumentale
Les Ailes de l'Aurore, marbre blanc de
Carrare, 2000, 165×178×45 cm,
acquise par la Ville de Paris, installée
square Jacques-Bainville, dans le
VII\e arrondissement.

Edition de huit épreuves numérotées de
1/8 à 8/8 et quatre épreuves d'artiste.

Inv. n\o 265

André Raboud

Né à Strasbourg, en 1949
Sculpteur et peintre franco-suisse, travaillant à Saint-Triphon (canton de Vaud)

Biographie

André Raboud est né le 6 avril 1949 à Strasbourg, de mère française et de père suisse. Il passe son enfance en Alsace.

En 1966, sa famille déménage à Monthey (canton du Valais). Raboud commence par s'intéresser à la peinture et installe un atelier. Très vite, il réalise ses premières sculptures en métal.

En 1970, sa première exposition est organisée à Monthey. La même année, le peintre Jean-Claude Rouiller l'invite à exposer dans sa galerie à Martigny. Ses sculptures sont en fer ou en acier, au sein desquelles il insère parfois des pierres.

Au début des années soixante-dix, avec les artistes Leo Andenmatten, Ángel Duarte, Paul Messerli, Jean-Claude Rouiller et André-Paul Zeller, il organise une exposition itinérante de peinture et de sculpture en Valais (1971), l'une des premières manifestations collectives d'art non figuratif sur la scène artistique valaisanne.

Outre ses fontes en bronze et ses reliefs en aluminium poli, il pratique quelque temps la taille du bois. Sa première exposition personnelle est organisée au Manoir de Martigny en 1972.

En 1973, membre fondateur de la section valaisanne de la Société des peintres, sculpteurs et architectes suisses, il participe à la première exposition de sculpture en plein air organisée à Lausanne par la Galerie Henry Meyer.

Passionné par le travail de la pierre et la taille directe, il séjourne à Carrare, pour aborder le marbre.

En 1977, il est nommé professeur de sculpture à l'Ecole cantonale des Beaux-Arts de Sion, pour une période de deux ans.

Au début des années quatre-vingt, il s'installe à Saint-Triphon, dans le canton de Vaud. (Rouge de Collonge, 1983.)

Professeur de sculpture à l'Ecole cantonale des Beaux-Arts de Sion en 1985 et 1986, de nombreuses commandes publiques et privées viennent rythmer sa production.

Il poursuit en 1988 ses travaux de sculpture en utilisant la superposition de matériaux divers, cornes et plumes, cordes et poils, os et outils de fer, qu'il assemble à des éléments sculptés plus traditionnels en marbre ou en granit.

Une importante exposition rétrospective est organisée en 1989 au Musée cantonal des Beaux-Arts de Sion.

Au début des années quatre-vingt-dix, invité au Japon, il exécute, à la demande de plusieurs musées, quelques œuvres monumentales. (Le Grand Couple, 2001.)

André Raboud vit et travaille à Saint-Triphon.

Rouge de Collonge*

Pierre de Collonge, 1983
216×64×54 cm
Pièce unique

Achat, atelier de l'artiste, Saint-Triphon, 1983

Note
Déposé à l'extérieur de la Résidence du Parc, à Martigny.

Inv. n° 263

Le Grand Couple *

Bronze, fondu par la Fonderie Latour, à Martigny, en 2001, d'après un plâtre de 2001
21×5×2 cm et 20×5×1 cm
Epreuve e.a. 1/4
Signé, numéroté et daté
sur le coin antérieur droit du socle
RABOUD EA 2001

Offert par l'artiste, 2001

Note
Ce bronze est la maquette de l'œuvre monumentale *Le Grand Couple*, installée sur le giratoire du Grand Quai - rue du Simplon à Martigny. Voir p. 291.

Edition de huit exemplaires numérotés de I à VIII destinés à la Fondation Pierre Gianadda, trente-trois exemplaires numérotés de 1 à 33 destinés à la commercialisation et quatre épreuves d'artiste numérotées de e.a. 1 à e.a. 4.

Petite Stèle*
Granit noir des Indes, 2004
22×19×4 cm
Offert par l'artiste, 2005

Auguste Rodin

Paris, 1840 – Meudon, 1917
Sculpteur français

(Biographie en page 126.)

Dans son atelier, accoudé au Baiser, *vers 1886.*

Le Baiser*
Réduction n° 1, chef-modèle

Bronze, fondu par la Fonderie
F. Barbedienne, à Paris, entre 1898 et
1918, d'après un plâtre de 1886
73×43×45 cm
Signé à droite sur la cuisse de la femme
Rodin
Cachet à gauche sur la base
F. Barbedienne fondeur

Provenance: Mme Maud Roxby; acquis
par son père à Marlborough Fine Art,
Londres

Achat, vente publique, Londres, Christie's,
29 mars 1982, lot n° 20, repr.

Expositions
Rodin, Fondation Pierre Gianadda,
Martigny, 1984, cat. n° 33, repr. en
couverture et p. 83.
Hommage au Dr Henri Cuendet, Galerie
de l'Hôtel de Ville, Yverdon-les-Bains,
1994.
Auguste Rodin – Camille Claudel,
Basil & Elise Goulandris Foundation,
Andros, Grèce, 1996.
Rilke et Rodin, Fondation Rainer Maria
Rilke, Sierre, 1997.
Foire de Liège, 2000.
*Rodin, Golubkina, Claudel. La rencontre
cent ans après*, Galerie nationale Tretiakov,
Moscou, 2004, cat. n° 6, repr. p. 44.
En dépôt temporaire au Musée des
Beaux-Arts, Orléans, durant l'exposition
*Claudel et Rodin. La rencontre de deux
destins* présentée à la Fondation Pierre
Gianadda, 2006.

Edition Leblanc-Barbedienne: quarante-
neuf exemplaires fondus entre 1898 et
1918, dans ces dimensions.

Inv. n° 72

La Danaïde*
Grand modèle

Bronze, fondu pour le Musée Rodin, à
Paris, par la Fonderie E. Godard, à Malakoff,
en 1980, d'après un plâtre de 1885
35 × 60 × 49 cm
Exemplaire signé et numéroté à l'arrière
A. Rodin N° 11
Cachet à l'avant au côté gauche
E. Godard Fondeur et au côté droit
© *by Musée Rodin 1980*

Achat, Musée Rodin, Paris, 1983

Expositions
Rodin, Fondation Pierre Gianadda,
Martigny, 1984, cat. n° 21, repr. p. 74.
Rodin: sculptures et aquarelles, Musée
Toulouse-Lautrec, Albi, 1987.
Hommage au Dr Henri Cuendet, Galerie
de l'Hôtel de Ville, Yverdon-les-Bains,
1994.
Rilke et Rodin, Fondation Rainer Maria
Rilke, Sierre, 1997.
Foire de Liège, 2000.
*Rodin, Golubkina, Claudel. La rencontre
cent ans après*, Galerie nationale Tretiakov,
Moscou, 2004, cat. n° 4, repr. p. 42.
*Claudel et Rodin. La rencontre de deux
destins*, exposition itinérante, Musée
national des Beaux-Arts, Québec;
Institute of Arts, Detroit;
Fondation Pierre Gianadda, Martigny,
2005-2006, cat. n° 154, repr. p. 54.

Edition de douze épreuves en chiffres
arabes numérotées de 1 à 12; un exemplaire au Musée de Saint-Etienne.

Inv. n° 91

Petite Tête de Jean de Fiennes avec main*

Bronze, fondu pour le Musée Rodin, à Paris, par la Fonderie E. Godard, à Malakoff, en 1985, d'après un plâtre de 1885 environ
7,7×7,2×7,5 cm
Exemplaire signé et numéroté sur le cou à droite de la tête *A. Rodin nº 7/8*
Cachets à l'arrière *© by Musée Rodin 1985 E. Godard Fondr*

Achat, Musée Rodin, Paris, 1986

Expositions
Rodin: sculptures et aquarelles, Musée Toulouse-Lautrec, Albi, 1987.
Rilke et Rodin, Fondation Rainer Maria Rilke, Sierre, 1997.
Degas to Picasso: Painters, Sculptors and the Camera, San Francisco Museum of Modern Art; Dallas Museum of Art; Guggenheim Museum, Bilbao, 1999-2000.
Rodin, Golubkina, Claudel. La rencontre cent ans après, Galerie nationale Tretiakov, Moscou, 2004, cat. nº 14, repr. p. 53.

Edition de huit épreuves numérotées de 1/8 à 8/8; quatre épreuves réservées aux institutions culturelles et numérotées de I/IV à IV/IV.

Inv. nº 130

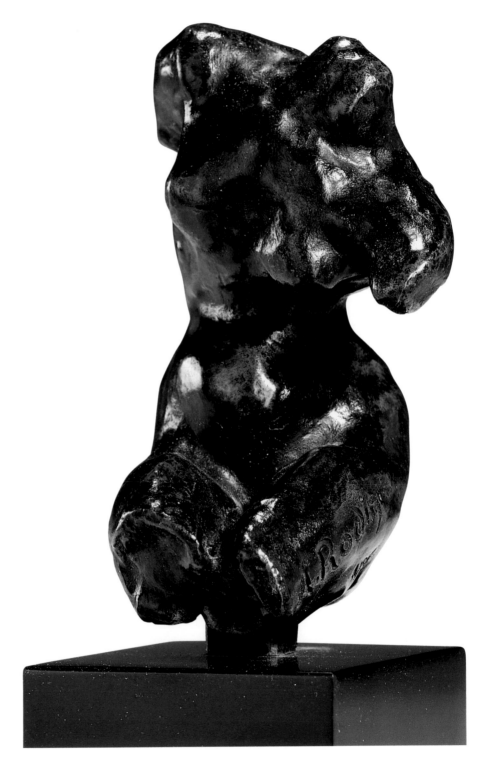

Torse de femme assise, dit Petit Torse assis B*

Bronze, patine brune, fondu par la Fonderie Georges Rudier, à Paris, en 1959
10×6×6,5 cm
Exemplaire signé et numéroté sur la cuisse gauche *A. Rodin nº 4*

Provenance: vendu par le Musée Rodin, Paris, à M. Costa Olson, Stockholm, en 1959

Achat, vente publique, Genève, Galerie Motte, mars 1973, lot nº 69

Exposition
Rodin, Golubkina, Claudel. La rencontre cent ans après, Galerie nationale Tretiakov, Moscou, 2004, cat. nº 15, repr. p. 46.

Edition de douze épreuves numérotées de 1 à 12.

Inv. nº 22

Exposition Claudel et Rodin.
La rencontre de deux destins,
Fondation Pierre Gianadda, 2006.

PHOTO: MICHEL DARBELLAY

*Auguste Rodin dans un long manteau à la Balzac,
février 1914.*

PHOTO: E. DRUET

Balzac en robe de dominicain*

Bronze, fondu pour le Musée Rodin, à Paris,
par la Fonderie Georges Rudier, à Paris,
en 1982, d'après un plâtre de 1893 environ
108 × 50 × 37 cm
Exemplaire signé et numéroté à l'avant
A. Rodin II/II
Cachet à l'arrière du socle
Georges Rudier Fondeur Paris

Achat, Musée Rodin, Paris, 1986

Expositions
Rodin: sculptures et aquarelles, Musée
Toulouse-Lautrec, Albi, 1987.
Hommage au Dr Henri Cuendet, Galerie
de l'Hôtel de Ville, Yverdon-les-Bains,
1994.
Rodin, dessins et aquarelles, Fondation
Pierre Gianadda, Martigny, 1994.
Auguste Rodin – Camille Claudel, Basil
& Elise Goulandris Foundation, Andros,
Grèce, 1996.
Rilke et Rodin, Fondation Rainer Maria
Rilke, Sierre, 1997.
*Degas to Picasso: Painters, Sculptors
and the Camera,* San Francisco Museum
of Modern Art; Dallas Museum of Art;
Guggenheim Museum, Bilbao, 1999-2000.
*Rodin, Golubkina, Claudel. La rencontre
cent ans après,* Galerie nationale Tretiakov,
Moscou, 2004, cat. nº 12, repr. p. 50.
*Claudel et Rodin. La rencontre de deux
destins,* exposition itinérante, Musée
national des Beaux-Arts, Québec;
Institute of Arts, Detroit; Fondation
Pierre Gianadda, Martigny, 2005-2006,
cat. nº 160, repr. p. 204.

Edition de dix épreuves en chiffres arabes
numérotées de 1 à 10; deux épreuves en
chiffres romains numérotées I/II et II/II.

Inv. nº 129

La Prière*

Bronze, fondu pour le Musée Rodin, à
Paris, par la Fonderie E. Godard, à Malakoff,
en 1981, d'après un plâtre de 1909
125×55×50 cm
Exemplaire signé et numéroté à l'avant
sur la terrasse *A. Rodin nᵒ 9*
Cachet à l'arrière au côté gauche
© *by Musée Rodin 1981* et au côté droit
E. Godard Fondr

Achat, Musée Rodin, Paris, 1981

Expositions
Rodin, Fondation Pierre Gianadda,
Martigny, 1984, cat. nᵒ 77, repr. p. 120.
Rodin: sculptures et aquarelles, Musée
Toulouse-Lautrec, Albi, 1987.
Palexpo, Genève, 1992.

Hommage au Dʳ Henri Cuendet, Galerie
de l'Hôtel de Ville, Yverdon-les-Bains,
1994.
Rodin, dessins et aquarelles, Fondation
Pierre Gianadda, Martigny, 1994.
Rilke et Rodin, Fondation Rainer Maria
Rilke, Sierre, 1997, cat. nᵒ 19, repr. p. 76.
Foire de Liège, 2000.
Le Nu au XXᵉ siècle, Fondation Maeght,
Saint-Paul-de-Vence, 2000, cat. nᵒ 136,
repr. p. 32.
*Rodin, Golubkina, Claudel. La rencontre
cent ans après*, Galerie nationale Tretiakov,
Moscou, 2004, cat. nᵒ 11, repr. p. 48.

Edition de douze épreuves en chiffres
arabes numérotées de 1 à 12.

Inv. nᵒ 59

Sam Szafran

Né à Paris, en 1934
Peintre, aquarelliste et pastelliste français, travaillant à Malakoff

(Biographie en page 140.)

Buste*

Bronze, patine noire, fondu par la
Fonderie Turridu Clémenti, à Meudon,
dans les années 1958-1960, d'après un
plâtre de 1958
9,5×7×8 cm
Exemplaire signé et numéroté à l'arrière
du socle *Szafran 3/8*

Don, Sam Szafran, 2003

Expositions
Sam Szafran, Fondation Pierre Gianadda,
Martigny, puis Fondation Maeght, Saint-
Paul-de-Vence, 1999-2000, cat. n° 108,
repr. p. 163.

Edition de douze épreuves, dont huit
exemplaires numérotés de 1/8 à 8/8 et
quatre épreuves d'artiste.

Inv. n° 283

Buste*

Bronze, patine noire, fondu par la
Fonderie Turridu Clémenti, à Meudon,
dans les années 1958-1960, d'après un
plâtre de 1958
7×5×7,5 cm
Exemplaire signé et numéroté à l'arrière
du socle *Szafran 3/8*

Don, Sam Szafran, 2003

Expositions
Sam Szafran, Fondation Pierre Gianadda,
Martigny, puis Fondation Maeght, Saint-
Paul-de-Vence, 1999-2000, cat. n° 109,
repr. p. 164.

Edition de douze épreuves, dont huit
exemplaires numérotés de 1/8 à 8/8 et
quatre épreuves d'artiste.

Inv. n° 283

Chute de l'ange*

Bronze, patine noire, fondu par la
Fonderie Turridu Clémenti, à Meudon,
dans les années 1958-1960, d'après un
plâtre de 1958
8×10×10 cm
Exemplaire signé et numéroté à l'arrière
du socle *Szafran 3/8*

Don, Sam Szafran, 2003

Expositions
Sam Szafran, Fondation Pierre Gianadda,
Martigny, puis Fondation Maeght, Saint-
Paul-de-Vence, 1999-2000, cat. n° 107,
repr. p. 162.

Edition de douze épreuvres, dont huit
exemplaires numérotés de 1/8 à 8/8 et
quatre épreuves d'artiste.

Inv. n° 283

Cheval

Bronze, fondu spécialement pour la Fondation Pierre Gianadda par la Fonderie Turridu Clémenti, à Meudon, en 2007, d'après un plâtre de 1963
31×13×33 cm
Exemplaire EA I/III
Sur la terrasse, signé *Szafran*, numéroté *EA I/III*, daté *1963*, dédicacé *Pour la Fondation GIANADDA*
Cachet du fondeur avec la date *2007*

Don, Sam Szafran, 2007

Exposition
Sam Szafran, Fondation Pierre Gianadda, Martigny, 1999-2000, [tirage 4/8], cat. n° 110, repr. p. 165.

Inv. n° 344

Le procédé de fonte à cire perdue

par Léonard Gianadda

Texte publié dans le catalogue *Rodin*, Fondation Pierre Gianadda, 1984

L'une des plus belles et des plus riches collections privées de sculptures de Rodin appartient à M. B. G. Cantor de New York. Exposée au dernier étage du plus haut gratte-ciel de la métropole américaine, le World Trade Center 1, une partie de cette collection domine l'un des panoramas les plus extraordinaires que l'on puisse imaginer: le Skyline de Manhattan.

Il est possible de visiter cet ensemble fabuleux sur rendez-vous.

Ce collectionneur passionné a eu l'excellente idée de présenter une partie didactique concernant la technique de la fonte des sculptures, plus précisément le procédé de fonte à cire perdue. Souvent méconnue du public, cette technique m'a semblé intéressante pour les visiteurs de notre exposition et les lecteurs de ce catalogue.

La réalisation technique d'une sculpture mérite des explications: n'ai-je pas un jour entendu un visiteur demander si l'artiste taillait ses sculptures à même le bloc de bronze?

Intéressé par cette question, je me suis adressé à M. Cantor pour lui demander l'autorisation de publier, en les commentant, les explications proposées aux visiteurs de son exposition. En accord avec le Musée Rodin de Paris et la Fonderie de Coubertin qui avait réalisé cette documentation à son intention, M. B. G. Cantor a aimablement accepté de mettre ces informations à notre disposition.

Une visite à la Fonderie de Coubertin – située dans la vallée de Chevreuse au sud de Paris, sur l'ancien domaine de la famille du baron Pierre de Coubertin – m'a permis de compléter cette documentation. Les procédés anciens ont été améliorés grâce aux techniques nouvelles, mais le travail est toujours artisanal et passionnant.

Reçus avec la plus grande gentillesse par Mme Pascale Grémont, conservateur des collections de la Fondation de Coubertin, Pierre Gassier et moi-même avons pénétré les mystères de cet art de la fonte transmis depuis l'Antiquité. M. Jean Bernard, président de la Fondation de Coubertin, nous a également donné son accord à la publication des légendes des illustrations de cet article. Et comme le souligne Mme Pascale Grémont: «Cela n'était pas si évident, car c'est un procédé qu'il a mis au point, après de longs tâtonnements, avec l'ensemble de ses collaborateurs à la fonderie… et il était usuel que les fondeurs gardent leur secret de fabrication très jalousement!»

Les onze documents qui suivent et leurs légendes permettront au visiteur et au lecteur de mieux suivre le déroulement des opérations qui sont nécessaires pour aboutir à la matière tellement riche du bronze patiné.

Les documents photographiques de ce chapitre ont été réalisés pour le collectionneur américain B. G. Cantor par la Fonderie de Coubertin, en accord avec le Musée Rodin de Paris. Il s'agit de la fonte de *La Petite Faunesse* de Rodin conçue pour *La Porte de l'Enfer*.

1 Le sculpteur crée un modèle qui est généralement réalisé en plâtre, en argile, en marbre, en pierre ou en bois. Ce modèle, qui est l'œuvre originale, est enduit ensuite d'un produit destiné à le protéger durant la prise d'empreinte.

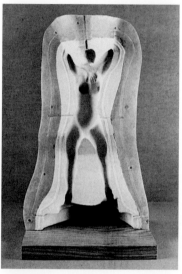

2 Une empreinte du modèle est prise dans un lit d'un matériau élastique très fin, qui est rigidifié par un moule extérieur plus résistant. La couche de renfort est conçue pour supporter la pression de la cire fondue qui se répand dans le moule. Pour de grandes pièces, la cire fondue est coulée sous pression.

3 Le moule, très fidèlement défini, sert à fabriquer un noyau de réfractaire, identique au modèle original de l'artiste.

4 La surface du noyau de réfractaire est grattée. Cette opération s'appelle le *tirage d'épaisseur*. Elle permet de créer le vide nécessaire à la coulée de la cire, vide qui a l'épaisseur que l'on souhaite donner au bronze.

5 Après avoir refermé le moule autour du noyau de réfractaire, la cire est versée dans l'espace qui vient d'être ménagé entre le noyau gratté et le moule. Cette étape est essentielle pour obtenir une reproduction parfaite de la sculpture initiale. Il en résulte un modèle en cire qui est retouché à la main, afin d'en assurer la fidélité par rapport à l'original. Il arrive fréquemment que l'artiste, s'il le souhaite, intervienne alors pour retoucher le modèle en cire, apporter une correction ou renforcer un effet.
C'est également à cette phase que l'on grave la signature de l'artiste, le numéro du tirage et le cachet de la fonderie.

6 Un réseau de conduits de cire, l'*alimentation*, est fixé à l'épreuve de cire. Ces conduits servent de canaux qui permettront à la cire, chauffée et devenue liquide, de s'échapper. Ils serviront aussi à distribuer le métal en fusion et permettront à l'air de sortir, lors de la coulée.

7 Une terre réfractaire, la *chamotte*, finement granulée est progressivement appliquée sur la surface de la cire et sur ses conduits, jusqu'à ce que l'ensemble, consolidé de treillage, devienne rigide et massif.
Le résultat final est le *moule de coulée*. Le moule est alors séché et chauffé.
La cire liquéfiée s'écoule hors du moule, laissant un espace entre le noyau de réfractaire et le moule de coulée.
Cette opération est le *décirage*.

8 Le moule de coulée est alors porté à haute température (550 à 600°C), puis recouvert d'un manteau extérieur qui doit être complètement séché avant que le bronze puisse être coulé.

9 Le bronze en fusion (1200°C) est alors coulé dans la cavité du moule, remplissant l'espace laissé libre par la cire. Le moule est ensuite brisé et le métal apparaît. La sculpture et ses conduits sont l'exacte reproduction de ce qu'était la figure en cire (cf. figure n° 6).

10 Le réseau des conduits d'alimentation est alors coupé, puis la surface du bronze travaillée pour en effacer toutes les traces.

Il s'agit d'un travail minutieux et long. Ce procédé de finition à la main pour amener le bronze à sa perfection est appelé la *ciselure*. Les restes du noyau de réfractaire, à l'intérieur de la statue de bronze, sont alors soigneusement retirés.

11 Lorsque la ciselure est terminée, des oxydes sont appliqués à chaud ou à froid sur la surface du bronze pour provoquer une légère couche de corrosion, la *patine*.

C'est cette altération artificielle, la patine, qui va protéger le bronze des attaques ultérieures qu'il pourrait subir au cours des années. Ces patines peuvent être brunâtres, verdâtres ou bleuâtres, plus ou moins foncées.

Les patines peuvent également être différentes si la sculpture est destinée à être exposée à l'intérieur ou bien soumise aux intempéries. Actuellement, les artistes savent jouer avec les teintes de la patine pour accentuer des effets particuliers.

[…] The devastation of the Trade Center was so vast that almost no furniture from within the towers survived. "In four months here I have yet to see a desk, a chair or a filing cabinet," Allee* said.
A few items stand out—such as the broken remains of a bronze statue by Auguste Rodin. The work had been in the offices of Cantor Fitzgerald, a brokerage that lost hundreds of employees…

The Milwaukee Journal Sentinel, January 16, 2002

*William Allee was Chief of Detectives in New York.

[…] La destruction du World Trade Center fut si importante que pratiquement aucun meuble ne put être retrouvé. «En quatre mois, je n'ai vu ni bureaux, ni chaises, ni meubles d'archivage», confie William Allee*.

Quelques rares objets ont tenu bon, comme les fragments d'une sculpture en bronze d'Auguste Rodin. L'œuvre était exposée dans les bureaux de Cantor Fitzgerald, une maison de courtage qui perdit des centaines d'employés…

The Milwaukee Journal Sentinel, 16 janvier 2002

*William Allee était détective en chef à New York.

L'art dans la ville

L'art en ville

par Daniel Marchesseau

La sculpture est un des domaines d'élection de Léonard Gianadda. Il lui a consacré plusieurs manifestations dans le forum et dans le parc de la Fondation: Rodin, Moore, Botero, Dubuffet, Miró, César... Déterminante, l'exposition *Sculpture suisse en plein air 1960-1991* lui a permis de réfléchir sur la mise en place *in situ* de pièces ordonnées en arborescence sur les pelouses au détour des frondaisons.

En 1954, l'historien et critique d'art Marcel Joray, fondateur à Neuchâtel des Editions du Griffon, ardent défenseur de la sculpture suisse, avait lancé un cycle d'expositions en plein air dans la ville de Bienne (Mittelland), poursuivi jusqu'en 1970. Invités par Léonard Gianadda, Annette Ferrari et André Kuenzi organisèrent avec lui, vingt ans plus tard, cette exposition historique en Valais. La quarantaine de pièces signées de sculpteurs travaillant dans les cantons romands, alémaniques et au Tessin

se déployaient parfaitement dans le parc récemment agrandi. La diversité des artistes, la noblesse des matériaux, les subtilités de la mise en espace furent très applaudies.

L'art en ville, l'idée était nouvelle en Suisse dans les années quatre-vingt-dix. Léonard Gianadda propose d'offrir certaines de ces œuvres récemment exposées pour orner les giratoires de la ville. Ainsi, Rudolf Blättler, Aloïs Dubach, Silvio Mattioli, André Ramseyer, Albert Rouiller, Maurice Ruche et Josef Staub furent installés en majesté aux principaux carrefours du réseau routier de Martigny. La politique artistique suivie depuis 1992 a été de susciter des commandes auprès d'artistes travaillant en Suisse. Des œuvres monumentales d'Yves Dana, Hans Erni, Bernhard Luginbühl, Antoine Poncet, André Raboud, André Tommasini, Gillian White et Michel Favre ponctuent aujourd'hui la couronne de Martigny.

D.M.

Helvetia, un bronze de Gustave Courbet à Martigny

par Daniel Marchesseau

Helvetia, buste personnifiant la Liberté, offert à la Ville de Martigny par Courbet et inauguré en sa présence au son de La Marseillaise le 14 juillet 1876.

La Ville de Martigny possède depuis cent trente ans un chef-d'œuvre sculpté peu connu du peintre Gustave Courbet (1819-1877). Après la chute de la Commune à Paris, le peintre doit s'exiler en Suisse, en 1873, suite au déboulonnage de la colonne Vendôme qui lui avait valu son incarcération à la prison Sainte-Pélagie et la confiscation de ses biens. Pendant ses dernières années, Courbet trouve ainsi refuge sur la Riviera vaudoise, à La Tour-de-Peilz, près de Vevey. Sa dernière demeure au bord du lac Léman se nomme «Bon-Port». Mais il passe de longs mois en 1874-1875 à l'abri des remparts du bourg médiéval du Vieux-Saillon, aux environs immédiats de Martigny. Il y est accueilli par la famille de Maurice Barman, héros de la «Jeune Suisse», figure du socialisme bas-valaisan et président du Gouvernement cantonal. C'est sans doute là qu'il exécute un très important plâtre en ronde-bosse sur le thème emblématique de la République, intitulé *Helvetia* ou, selon la version, *La Liberté* (1875, 75×55×50 cm).

L'identité du modèle n'a pas été définitivement établie. Selon les uns, Gustave Courbet se serait inspiré des traits de Lydie Jolicler, qui l'avait aidé à entrer en Suisse le 23 juillet 1873. Mme Charles Jolicler, originaire de Pontarlier, était une amie de sa famille jurassienne depuis vingt ans. Mais le portrait peint en 1869 qu'il a laissé d'elle (Musée départemental Gustave Courbet, Ornans) induit un doute sur la vraisemblance de cette hypothèse, compte tenu de son âge. Avec Les Amis de Gustave Courbet et l'institut éponyme, il semblerait plutôt qu'il s'agisse de Suzanne Arnaud, de l'Ariège, qui partageait alors au château des Crêtes à Clarens, à quelques kilomètres seulement de La Tour-de-Peilz, la vie de Vincent Dubochet. Ce bourgeois de Chailly-Clarens, grande figure montreusienne, avait édifié cette noble demeure en 1864 sur l'emplacement présumé des Bosquets de Julie décrits dans *La Nouvelle Héloïse* de Jean-Jacques Rousseau. La belle et rayonnante Mme Arnaud aurait été présentée à Courbet – qui se serait épris d'elle – par leur amie commune d'origine fribourgeoise, Adèle d'Affry, duchesse Castiglione Colonna, elle-même sculpteur très reconnu sous le pseudonyme de Marcello.

Courbet représente cette allégorie de la République helvétique, incarnant la liberté de la République même. «Je viens de faire ma république helvétique avec la croix fédérale, c'est un buste colossal pour mettre sur la fontaine de La Tour de Peilz [...] Elle lève la tête et regarde les montagnes», écrit-il le 4 février 1875 à son vieil ami parisien, le critique d'art Jules Castagnary. L'effigie altière et majestueuse, à l'opulente chevelure ceinte du bonnet phrygien, porte fièrement dans l'échancrure du corsage une broche en médaillon ornée soit d'une croix simple – l'écusson national suisse –, soit d'une étoile à cinq branches symbolisant la liberté.

Helvetia a été fondue en bronze à trois exemplaires (1875) dans un atelier de Vevey, qui seront suivis d'une dizaine de répliques en plâtre. En témoignage de gratitude pour l'hospitalité qu'il y a reçue, l'artiste en offre une épreuve l'année suivante à La Tour-de-Peilz pour la place du Temple, puis à la bourgade de Martigny, la dernière se trouvant aujourd'hui au Musée d'Art et d'Histoire de Meudon. Le 14 juillet 1876, pour l'inauguration à Martigny de la place de la Liberté, ainsi baptisée en son honneur (aujourd'hui place de Plaisance), le président de la ville, Alexis Gay, les bourgeois martignerains et les autorités dévoilent l'œuvre très officiellement en présence de l'artiste: «La dernière joie de Courbet [un an avant sa mort, à l'âge de 58 ans] aura été l'inauguration en grande solennité, il y a tout juste un an, du buste de *La Liberté* offert par le maître à la ville de Martigny. La fanfare municipale et des porteurs de torches s'étaient groupés en deux cercles concentriques autour du monument, des tirs de mortier et des feux d'artifice venant retentir entre les morceaux de musique. Après quoi, sur la proposition d'un citoyen, *La Marseillaise* fut entonnée par toute l'assistance en l'honneur du peintre» («L'art en deuil», 1877).

Le syndic de La Tour-de-Peilz avait adressé au maître une lettre chaleureuse de remerciements: «Vous avez trouvé sur le sol de Suisse un asile contre les orages des révolutions, et, en souvenir de l'hospitalité reçue, vous nous faites l'offre d'un buste à placer comme ornement sur la fontaine principale de la ville [...] Nous apprécions le sentiment doux et agréable qui a dicté votre démarche [...] Merci donc pour ce témoignage de votre affection pour nous, lequel nous est doublement précieux, puisqu'il est l'œuvre d'un grand artiste.» Mais il faut souligner que le Conseil de La Tour-de-Peilz, craignant un incident diplomatique avec la France, gomme toute allusion politique: la statue doit être une représentation de la Liberté, et non de la République ou de l'Helvétie; la croix helvétique du plâtre original a été transformée en étoile à cinq branches pour l'édition en métal.

Avec *Le Pêcheur de chabots* (1862, Musée d'Ornans) et trois larges médaillons de *Mme Buchon* (1864, Ornans),

M. Alfred Bouvet et *La Dame à la mouette* (1876, Ornans et Musée Jenisch, Vevey), *Helvetia* est une des rares sculptures de Gustave Courbet répertoriées à ce jour. Deux exemplaires en plâtre sont présentés au Musée Courbet à Ornans (don des Amis, 1976) et au Musée des Beaux-Arts de Besançon (don Juliette Courbet, 1883). Le premier, en plâtre blanc, porte gravés sur la terrasse les mots *Tour de Peilz*, sur le flanc gauche, et *Hommage à l'hospitalité*, sur le flanc droit. Le second, en plâtre teinté, porte le titre *Helvetia* en face et les mentions latérales *Hommage à l'hospitalité* et *Tour de Peilz mai 1875*. Sur les deux pièces, tirages postérieurs à la première édition limitée à trois exemplaires, l'Helvétie est bien représentée par la croix *fédérale* portée en médaillon sur son sein – comme le confirme une lithographie d'époque la reproduisant (Musée d'Ornans et Musée cantonal des Beaux-Arts, Lausanne). Courbet avait en effet tenu, pour les éditions en plâtre, à y replacer la croix fédérale helvétique. En témoigne également celle qu'il avait lui-même offerte au Musée Arlaud à Lausanne.

A Martigny, l'effigie repose sur un double socle en pierre, gravé postérieurement: *HELVETIA* et *COURBET, FECIT & DEDIT, MDCCCLXXVI*.

Il faut signaler pour être complet qu'une troisième version de la même œuvre, un plâtre teinté (Musée historique de Berne) signalé par Pierre Chessex dans son catalogue de 1991, s'intitule *Amitié, Progrès, Union* et porte en médaillon les initiales *JRS* dans un soleil rayonnant, correspondant peut-être à une organisation radicale «Jeune République Suisse». Mais l'explication reste incertaine.

D.M.

Note

Bibliographie pour les deux articles à la page 302.

La sculpture dans la cité

par Michel Veuthey, premier conseiller culturel de l'Etat du Valais

La statuaire et la danse

Certaines formes de sculptures décorent les surfaces en les faisant émerger vers la troisième dimension, mais l'attitude visuelle du spectateur diffère peu du regard qu'il porte à une mosaïque ou à une fresque. En revanche, la sculpture en ronde-bosse échappe à la prison d'une façade ou d'une muraille: elle crée l'espace par sa simple présence et permet à chacun de la voir sous tous ses angles.

Je suis tenté de comparer l'art du sculpteur à celui du chorégraphe. Je ne pense pas seulement à la danse de certains mobiles, dont la brise la plus discrète crée le mouvement, engendrant même, parfois, la musique de quelques frottements entre les matières. Je songe encore, évidemment, aux danseurs dont Rodin sut fixer le vertige dans un mouvement que nous percevons très bien, en dépit de leur perpétuelle immobilité. Mais je pense surtout à certaines statues, en plein air ou dans un musée, lorsqu'on a eu le courage de les installer en liberté, sans les enfermer dans la prison protectrice d'une grille. Alors, si la statue ne se met pas à danser, c'est le spectateur qui crée le mouvement, invité, presque à son insu, à tourner lui-même autour de l'œuvre, pour en admirer les multiples facettes.

Nous pouvons le ressentir lors d'une promenade en forêt: si le sol ne présente pas trop d'embûches, nous marchons entre les arbres et nous avons l'impression que la forêt se met à danser autour de nous, au rythme de nos pas. Je me rappelle une expérience identique vécue en me promenant, un matin inondé de soleil, sous les voûtes de la plus vaste cathédrale gothique de France, celle d'Amiens. Avant l'arrivée des premiers visiteurs, j'avais le sentiment que l'édifice se mouvait au-dessus de moi. Il y a sans doute quelque perversité à se prendre pour le centre d'un tel lieu, en le voyant danser en fonction de soi. Mais l'expérience mérite d'être vécue, car elle nous remémore, du même coup, notre petitesse…

De la même manière, une sculpture donne un sens aux mouvements de ceux qui tournent autour d'elle. Sans doute marchent-ils d'une autre façon, car leurs pas adoptent un rythme nouveau. Dressez un obélisque ou une statue monumentale au centre d'une place publique: l'œuvre en devient le cœur et la structure. Les passants apparaissent comme des danseurs reliés à ce nœud central, telles des marionnettes dont les mouvements seraient guidés par d'invisibles fils.

Je n'ai jamais demandé à Léonard Gianadda s'il avait vécu de semblables expériences, mais celles et ceux qui le connaissent savent combien il aime la sculpture, et cette sensibilité explique l'importance de la statuaire dans les collections qu'il a patiemment constituées.

Les expositions de peinture couvrent une longue période chronologique et n'ignorent pas l'art moderne. Le domaine de la sculpture, objet du présent ouvrage, nous livre un autre aspect de sa personnalité: un intérêt très éclectique pour la sculpture contemporaine. Un vaste espace vert lui est consacré, ce qui permet de faire vivre dans un même lieu des artistes fort différents. De telles rencontres seraient parfois gênantes en un lieu restreint et confiné; ici, elles permettent de passionnantes découvertes, tout en laissant à chaque œuvre l'espace dont elle a besoin. En passant de l'une à l'autre, le visiteur a le temps de reposer ses yeux dans un lieu verdoyant, malgré la foule des visiteurs qui le traversent en toute liberté.

Ce parc nous révèle l'aspect collectionneur de Léonard. Car, si ce trait de sa personnalité se manifeste déjà dans l'acquisition de tableaux, le visiteur le remarque moins, en raison de la multiplicité et de la richesse des expositions de peinture. Dans le parc, au contraire, la permanence des installations permet de mesurer la richesse de cet ensemble de sculptures très différentes, bien représentatives des principaux courants du XXe siècle. Un élément me paraît ici essentiel: c'est l'ouverture généreuse, parfois même audacieuse, que cet ensemble nous révèle. Je voudrais souligner encore un autre aspect éloquent: la liberté totale laissée à chacun dans le Parc de Sculptures. Nul parcours obligé, nulle barrière; d'agréables chemins serpentent d'une zone à l'autre, mais des chemins que l'on peut quitter pour se promener dans l'herbe tout à loisir.

Une nouveauté urbaine: les giratoires

Les œuvres romaines sont conservées à l'abri dans le bâtiment central de la Fondation. Les sculptures modernes sont installées en plein air dans le vaste parc clos. Mais la sculpture va sortir de cet univers protégé. Grâce à une nouvelle initiative de Léonard Gianadda, elle gagne toute la ville de Martigny. En effet, si un chroniqueur du XIe siècle a pu écrire que l'Europe, après les terreurs de l'an mil, «se couvrit d'une blanche robe d'églises», un historien de l'urbanisme notera sans doute qu'à la fin du XXe l'Europe se couvrit de giratoires. La fluidité du trafic à la place Charles-de-Gaulle, à Paris, aurait pu suggérer beaucoup plus tôt cette solution pratique et relativement économique, devenue maintenant une véritable mode. Le principe étant adopté, chaque ville, chaque village cherche une solution pour décorer ces nouveaux sites urbains. On se contente parfois d'un terre-plein sans décoration, parfois l'on plante des arbres, des arbustes ou des massifs floraux. Léonard, lui, eut une idée plus originale: orner chaque giratoire d'une sculpture monumentale. Généreusement, il a offert à la Ville de Martigny, pour chaque giratoire, l'œuvre d'un sculpteur suisse. Ainsi, les touristes qui traversent la cité, carrefour des Alpes, découvrent treize œuvres.

Avec prudence, un contrat fut établi avec les autorités locales: si l'un ou l'autre de ces giratoires était supprimé, l'œuvre reviendrait automatiquement à la Fondation Pierre Gianadda. Son avenir est donc assuré, car l'ensemble pourrait constituer la base d'un nouveau parc. Mais on n'en est pas là. Pour l'instant, les giratoires offrent aux gens de la région et aux touristes de passage une preuve supplémentaire de l'imagination et de la générosité de Léonard Gianadda.

Un problème, pourtant, mérite d'être relevé. La nature même des sculptures installées au centre d'un rond-point ne permet évidemment pas une visite détaillée, approfondie. L'automobiliste peut difficilement s'arrêter en plein carrefour pour observer les œuvres, et son attention est trop occupée par le trafic pour pouvoir se pénétrer d'impressions esthétiques. S'il décide alors de se transformer en piéton, il doit se contenter d'une contemplation à distance, en accomplissant les longs détours que lui imposent les trottoirs et les passages réservés. Peut-être osera-t-il, à une heure de moindre trafic, faire le tour de l'œuvre, mais j'ignore si les agents de Martigny ont reçu des consignes pour se montrer indulgents envers de tels visiteurs!

Fondation, musée, parc et giratoires constituent un ensemble de réalisations très originales, sans doute uniques, qui méritent une réflexion plus profonde que cette simple énumération.

De la publicité au mécénat

Quand on nous annonce à la radio qu'une galerie, un musée ou un festival nous «offre» l'heure ou les prévisions météorologiques, il s'agit d'une simple publicité, grâce au rappel succinct d'une manifestation connue du public. Quand les Chemins de fer fédéraux financent l'annonce de l'état des routes et la liste des «bouchons», c'est une publicité indirecte et astucieuse, destinée à inciter les voyageurs à préférer les trains aux embouteillages routiers.

Mais lorsqu'une banque, ou une compagnie d'assurances, finance une exposition, un concert ou la tournée d'un orchestre, on dit qu'elle *sponsorise* ces manifestations. Elle apporte un soutien, souvent très important, mais cette générosité n'est pas désintéressée. La société en question veut ainsi se faire mieux connaître, cherchant à profiter d'un événement culturel pour améliorer son image, en montrant que le souci du rendement financier, si prioritaire soit-il, n'est pas le seul mobile de son activité. Son action contribue à révéler sa capacité d'agir pour le bien public avec une certaine gratuité.

Souvent, les collectivités publiques suscitent ou, du moins, soutiennent des initiatives culturelles, car elles ont bien compris que ces aides officielles améliorent les offres culturelles, reconnues désormais comme des éléments importants de la qualité de vie.

Au-dessus de toutes ces initiatives, plus ou moins intéressées, on trouve enfin le véritable mécénat. Comme on le sait, Mécène était un noble romain d'origine étrusque, ami d'Auguste, le premier empereur. Riche et généreux, il soutint de nombreux créateurs, en particulier les écrivains Virgile et Horace, à la fin du premier siècle avant Jésus-Christ. La générosité et le dynamisme de Mécène furent tels que son nom est devenu le modèle et le synonyme de toute personnalité riche et généreuse apportant aux créateurs et aux artistes une aide efficace, indispensable à la vie de l'art et à la conservation des œuvres.

On le voit: ce que fait Léonard Gianadda est du véritable mécénat. Depuis plus de trente ans, il se dépense sans compter, mettant sa compétence, ses moyens et, il faut le souligner, sa ténacité au service d'expositions et de saisons musicales de qualité. Il est entouré dans cette tâche d'un Conseil de fondation qu'il a récemment élargi, en l'ouvrant à des conseillers représentant diverses institutions internationales importantes. Il prépare ainsi l'évolution future de la Fondation, tout en multipliant les possibilités d'échanges, éléments essentiels pour l'organisation d'expositions d'envergure. Les autorités locales et cantonales y sont aussi représentées, car, si les soutiens officiels restent modestes, à la mesure des moyens de collectivités de plus en plus sollicitées, cette présence constitue une garantie précieuse.

Notre réflexion est partie de l'Antiquité, avec l'évocation du temple découvert sur l'emplacement de la future Fondation. Je voudrais la conclure en remontant à un passé encore plus lointain.

Chacun connaît la brillante période culturelle que vécut la Grèce antique, en particulier la ville d'Athènes. Comme ailleurs, les citoyens aisés de cette jeune république contribuaient aux dépenses de la collectivité, mais on avait mis sur pied un système de participation beaucoup plus sympathique que des prélèvements fiscaux destinés à être noyés dans un fonds commun. Les citoyens qui en avaient les moyens pouvaient financer des actions publiques. Deux exemples sont souvent cités par leurs auteurs: l'équipement d'une galère et la constitution d'un chœur pour la représentation d'une tragédie. On appelait cela d'un nom qui a pris aujourd'hui une tout autre signification: une *leitourgia*. Peut-être cette forme de mécénat renaîtra-t-elle un jour, si les rédac-

teurs d'une future loi fiscale savent s'inspirer du modèle athénien. Il est probable que certains amateurs de créations culturelles préféreraient cette solution aux prélèvements accomplis par les responsables des finances publiques. Le système de la dation existe déjà dans certains pays, manière relativement sympathique et efficace de s'acquitter des droits de succession, lorsque la famille hérite d'une collection d'œuvres d'art. Pourquoi ne pas adopter une solution analogue pour la mise sur pied de nos manifestations culturelles?

M. V.

Les giratoires

par Léonard Gianadda

Avec le recul, je pense qu'il est intéressant de reproduire (voir ci-après) la lettre que j'avais adressée à la Municipalité de Martigny le 31 octobre 1994. A cette époque, notre ville se dotait de ses deux premiers ronds-points et n'excluait pas d'en réaliser quelques autres. C'est alors que j'ai imaginé et proposé un concept global, tel qu'exposé dans cette lettre ressortie des archives.

Ce qui me réjouit aujourd'hui, c'est de constater que mon dessein originel est devenu réalité. Au fil des ans, les maillons d'une chaîne virtuelle, sans liens apparents et géographiquement éloignés les uns des autres, se sont rapprochés à chaque nouvelle réalisation. Finalement, l'idée directrice initiale, le fil conducteur, voire une certaine philosophie, se sont matérialisés… bien des années et trois présidents de commune plus tard. A l'origine, ce qui fut parfois considéré comme une intrusion intolérable semble aujourd'hui bien perçu par une population qui éprouve même une certaine fierté à l'égard des sculptures des ronds-points, progressivement acceptés et naturellement intégrés au paysage urbain.

J'ai eu la possibilité et la chance de pouvoir proposer treize œuvres pour les treize giratoires existants, et cela sans contestation aucune… du moins pour la Ville de Martigny, ce qui est plutôt exceptionnel. Aujourd'hui, l'opinion de la population martigneraine me réjouit. Avec des goûts souvent différents, elle disserte avec pertinence sur les sculptures: certains adorent telle ou telle œuvre, pour d'autres ce sera l'inverse. Les avis sont contrastés, et c'est tant mieux. Pourtant, le concept initial a été respecté: diversité des styles, des genres, des matériaux, en fonction du lieu, de l'environnement et de la taille de chaque giratoire. Plusieurs œuvres ont fait l'objet d'une commande spécifique. Une sculpture monumentale a été réalisée par une femme, Gillian White. Il est réjouissant de constater que le goût des Martignerains évolue: certaines œuvres, appréciées ou décriées au départ, le sont davantage ou moins aujourd'hui, et je me plais à imaginer un sondage auprès de la population à qui l'on demanderait de les classer par ordre de préférence.

Une répartition s'est opérée entre la sculpture internationale, réservée au Parc de la Fondation, et la sculpture nationale, proposée sur les giratoires.

En ville, en effet, les œuvres proviennent d'artistes de toutes les régions du pays, la plupart déjà présents dans l'exposition *Sculpture suisse en plein air*, présentée à la Fondation en 1991 à l'occasion du 700e anniversaire de la Confédération suisse. A cette époque, il était possible d'organiser des expositions temporaires de sculptures dans le Parc de la Fondation, la collection permanente étant alors très restreinte. Il avait néanmoins fallu disséminer dans la ville des œuvres exceptionnelles, comme le Moore sur l'avenue de la Gare, le Dubuffet dans les jardins de l'hôpital, le Rodin sous les arcades de l'Hôtel de Ville… ce qui n'était pas banal.

Oserions-nous récidiver aujourd'hui?

L. G.

LÉONARD GIANADDA
Ing. dipl. EPFL-SIA

————

Avenue de la Gare 40
CH - 1920 MARTIGNY
Tél bureau 026 22 31 13
fax 026 22 31 63

Administration Communale
de Martigny
1920 – Martigny

lg/re

Martigny, le 31 octobre 1994

Monsieur le Président, Madame, Messieurs,

Pour faire suite à l'entretien que j'ai eu avec M. Pascal Couchepin, président, lundi 8 août dernier, et après mûre réflexion, je suis en mesure aujourd'hui de vous proposer ce qui suit :

– au cours de cette année, vous avez procédé à l'aménagement de deux ronds-points en Ville de Martigny, l'un à la Chapelle du Bourg (départ de la route de Chemin-Col des Planches), l'autre au carrefour rue Simplon-avenue du Léman. Par ailleurs, vous avez l'intention de transformer en ronds-points une série d'autres carrefours de Martigny.

– cette situation nouvelle pourrait être l'occasion d'imaginer un concept général pour l'aménagement de l'ensemble de ces ronds-points en donnant à Martigny une image en rapport avec sa vocation de ville d'accueil et ville d'art. Il serait judicieux qu'une unité préside à la conception de ces ronds-points.

– J'ai pensé à l'opportunité de placer sur chacun de ces ronds-points une sculpture importante.

– l'idée me semble originale dans la mesure où, à ma connaissance, aucune autre ville n'a, à ce jour, tenté une telle opération de manière systématique. Cette initiative constituerait une carte de visite intéressante, marquerait l'identité de Martigny en confirmant sa vocation artistique.

– les sculptures pourraient être des réalisations des meilleurs artistes suisses contemporains et le choix des œuvres pourrait s'effectuer en fonction de divers critères : diversité des styles (figuration, abstraction, réalisme, art brut, etc.), des matériaux (acier, bronze, marbre, granit, etc.), des dimensions, des formes et des couleurs. Il s'agirait bien entendu de tenir compte de l'intégration au site.

– une telle opération coûte évidemment assez cher puisqu'on peut estimer à environ Fr. 50'000.— à Fr. 200'000.— le prix d'achat d'une seule œuvre. De plus, elle devrait se réaliser au moment où les collectivités publiques sont dans une situation financière difficile. Une telle décision pourrait même paraître choquante aux yeux des citoyens et citoyennes qui rencontrent aujourd'hui des difficultés économiques, notamment en raison des pertes d'emplois, si la dépense occasionnée devait grever le budget communal.

Pour toutes ces raisons, mais surtout parce que j'aime ma ville, que je suis reconnaissant à ses ressortissants d'avoir accueilli ma famille, que je sais aussi que je leur dois de bénéficier d'une situation privilégiée et aussi parce que je souhaite contribuer à l'effort consenti d'une manière constante par l'autorité pour rendre la ville attrayante, j'ai décidé si vous consentez à ce projet d'offrir à la communauté martigneraine les deux premières sculptures pour les ronds-points déjà aménagés.

– je précise d'ores et déjà que mon intention est d'offrir également les sculptures des prochains ronds-points projetés ceci pour autant que ma situation financière me permette de l'envisager le moment venu.

– pour ne pas imposer à la collectivité des choix purement personnels et un concept essentiellement subjectif, j'ai soumis ce projet à plusieurs personnes, notamment à Mme Marie Claude Morand, directrice des Musées Cantonaux, et à MM. Bernard Attinger, architecte cantonal, Jean-Paul Darbellay, architecte et urbaniste à Martigny et Michel Veuthey, anciennement conseiller culturel à l'Etat du Valais.

Je précise que j'ai également fait part de cette intention à M. Gabriel Magnin, ingénieur cantonal, pour ce qui concerne les éventuels problèmes de sécurité. Toutes ces personnes se sont montrées enthousiastes quant à ce projet.

– concrètement et dans l'immédiat, je vous soumets les propositions suivantes :

a) pour le rond-point de la chapelle du Bourg, sculpture d'Antoine Poncet, membre de l'Institut, Académie des Beaux-Arts,
  SECRETE
  Marbre Bardiglio
  210 x 160 x 90 cm
  Prix de la sculpture : Fr. 180'000.—

b) pour le carrefour avenue du Léman-rue du Simplon, une œuvre de Silvio Mattioli :
  TRIAS
  1991
  Acier au zinc laqué
  600 x 500 x 400 cm
  Prix de la sculpture : Fr. 80'000.—

Je joins à la présente deux dossiers concernant ces œuvres et précise que ces deux sculptures faisaient partie du groupe d'artistes invités dans le cadre de l'exposition

SCULPTURE SUISSE EN PLEIN AIR

organisée en 1991 dans les jardins de la Fondation Pierre Gianadda à l'occasion du 700ème anniversaire de la Confédération suisse. La sélection des artistes et des œuvres avait été effectuée par MM. Marcel Joray et André Kuenzi, autorités reconnues et indiscutées sur le plan suisse en matière de sculpture contemporaine.

– éventuellement j'envisagerai une démarche similaire auprès de la Commune de Martigny-Croix pour le rond-point du restaurant Transalpin (voir en annexe copie de la lettre adressée à Bernhard Luginbühl).

– l'aménagement des ronds-points et la mise en place des sculptures – en principe avec la collaboration des artistes – devraient être réalisés par la municipalité.

Il s'agit notamment de la confection des socles, des plaquettes signalétiques, du transport et de la mise en place des œuvres, de l'éclairage, arrosage, engazonnement, entretien et sécurité des sculptures (assurances éventuelles ?).

– toutes les sculptures pourraient être présentées sur un terrain engazonné, pour conférer une unité à l'ensemble et mettre en valeur l'œuvre d'art. Je précise par ailleurs que cet engazonnement se révèlerait moins coûteux à l'entretien que les massifs floraux actuellement réalisés.

Il va évidemment de soi qu'oriflammes et autres décorations sont incompatibles avec la présence des sculptures.

– si des modifications urbanistiques devaient intervenir dans le futur, par exemple déplacement ou suppressions des ronds-points, ou que les œuvres ne devaient plus remplir le but pour lequel elles ont été offertes, j'exprime le vœu que la Fondation Pierre Gianadda puisse en disposer à son gré.

– je souhaiterais que vous vous prononciez sur cette proposition dans des délais assez brefs car j'aimerais concrétiser cette offre cette année encore, ce qui me permettrait notamment de ne pas subir le nouveau régime de la TVA pour ces acquisitions.

Je reste à votre disposition pour tous les renseignements que vous pourriez souhaiter et dans l'attente de vos nouvelles je vous prie de croire, Monsieur le Président, Madame, Messieurs, à l'expression de mes sentiments les meilleurs.

Copie, à :
– Mme Marie Claude Morand
– M. Bernard Attinger, architecte cantonal
– M. Jean-Paul Darbellay, architecte et urbaniste à Martigny
– M. Michel Veuthey, ex-conseiller culturel à l'Etat du Valais
– M. Gabriel Magnin, ingénieur cantonal
Annexes : ment.

COMMUNE DE MARTIGNY
—
LE PRÉSIDENT

Monsieur Léonard GIANADDA
Président de la Fondation
Pierre Gianadda
Avenue de la Gare 40

1920 **MARTIGNY**

Martigny, le 21 septembre 2007

1920 **MARTIGNY**

Cher Monsieur,

C'est avec un réel émerveillement que les usagers de l'Avenue du Grand-St-Bernard, passants, habitants de la Ville, et autres promeneurs ou touristes ont pu découvrir et contempler la sculpture "Synergie" de Michel Favre, récemment installée sur le giratoire du Pré-de-Foire.

Le séduisant concept global que vous avez imaginé en 1994 déjà, pour orner les ronds-points de la Ville, est devenu aujourd'hui une réalité enviée suscitant unanimement l'admiration.

Ce remarquable parc de sculptures à ciel ouvert représente un privilège exceptionnel pour notre Cité. Il s'intègre parfaitement à l'image de "Martigny-la-culturelle", lui confère un caractère distinctif hors du commun, et forge sa fierté.

Nous ne pouvons que vous exprimer, une nouvelle fois, toute notre gratitude pour votre générosité et votre acuité visionnaire, au nom de la collectivité du temps où nous vivons et de celle de demain.

De surcroît, tout en vous faisant part de ma franche satisfaction au sujet de la sculpture "Tige Martigny" de Bernhard Luginbühl. fraîchement repeinte, se dressant, altière et fuselée sous toutes les clartés des ciels octoduriens au carrefour "Porte du Rhône", je vous prie de croire, Cher Monsieur, à l'assurance de ma considération distinguée.

Le Président

Olivier DUMAS

Silvio Mattioli, André Raboud, Yves Dana, Hans Erni, Léonard Gianadda et Josef Staub, devant Le Minotaure, *lors de la visite par les artistes des giratoires de Martigny, 5 octobre 2001.*

Les ronds-points

Rudolf Blättler

Né à Kehrsiten (canton de Nidwald), en 1941
Sculpteur suisse, travaillant à Lucerne

Biographie

Rudolf Blättler est né en 1941 à Kehrsiten, dans le canton de Nidwald. De 1965 à 1968, il est étudiant à l'Ecole des Arts et Métiers de Lucerne. Il intègre en 1968 l'Académie des Beaux-Arts de Vienne, et en 1969 l'Académie des Beaux-Arts de Rome.

Dans les années 1974 à 1976, il effectue de nombreux séjours et voyages à l'étranger: Pologne, Russie, Etats-Unis, Mexique et Pérou.

En 1977, Blättler obtient de l'Office fédéral de la culture la Bourse fédérale des Beaux-Arts.

Il séjourne à de nombreuses reprises en Grèce, en 1978, 1984 et 1987.

Rudolf Blättler vit et travaille à Lucerne.

Rudolf Blättler et Léonard Gianadda à côté de Dreiweib, *dans le Parc de Sculptures, été 1998.*

Dreiweib [Trois femmes]

Bronze, fondu par la Fonderia Artistica Gogarte, à Rancate, en 1988, d'après un plâtre de 1986
115×155×155 cm
Exemplaire 3/3

Achat, atelier de l'artiste, Lucerne, 1998

Exposition
Sculpture suisse en plein air 1960-1991, Fondation Pierre Gianadda, Martigny, 1991, repr. p. 27.

Situé au centre du giratoire de la Louve.
Inv. n° 242

Yves Dana

Né à Alexandrie (Egypte), en 1959
Sculpteur suisse, travaillant à Lausanne

Biographie

Yves Dana est né le 25 juin 1959 à Alexandrie, qu'il quitte très jeune avec sa famille. Ils s'établissent à Lausanne.

Dès 1969, il commence à bricoler une multitude d'objets, une passion qui l'accompagnera durant toutes ses études. Parallèlement à celles-ci, il enseigne les mathématiques.

Il obtient en 1980 une licence en sociologie de l'Université de Lausanne et entre en 1981 à l'Ecole Supérieure d'Art Visuel de Genève, où il choisit la classe de travail du fer. Diplômé en 1983, il reprend en 1987 l'atelier de l'Orangerie du parc Mon-Repos, bâtiment du début du XIXe siècle, à Lausanne. Son corpus, en quelque trente années, rassemble plus de deux cents œuvres, dont de nombreux fers et des bronzes, certains ayant été conçus à l'échelle monumentale et urbaine. Plusieurs expositions personnelles à la Galerie Alice Pauli ont fait connaître son travail en Suisse et à l'étranger: Cologne, Tokyo, Paris, Tel-Aviv…

Yves Dana forge lui-même le fer à froid, puis en soude les éléments. Depuis 1995, il a également abordé la peinture, usant de techniques mixtes, notamment sur papier et sur métal.

Depuis 2000, Yves Dana se consacre exclusivement à la taille de la pierre, basalte ou calcaire, en formats intimes ou à l'échelle monumentale.

Yves Dana vit et travaille à Lausanne et à Pietrasanta, en Italie.

Yves Dana et Léonard Gianadda, lors de la visite par les artistes des giratoires de Martigny, 5 octobre 2001.

Composition II

Bronze, patine noire, fondu par la Fonderia Artistica Mariani, à Pietrasanta, Italie, en 1998, d'après un plâtre de 1997
280 × 130 × 130 cm
Exemplaire 1/3
Cachet de la *Fonderia Mariani*, numéroté *1/3*, signé et daté *Dana 97* sur le socle

Commande auprès de l'artiste, 1998

Sculpture offerte par Annette et Léonard Gianadda

Situé au centre du giratoire rue du Léman - route de Fully.

Inv. n° 240

Hans Erni

Né à Lucerne, en 1909
Peintre, graveur et sculpteur suisse, travaillant à Lucerne et à Saint-Paul-de-Vence

(Biographie en page 83.)

*Hans Erni et Léonard Gianadda, lors
de la visite par les artistes des giratoires
de Martigny, 5 octobre 2001.*

Le Minotaure

Bronze, fondu par la Fonderia Artistica
Mariani, à Pietrasanta, Italie, en 1999,
d'après un plâtre de 1999
220 × 170 × 150 cm
Exemplaire signé *Erni* et numéroté *2/3*
sur la cuisse gauche

Achat, atelier de l'artiste, Lucerne, 1999

Collection Fondation Pierre Gianadda,
Martigny

Voir maquette p. 207.

Edition de trois épreuves, dont la
première est à la Fondation Hans Erni,
à Lucerne.

Situé au centre du giratoire
avenue de la Gare - rue du Léman.
Inv. n° 294

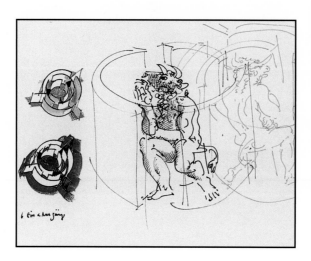

Esquisses pour Le Minotaure
au labyrinthe, *1998.*

Le Conseil de la Fondation Hans Erni, invité le 11 novembre 2005 par M. Massimo Tamone, maire d'Etroubles (val d'Aoste), devant la céramique monumentale de l'artiste, offerte le 20 mai 2005 par Léonard Gianadda, fait Citoyen d'honneur d'Etroubles.

PHOTO: PIERRE-EDOUARD FISCHER

La mécène Brigitte Mavromichalis,
Léonard Gianadda, Doris et
Hans Erni, Annette Gianadda,
assis devant La Fontaine Ondine
de Hans Erni, 16 juin 2004.
PHOTO: ROMY MORET

Michel Favre

Né à Lausanne, en 1947
Sculpteur suisse, travaillant à Martigny

(Biographie en page 210.)

Léonard Gianadda et Michel Favre, 10 septembre 2007.
PHOTOS: GEORGES-ANDRÉ CRETTON

Grande Synergie du Bourg

Bronze, coulé à cire perdue, à la
Fonderie Strassacker, à Süssen,
Allemagne, en 2007
H. 440 cm; diamètre 65 cm
Pièce unique
Signé *M. Favre*

Achat, atelier de l'artiste, Martigny, 2007

Voir maquette p. 211.

Note

On peut rapprocher cette œuvre
monumentale de *Grande Synergie à 4*,
2000, bronze, 60×60×400 cm, située
sur un giratoire de la ville de Bad Ragaz
(canton de Saint-Gall).

Situé au centre du giratoire du
Pré-de-Foire.

Inv. nº 343

Bernhard Luginbühl

Né à Berne, en 1929
Sculpteur suisse, travaillant à Mötschwil-Hindelbank (canton de Berne)

Biographie

Bernhard Luginbühl est né en 1929 à Berne. Il y étudie la sculpture à l'Ecole des Arts et Métiers. Ses premiers travaux figuratifs en bois et en pierre datent de 1947, suivis en 1949 de ses premières sculptures en fer et de grandes gravures sur bois.

Il s'établit à Moosseedorf (canton de Berne) en 1951 et réalise des pièces en plâtre, béton, pierre et bois. Luginbühl s'intéresse alors également à la réalisation de films, comme le film d'animation *Drame du chien solitaire* (1967), le documentaire *Kleiner Emmentalfilm* (1970), ou le portrait *Der Künstler Adolf Wölfli* (1977). Il poursuivra cette activité jusqu'en 1978.

A partir de 1953, il travaille exclusivement le fer.

Tige Martigny a été conçue en 1957 et agrandie spécialement pour le giratoire de Martigny, en 1999. Il réalise en 1957 ses premières *Agressions* et *C-Figures*, et commence en 1959 des sculptures composées de pièces de récupération. Sa rencontre avec Jean Tinguely cette même année sera déterminante. Suivant son exemple, Luginbühl concevra des sculptures mécaniques parfois très imposantes et non dénuées d'humour.

Il installe un atelier à Saurenhorn (canton de Berne) et commence ses œuvres de très grandes dimensions.

Dès 1970, il participe activement en France à la réalisation du *Cyclop* dans les bois de Milly-la-Forêt, une sculpture-promenade monumentale (aujourd'hui ouverte au public) réalisée en dix ans par Jean Tinguely et Niki de Saint Phalle, avec la collaboration de Daniel Spoerri, Larry Rivers, César, Arman, Jean-Pierre Raynaud, Jesús Rafael Soto, Eva Aeppli et d'autres artistes amis. Bernhard Luginbühl y a contribué en réalisant de nombreuses pièces monumentales mobiles: *Porte circulaire, Porte-levis, Fausse porte, Le Flipper Tellflipper, L'Oreille, Hommage à Louise Nevelson*.

1972 marque le début de sa période des *Atlas*. Il réalise à partir de 1974 de grandes sculptures en bois, parfois colorées, parfois brûlées. Au début des années quatre-vingt, il séjourne à de nombreuses reprises à Hambourg et Berlin.

Vers le milieu de la même décennie, il revient à la sculpture en bois de plus petites dimensions, mais travaille parallèlement à des sculptures en fer à échelle urbaine.

En 1991, il prépare une immense *Helvetia* pour la place de la Riponne à Lausanne. Ses enfants, Basil Luginbühl (né en 1960) et Jwan Luginbühl (né en 1963), ont été ses assistants et ceux de Jean Tinguely. Ils poursuivent actuellement leurs carrières respectives de sculpteurs.

Depuis 1966, Bernhard Luginbühl réside et travaille à Mötschwil-Hindelbank.

Tige Martigny

Fer, réalisé à l'atelier de l'artiste à Mötschwil-Hindelbank, en 1999
780 × 150 × 200 cm
Pièce unique

Achat, atelier de l'artiste, 1999

Collection Fondation Pierre Gianadda, Martigny

Note

En 2007, avec l'accord de l'artiste, la sculpture, de couleur grise à l'origine, a été repeinte en rouge, comme certaines de ses anciennes sculptures.

Situé au centre du giratoire sortie PAM - route de Fully.

Inv. n° 295

Léonard Gianadda et Bernhard Luginbühl, lors de l'installation de Tige Martigny, *6 décembre 1999.*

Bernhard Luginbühl

Christian Vogel, Bernhard Luginbühl,
Léonard et François Gianadda, à l'atelier
à Mötschwil-Hindelbank, 15 juillet 1999.

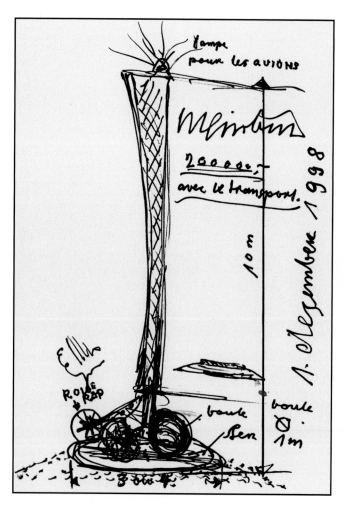

FONDATION PIERRE GIANADDA
MARTIGNY

LEONARD GIANADDA

CHER LEONARD,
BERNHARD LUGINBÜHL ET D'ACCORD
DE CHANGER LA COULEUR DE SA
SCULPTURE "TIGE MARTIGNY"
IL EST D'ACCORD DE PEINTRE EN
COULEUR ROUGE COMME QUELQUES
VIELLES SCULPTURES.
ON AJOUTE UN ECHANTILLON DE
LA COULEUR.

MEILLEURS SALUTATIONS,
ET BONNE NOUVELLE ANNÉE
Luginbühl ET URSI
MÖTSCHWIL 29.12.06

Silvio Mattioli

Né à Winterthur, en 1929
Sculpteur suisse, travaillant à Schleinikon (canton de Zurich)

Silvio Mattioli, en 1991, lors de l'exposition
Sculpture suisse en plein air 1960-1991.

Biographie

Silvio Mattioli est né en 1929 à Winterthur. Après un apprentissage de sculpteur sur pierre à Winterthur-Hegi, il étudie à la fin des années quarante à l'Ecole des Arts appliqués de Zurich.

Après un séjour à Paris, il décide de rester en France et devient le collaborateur de Hans Aeschbacher à Six-Fours-les-Plages, dans le Var, en 1951 et 1952.

A partir de 1953, Mattioli sculpte le bois et la pierre dans son propre atelier à Zurich. Parallèlement, il collabore aux ateliers des sculpteurs Otto Müller, Eugen Häfelfinger et Alfred Huber.

Silvio Mattioli et Léonard Gianadda, lors de la visite par les artistes des giratoires de Martigny, 5 octobre 2001.

Ses premières sculptures en fer datent de 1955. Cette même année, Mattioli reçoit le Prix C. F. Meyer et bénéficie de la bourse Kiefer-Hablitzel. Mattioli participe au Symposium international de sculpture en Yougoslavie en 1961. De 1962 à 1967, il travaille régulièrement dans un atelier près de Vérone.

Depuis 1968, Silvio Mattioli est installé dans une vieille ferme de Schleinikon, dans le canton de Zurich, où il vit et travaille actuellement.

Il a réalisé deux œuvres qui ornent les giratoires de Martigny: *Trias*, achetée à l'artiste en 1991, et *Triangle*, spécialement commandée par Léonard Gianadda en 2006.

Trias

Acier au zinc laqué, réalisé avec la collaboration de l'Atelier Marcel Richner, à Höri, canton de Zurich, en 1991
600×500×400 cm
Pièce unique

Achat, atelier de l'artiste, 1996

Sculpture offerte par Annette et Léonard Gianadda à la Ville de Martigny

Exposition

Sculpture suisse en plein air 1960-1991, Fondation Pierre Gianadda, Martigny, 1991, repr. p. 55.

Situé au centre du giratoire
sortie autoroute - route du Levant.

Inv. n° 217

Silvio Mattioli devant la maquette de Triangle, *lors de la présentation de l'œuvre à Martigny, 31 octobre 2005.*

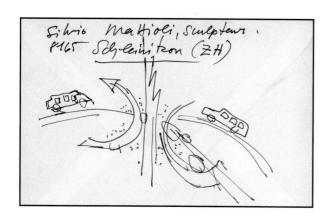

Esquisse de Silvio Mattioli au dos d'une enveloppe adressée à Léonard Gianadda, 15 février 2006.

Triangle

Acier polychrome, réalisé avec la collaboration de l'Atelier Marcel Richner, à Höri, canton de Zurich, en 2006
H. 1300 cm
Pièce unique

Commande de Léonard Gianadda auprès de l'artiste, 2006

Collection Fondation Pierre Gianadda, Martigny

Note

Triangle symbolise le carrefour routier à la sortie de Martigny, qui dirige le voyageur vers l'Italie (couleur verte), la France (couleur bleue) et la Suisse (couleur rouge) au cœur du Valais (couleur jaune).

Situé au centre du giratoire Transalpin, Martigny-Croix.

Inv. n° 327

Antoine Poncet

Né à Paris, en 1928
Sculpteur français, travaillant à Paris

(Biographie en page 116.)

Secrète

Marbre Bardiglio de Carrare, taillé à la
Marbrerie Nicoli, à Carrare, en 1992
210×160×90 cm
Pièce unique

Achat, atelier de l'artiste, Paris, 1994

Sculpture offerte par Annette et Léonard
Gianadda à la Ville de Martigny

Situé au centre du giratoire
Chapelle Saint-Michel.

Inv. n° 218

André Raboud

Né à Strasbourg, en 1949
Sculpteur et peintre franco-suisse, travaillant à Saint-Triphon (canton de Vaud)

(Biographie en page 236.)

Léonard Gianadda et André Raboud, lors de l'installation du Grand Couple, *20 avril 2001.*

Le Grand Couple

Granit noir d'Afrique, taillé à l'atelier de l'artiste, en 2001
420×140×30 cm et 400×100×30 cm
Pièce unique

Commande de Léonard Gianadda auprès de l'artiste, 2001

Collection Fondation Pierre Gianadda, Martigny

Voir maquette p. 238.

Situé au centre du giratoire Grand Quai - rue du Simplon.

Inv. n° 296

André Ramseyer

Tramelan (canton de Berne), 1914 – Neuchâtel, 2007
Sculpteur suisse

Biographie

André Ramseyer est né le 31 janvier 1914 à Tramelan, dans le canton de Berne. Son père est pasteur. Il est passionné par le dessin dès sa plus tendre enfance. Après des études à l'Ecole Normale de La Chaux-de-Fonds, il suit des cours à l'Ecole d'Art de cette ville, avec le sculpteur Léon Perrin. Installé à Paris en 1935, Ramseyer suit des cours dans plusieurs académies de Montparnasse et Montmartre.

De retour en Suisse, il est diplômé des Beaux-Arts de Neuchâtel et y enseigne le dessin et l'histoire de l'art à partir de 1936. Ses premières sculptures sont figuratives. En 1937, il voyage en Italie et séjourne longuement à Florence. Il réalise de nombreux dessins d'architecture.

A la fin des années quarante, Ramseyer se détache progressivement de la figuration. Il s'installe à Neuchâtel et enseigne à temps partiel le dessin et l'histoire de l'art à l'Ecole supérieure de commerce, au Gymnase cantonal et à l'Ecole Normale. Il donne également des cours de dessin à l'Académie Maximilien de Meuron de cette ville. En 1949, il travaille avec Zadkine à Paris, à l'Académie de la Grande Chaumière, et met au point sa technique propre, consistant à couvrir une armature en fil de fer d'une toile de jute trempée dans du plâtre.

Ramseyer confère alors au «vide» la fonction d'«espace intérieur».

De 1956 datent ses premières réalisations monumentales liées au paysage et à l'architecture.

De 1961 à 1977, André Ramseyer voyage en Hollande et en Grèce. Le Musée d'Art et d'Histoire de Neuchâtel organise une exposition rétrospective en 1979.

André Ramseyer a centré ses recherches sur le thème du cercle, et plus particulièrement sur celui du ruban de Möbius. Il a pratiqué également la gravure et publié des textes poétiques. André Ramseyer s'est éteint le 15 janvier 2007 à Neuchâtel.

André Ramseyer et Léonard Gianadda, lors de l'installation de Constellation, *17 juin 2003.*

Constellation

Bronze, patine brune, fondu par la Fonderie Gilles Petit, à Fleurier, canton de Neuchâtel, en 2002, d'après un plâtre de 1960
230 × 265 × 130 cm
Exemplaire 2/2

Achat, atelier de l'artiste, 2003

Collection Fondation Pierre Gianadda, Martigny

Exposition

Sculpture suisse en plein air 1960-1991, Fondation Pierre Gianadda, Martigny, 1991, exemplaire 1/2, repr. p. 69.

Edition de deux épreuves.
1/2: Institut de physique de l'Université, Neuchâtel.

Situé au centre du giratoire place de Plaisance.
Inv. n° 297

Maurice Ruche

Né à Genève, en 1920
Sculpteur suisse, travaillant à Lausanne

Biographie

Maurice Ruche est né en 1920 à
Genève. Il effectue sa scolarité
à Yverdon. Après un stage de
deux ans dans l'atelier d'architecture de son père, il accomplit
un apprentissage de mécanicien
de précision, ce qui lui permet
de réaliser lui-même ses maquettes et certaines de ses sculptures actuelles.

Autodidacte, il réalise des œuvres de très grandes dimensions, et pratique aussi le collage et la sérigraphie, entre autres activités.

Maurice Ruche vit et travaille à
Lausanne.

Verticale

Acier, réalisé à l'Atelier Michel Caprara,
à Lausanne, en 1976
600×72×48 cm
Pièce unique

Achat, atelier de l'artiste, 1997

Sculpture offerte par Annette et Léonard
Gianadda à la Ville de Martigny

Exposition
Sculpture suisse en plein air 1960-1991,
Fondation Pierre Gianadda, Martigny,
1991, repr. p. 75.

Situé au centre du giratoire
rue d'Octodure - route du Levant.

Inv. n° 236

Josef Staub

Baar (canton de Zoug), 1931 – Dietikon (canton de Zurich), 2006
Peintre et sculpteur suisse

Biographie

Josef Staub est né en 1931 à Baar, dans le canton de Zoug. Il réalise dès 1950 ses premières peintures à l'huile, puis en 1956 ses premiers reliefs. Sa première exposition est organisée en 1956 à Zoug.

En 1957, Josef Staub s'établit à Dietikon, dans le canton de Zurich. Il obtient une bourse fédérale des Beaux-Arts, puis la bourse Kiefer-Hablitzel en 1958. A partir de 1960, il réalise ses premières sculptures.

Lauréat en 1969 d'une bourse fédérale des Beaux-Arts, il accomplit, entre 1974 et 1991, des voyages d'études et des séjours en Espagne, France et Italie, et réside longuement aux Etats-Unis.

Josef Staub a pratiqué le dessin, la peinture, le collage, mais surtout la sculpture intégrée à l'architecture, le plus souvent en inox, et a publié plusieurs essais.

Après une longue maladie, Josef Staub s'est éteint le 2 novembre 2006 à Dietikon.

Josef Staub et Léonard Gianadda, lors de la visite par les artistes des giratoires de Martigny, 5 octobre 2001.

Symphonie

Acier au chrome, réalisé à la Kunst-giesserei Bracher, à Dietikon, en 1999
350×370×250 cm
Pièce unique

Achat, atelier de l'artiste, 1999

Collection Fondation Pierre Gianadda, Martigny

Note

Une version analogue, de plus grandes dimensions (300×470×400 cm), a figuré dans l'exposition *Sculpture suisse en plein air 1960-1991*, Fondation Pierre Gianadda, Martigny, 1991, repr. p. 77.

Situé au centre du giratoire
rue du Simplon - rue du Léman.
Inv. n° 298

Gillian White

Née à Orpington (Kent), en 1939
Peintre et sculpteur d'origine anglaise,
travaillant à Leibstadt (canton d'Argovie)

Biographie

Très jeune, Gillian White fréquente, à la fin des années quarante et au début des années cinquante, l'Elmhurst Ballet School, à Cambridge. A la fin des années cinquante, elle entre à la Saint Martin's School of Art, à Londres, puis, en 1960, à l'Académie d'été de Salzbourg, où enseigne Oskar Kokoschka. A l'Ecole des Beaux-Arts de Paris, elle suit enfin les cours d'Ossip Zadkine.

En 1966, Gillian White s'établit en Suisse.

Peintre et sculpteur, lauréate en 1985 du Prix du Kuratorium d'Argovie, Gillian White pratique également le dessin, la gravure, le collage, et crée des décors.

Elle vit et travaille à Leibstadt, dans le canton d'Argovie.

Léonard Gianadda et Gillian White, lors de l'installation de Complainte du vent, *17 octobre 2003.*

Complainte du vent

Acier corten, réalisé à l'atelier de l'artiste, en 2000
530 × 480 × 480 cm
Pièce unique

Achat, atelier de l'artiste, 2003

Collection Fondation Pierre Gianadda, Martigny

Expositions

Passagen, Halbinsel Au, lac de Zurich, 2001.
Gillian White, Nyon, 2001.
Gillian White, Esplanade du Casino de Montbenon, Lausanne, 2002.
Gillian White, Skulpturengarten Schrändli, Hasliberg Reuti, Berne, 2002-2003.

Située au centre du giratoire entrée de l'autoroute - route de Fully, la sculpture encadre les Tables de la Loi.

Inv. n° 299

MARTIGNY

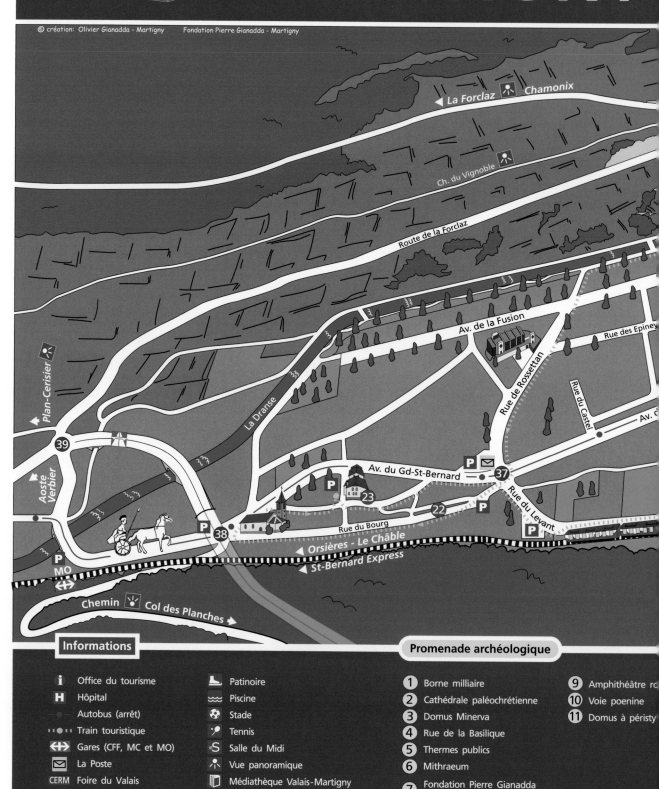

◄ La Forclaz   Chamonix

Ch. du Vignoble

Route de la Forclaz

Av. de la Fusion

Rue des Epiney

Rue de Rossettan

Rue du Castel

Av. G

Plan-Cerisier

La Dranse

39

Aoste
Verbier

37

P ✉

Av. du Gd-St-Bernard

23

Rue du Levant

22

P

P

P
38

Rue du Bourg

◄ Orsières - Le Châble
◄ St-Bernard Express

P
MO
↔

Chemin Col des Planches ►

Informations

i	Office du tourisme
H	Hôpital
	Autobus (arrêt)
	Train touristique
↔	Gares (CFF, MC et MO)
✉	La Poste
CERM	Foire du Valais
P	Parking
⚊	Camping TCS

	Patinoire
	Piscine
	Stade
	Tennis
S	Salle du Midi
	Vue panoramique
	Médiathèque Valais-Martigny Bibliothèque Fondation Pierre Gianadda

Promenade archéologique

1. Borne milliaire
2. Cathédrale paléochrétienne
3. Domus Minerva
4. Rue de la Basilique
5. Thermes publics
6. Mithraeum
7. Fondation Pierre Gianadda Musée gallo-romain
8. Enclos sacré
9. Amphithéâtre ro
10. Voie poenine
11. Domus à péristy

LA-ROMAINE

Visites et monuments

- **12** Château de la Bâtiaz
- **13** Chapelle de la Bâtiaz
- **14** Pont de la Bâtiaz
- **15** Fondation Louis Moret
- **16** Le Manoir
  Fondation André Guex-Joris
- **17** Fondation B & S Tissières
- **18** Eglise paroissiale
- **19** Maison Supersaxo
- **20** Musée et Chiens du St-Bernard
  Fondation B. et C. de Watteville
- **21** Fondation Pierre Gianadda
  Musée de l'Automobile
- **22** Vieux Bourg
- **23** Moulin Semblanet

L'Art dans la Ville

- **24** Gillian White
- **25** Bernhard Luginbühl
- **26** Yves Dana
- **27** Rudolf Blättler
- **28** Hans Erni
- **29** Josef Staub
- **30** André Raboud
- **31** Silvio Mattioli
- **32** Maurice Ruche
- **33** Hôtel de Ville
  Verrière Edmond Bille
- **34** Gustave Courbet
- **35** André Ramseyer
- **36** Fondation Pierre Gianadda
  Parc de sculptures
- **37** Michel Favre
- **38** Antoine Poncet
- **39** Silvio Mattioli

Bibliographie générale

Pour alléger les bibliographies, la mention «*Connaissance des Arts*, 2003» fait référence au numéro spécial *Fondation Pierre Gianadda*, avec des textes de Catherine Unger, Jean Clair, Antonin Scherrer, Hélène Walter, René Viau et Laurent Cailleau, *Connaissance des Arts* nº 199, hors série, Paris, 2003.

Ouvrages généraux

La Sculpture française au XIXe siècle, catalogue d'exposition, Grand Palais, Paris, 1986.

Sous la direction de Georges Duby et Jean-Luc Daval, *La Sculpture*, vol. 2, *De la Renaissance au XXe siècle*, Skira, Genève, 1986, rééd. Taschen, 2006.

Philippe Clérin, *La Sculpture. Toutes les techniques*, Dessain et Tolra, Paris, 1988, rééd. 2001.

Collectif, *Die Kunst zu sammeln. Schweizer Kunstsammlungen seit 1848 – L'art de collectionner. Collections d'art en Suisse depuis 1848 – L'arte di collezionare. Collezioni svizzere d'arte dal 1848*, Institut suisse pour l'étude de l'art / Schweizerisches Institut für Kunstwissenschaft, Zurich, 1998.

Abraham Marie Hammacher, *L'Évolution de la sculpture moderne. Tradition et innovation*, Cercle d'Art, Paris / Abrams, New York, 1988 (édition complétée).

Pierre Kjellberg, *Les Bronzes du XIXe siècle: Dictionnaire des sculpteurs*, Les Editions de l'Armateur, Paris, 2001, rééd. 2005.

Jimena Blázquez Abascal, *Sculpture Parks in Europe. A Guide to Art and Nature*, Birkhäuser, Bâle, 2006.

«L'art en ville» et «*Helvetia*, un bronze de Gustave Courbet à Martigny», par Daniel Marchesseau

B. Wyder, W. Ruppen, *De Courbet à Vasarely*, exposition des collections privées valaisannes, Manoir de Martigny, 1971.

Robert Fernier, *La Vie et l'œuvre de Gustave Courbet: catalogue raisonné*, t. II, Fondation Wildenstein et Bibliothèque des Arts, Lausanne-Paris, 1978, réf. nº 6.

Exposition *Courbet et la Suisse*, château de La Tour-de-Peilz, 1982.

Pierre Chessex, «Helvetia à Liberté», in: *UKdm* 1984, nº 1 *UKdm Unsere Kunstdenkmäler*.

Exposition *Emblèmes de la liberté – Images de la République dans l'art du XVIe au XXe siècle*, Kunstmuseum, Berne, 1991.

Exposition *Gustave Courbet et la Franche-Comté*, Musée des Beaux-Arts, Besançon, 2000.

Maurice Agulhon, Pierre Bonte, *Marianne dans la cité*, Dexia Editions & Imprimerie nationale, Paris, 2001.

Exposition *L'apologie de la nature… ou l'exemple de Courbet*, Musée départemental Gustave Courbet, Ornans, 2007.

Bibliographies des artistes

Arman

Contrepoint pour violoncelles

Otto Hahn, *Arman*, Fernand Hazan, collection Ateliers d'aujourd'hui, Paris, 1972. Henry Martin, *Arman*, Harry N. Abrams ed., New York, 1973. Edition française: Editions Pierre Horay, 1973, avec un texte de Pierre Restany. Bernard Lamarche-Vadel, *Arman*, Editions de la Différence, Paris, 1987. Denyse Durand-Ruel, *Arman, Catalogue raisonné*, Editions de la Différence, Paris, 1991, cat. n° 3816, repr. Pierre Cabanne, *Arman*, Editions de la Différence, collection Classiques du XXIᵉ siècle, Paris, 1993. Henri-François Debailleux, «Les violons dingues d'Arman», *in*: *Libération*, Paris, 30 août 1993. *Sculptures monumentales à Saint-Tropez*, catalogue d'exposition, La Citadelle, Saint-Tropez, 2005.

La Ronde des violons*

Otto Hahn, *Arman*, Fernand Hazan, collection Ateliers d'aujourd'hui, Paris, 1972. Henry Martin, *Arman*, Harry N. Abrams ed., New York, 1973. Edition française: Editions Pierre Horay, 1973, avec un texte de Pierre Restany. Bernard Lamarche-Vadel, *Arman*, Editions de la Différence, Paris, 1987. Denyse Durand-Ruel, *Arman, Catalogue raisonné*, Editions de la Différence, Paris, 1991. *La Gazette de l'Hôtel Drouot*, 11 décembre 1992, n° 45, repr. p. 147. Pierre Cabanne, *Arman*, Editions de la Différence, collection Classiques du XXIᵉ siècle, Paris, 1993.

Jean (Hans) Arp

Colonne à éléments interchangeables

Carola Giedion-Welcker, *Jean Arp – Catalogue of Sculptures and Bibliography by Marguerite Arp-Hagenbach*, Verlag Gerd Hatje, Stuttgart, Thames & Hudson, Londres, 1957, cat. raisonné n° 137, repr. p. 115. Michel Seuphor, *Arp*, Prisme, Paris, 1957 (plâtre repr. p. 57). *Saisons d'Alsace*, Strasbourg, 1967, repr. p. 197. *Connaissance des Arts*, 2003, repr. p. 48.

Roue Oriflamme

Carola Giedion-Welcker, *Jean Arp – Catalogue of Sculptures and Bibliography by Marguerite Arp-Hagenbach*, Verlag Gerd Hatje, Stuttgart, Thames & Hudson, Londres, 1957. Eduard Trier, *Jean Arp – Sculptures 1957-1966 – Catalogue of his Late Sculptures with Bibliography by Marguerite Arp-Hagenbach*, Verlag Gerd Hatje, Stuttgart, Thames & Hudson, Londres, Niggli, Teufen, 1968. Bernd Rau, *Hans Arp – Die Reliefs, Œuvre-Katalog*, Verlag Gerd Hatje, Stuttgart, 1981; *The Reliefs – Catalogue of Complete Works*, Rizzoli, New York, 1981. *Coincidenze: opere della Fondazione Marguerite Arp*, Figia edizione d'arte, Lugano, 1991. *Connaissance des Arts*, 2003, repr. p. 43.

Joan Gardy Artigas

Femme   Ventre   Toro

Jean-Pierre Lemesle, *Joan Gardy Artigas. Sculptures. Reliefs*, Galerie Maeght, Zurich, 1975. J. M. García Ferrer, Martí Rom, *Joan Gardy Artigas*, Associació d'Enginyers Industrials de Catalunya, Comissió de Cultura, Barcelone, 2005.

Max Bill

Surface triangulaire dans l'espace

Max Bill, Städtisches Museum Leverkusen, Schloss Morsbroich, 1959 (version préliminaire en plâtre, repr. p. 21). Eduard Hüttinger, *Max Bill*, ABC Verlag, Zurich, 1977, repr. p. 214. *Max Bill – Ruban sans fin 1935-95 et surfaces unilatérales*, textes de Jakob Bill, Max Bill, Dietmar Guderian, Michael Hilti, Benteli Verlag, Wabern (BE), 2000, repr. p. 84. *Max Bill, Bildhauer, Architekt, Designer*, Hatje Cantz Verlag, Ostfildern-Ruiz, Allemagne, 2005.

Rudolf Blättler

Dreiweib [Trois femmes]

Rudolf Blättler: Skulpturen und Zeichnungen, 1988-1993, Nidwaldner Museum, Stans, 1993. Stefan Banz, *Rudolf Blättler, Mann und Weib*, Benteli Verlag, Wabern (BE), 2000. *Rudolf Blättler: Ubinas*, avec des textes de Peter Fischer, Christoph Lichtin, Sibylle Omlin, Kunstmuseum, Lucerne, 2004.

Emile-Antoine Bourdelle

Grand Guerrier de Montauban [version avec jambe]

Carol-Marc Lavrillier, Michel Dufet, *Bourdelle et la critique de son temps*, Musée Bourdelle, Paris, 1979, n° 21, repr. p. 219. Peter Cannon-Brookes, *Emile-Antoine Bourdelle*, Trefoil Books, Londres, 1983, repr. pp. 23-24. *Bourdelle: le père de la sculpture moderne*, Fujikawa Galleries Inc., 1983. Ionel Jianou, Michel Dufet, *Bourdelle*, Arted Editions d'Art, Paris, 1984, n° 161, repr. p. 80. Marina Lambraki-Plaka, *Bourdelle et la Grèce: les sources antiques de l'œuvre de Bourdelle*, Editions de l'Académie d'Athènes, Athènes, 1985, repr. pp. 33-36. Florence Viguier, «Le Monument aux Morts, aux Combattants et Serviteurs du Tarn-et-Garonne, 1870-1871, par Emile-Antoine Bourdelle», publié *in*: catalogue *Hommage et respect – Les monuments publics de Montauban (1870-1940)*, Musée Ingres, Montauban, 1992, par Georges Vigne et Florence Viguier. Colin Lemoine, *Bourdelle*, Cercle d'Art, Paris, 2004.

Constantin Brâncuși

Grand Coq IV

Ionel Jianou, *Brancusi*, Arted Editions d'Art, Paris, 1963, rééd. 1983. Pontus Hultén, Natalia Dumitresco, Alexandre Istrati, *Brancusi*, Flammarion, Paris, 1986. Giovanni Scheiwiller, *Scultura in acciaio*, Edizioni Vanni Scheiwiller, Milan, 1990. Marielle Tabart (dir.), *L'Atelier Brancusi: Album*, Editions du Centre Pompidou, Paris, 1997. *Connaissance des Arts*, 2003, repr. p. 40. *Musée de l'Automobile*, Fondation Pierre Gianadda, Martigny, 2004, repr. pp. 14, 283.

Pol Bury

Sept sphères dans une demi-sphère, fontaine

Pierre Descargues, «Pol Bury, Un espace à l'état fluide», *in*: *L'art vivant*, Paris, n° 11, mai 1985, repr. en couverture et pp. 30-31. Pierre Cabanne, «Les malices hydrauliques de Pol Bury», *in*: *Le Matin*, Paris, 18 juin 1985, repr. Pierre Descargues, *Les Fontaines de Pol Bury*, Editions Daily-Bul, La Louvière,

Belgique, 1986, repr. p. 64. Pol Bury, *Les caves du Botanique*, Editions du Botanique, Bruxelles, 1986, repr. p. 158. Evelyne Bossart, «Les Fontaines-miroirs, Pol Bury ou le refus de l'art urbain», *in*: *Urbanisme*, Paris, n° 21, janvier 1986, repr. pp. 142-143. Philippe Carteron, «Le regard du chat», *in*: *Le Nouvel Observateur*, Paris, 25 avril 1991, repr. Rosemarie E. Pahlke, *Pol Bury*, Editions Crédit Communal, Bruxelles, 1995, cat. n°s 84-85, repr. p. 230. Jean-Paul Ameline, *Pol Bury, Catalogue raisonné des fontaines*, Editions Louis Carré & Cie, Paris, 2006, cat. n° 19, repr. pp. 88-89.

Alexander Calder

Stabile-Mobile Brasília

Calder e Brasília, publication s.d., Brésil, mars 1960. Alexander Calder, *Autobiographie*, Maeght, Paris, 1972. Maurice Bruzeau, *Calder à Saché*, Editions Cercle d'Art, Paris, 1975, repr. pp. 44-45. Arnauld Pierre, *Calder, la sculpture en mouvement*, Gallimard, Paris, 1996. *Calder au Donjon de Vez: sculptures monumentales, stabiles, mobiles, bijoux, tapisseries, œuvres sur papier*, catalogue d'exposition, Donjon de Vez, Vez, 1996. *Connaissance des Arts*, 2003, repr. en couverture et pp. 26-27, 39. *Musée de l'Automobile*, Fondation Pierre Gianadda, Martigny, 2004, repr. pp. 264, 278. Roberta Saraiva, *Calder no Brasil*, Editions Cosac & Naify, Pinacothèque, São Paulo, 2006, repr. p. 217.

César

Pouce

Pierre Cabanne, *César par César*, Editions Denoël, Paris, 1971. Pierre Restany, *César*, Editions André Sauret, Monte-Carlo, 1975, repr. p. 144. Pierre Restany, *César*, Editions de la Différence, Paris, 1988, repr. p. 280. Bernard-Henri Lévy, *César: les bronzes*, Editions de la Différence, Paris, 1991. Denyse Durand-Ruel, *César – Catalogue raisonné*, Editions de la Différence, Paris, 1994, cat. n° 2899. *César*, catalogue d'exposition, Galerie nationale du Jeu de Paume, Editions Gallimard/RMN, Paris, 1997. *Connaissance des Arts*, 2003, repr. p. 42. *Musée de l'Automobile*, Fondation Pierre Gianadda, Martigny, 2004, repr. p. 280.

Compression d'automobile Volvo

Pierre Cabanne, *César par César*, Editions Denoël, Paris, 1971. Pierre Restany, *César*, Editions André Sauret, Monte-Carlo, 1975, repr. p. 144. Pierre Restany, *César*, Editions de la Différence, Paris, 1988, repr. p. 280. Otto Hahn, *César. Compressions*, Editions de la Différence, Paris, 1990. Denyse Durand-Ruel, *César – Catalogue raisonné*, Editions de la Différence, Paris, 1994, cat. n° 2817. *César*, catalogue d'exposition, Galerie nationale du Jeu de Paume, Editions Gallimard/RMN, Paris, 1997.

César (suite)

Sein

Pierre Restany, *César*, Editions de la Différence, Paris, 1988, repr. p. 213. Bernard-Henri Lévy, *César: les bronzes*, Editions de la Différence, Paris, 1991, repr. p. 46. Denyse Durand-Ruel, *César – Catalogue raisonné*, Editions de la Différence, Paris, 1994, cat. n° 617. *Connaissance des Arts*, 2003, repr. p. 47.

Marc Chagall

La Cour Chagall

Charles Sorlier, *Céramiques et sculptures de Chagall*, Editions André Sauret, Monte-Carlo, 1972. Charles Marq, Pierre Provoyeur, *Catalogue de l'œuvre monumental*, Editions de la RMN, Paris, 1974. Sylvie Forestier, Meret Meyer, *Les Céramiques de Chagall*, Editions Jaca Book, Milan, 1990, Editions Albin Michel, Paris, 1990. Daniel Marchesseau, *Chagall: Ivre d'images*, Gallimard, Paris, 1995, repr. Daniel Marchesseau, *La Cour Chagall*, Fondation Pierre Gianadda, Martigny, 2004. *Musée de l'Automobile*, Fondation Pierre Gianadda, Martigny, 2004, repr. pp. 210, 280.

Eduardo Chillida

De Música II

De Música: a corten steel sculpture, Tasende Gallery, La Jolla, Californie, 1990. Elizabeth Wilcox, «Eduardo Chillida: De Música», *in: Sculpture*, n° 3, New York, 1990, p. 89. Daniel Giralt-Miracle, *Chillida-Leku*, Fundació Caixa Catalunya, Barcelone, 1997. *Connaissance des Arts*, 2003, repr. p. 50. Klaus Bussmann, *Chillida – Hauptwerke*, Chorus Verlag, Munich, 2003, repr. p. 80. Giovanni Carandente, *Eduardo Chillida: Open-air Sculptures*, Ediciones Polígrafa, Barcelone, 2003. *Musée de l'Automobile*, Fondation Pierre Gianadda, Martigny, 2004, repr. p. 284. *Eduardo Chillida*, Galerie Lelong, Zurich, 2004.

Lurra 34*

Octavio Paz, *Chillida*, Editions Maeght, Barcelone, 1980, cat. n° 297. *Chillida, Sculptures de terre*, Galerie Maeght Lelong, Zurich, 1985. Daniel Giralt-Miracle, *Chillida-Leku*, Fundació Caixa Catalunya, Barcelone, 1997, repr. p. 217.

Christo

Wrapped Bottle 1992*

Dominique Laporte, *Christo*, Art Press/Flammarion, Paris, 1985. Jacob Baal-Teshuva, *Christo and Jeanne-Claude*, photographies par Wolfgang Volz, dessins par Christo, édité par Simone Philippi et Charles Brace, Benedikt Taschen Verlag, Cologne, 1995. *Christo and Jeanne-Claude, Prints and Objects 1963–95. Catalogue Raisonné*,

édité par Jörg Schellmann et Josephine Benecke, Editions Schellmann, Munich - New York, Schirmer/Mosel Verlag, Munich, 1995. *XTO + J-C – Christo and Jeanne-Claude: A Biography* par Burt Chernow, Epilogue par Wolfgang Volz, St. Martin's Press, New York, 2002.

Camille Claudel

La Fortune

Louis Vauxcelles, préface du catalogue de l'exposition Eugène Blot, Paris, 1905, repr. Charles Morice, *Mercure de France*, Paris, 15 décembre 1905, repr. Reine-Marie Paris, *Camille Claudel retrouvée: catalogue raisonné*, Editions Aittouarès, Paris, 2000, n° 56. Anne Rivière, Bruno Gaudichon, Danielle Ghanassia, *Camille Claudel: catalogue raisonné*, Société Nouvelle Adam Biro, Paris, 2001, n° 58.3. Pierre Kjellberg, *Les Bronzes du XIXe siècle: Dictionnaire des sculpteurs*, Les Editions de l'Armateur, Paris, 2001, rééd. 2005, repr.

L'Implorante*

Eugène Blot, *Histoire d'une collection de tableaux modernes, 50 ans de peinture (1882-1932)*, Editions d'Art, Paris, repr. Gustave Kahn, *Le Siècle*, Paris, 1905, repr. Reine-Marie Paris, Arnaud de La Chapelle, *L'œuvre sculpté de Camille Claudel, catalogue raisonné*, Adam Biro, Arhis, Paris, 1990, n° 43, repr. p. 166. Reine-Marie Paris, *Camille Claudel re-trouvée: catalogue raisonné*, Editions Aittouarès, Paris, 2000, n° 41. Anne Rivière, Bruno Gaudichon, Danielle Ghanassia, *Camille Claudel: catalogue raisonné*, Société Nouvelle Adam Biro, Paris, 2001, n° 44.9. Pierre Kjellberg, *Les Bronzes du XIXe siècle: Dictionnaire des sculpteurs*, Les Editions de l'Armateur, Paris, 2001, rééd. 2005, repr. p. 213.

L'Abandon*

Gustave Kahn, *Le Siècle*, Paris, 19 décembre 1905, repr. François Monod, «Le Salon d'Automne», *in: Art et Décoration*, Paris, 1905, repr. Reine-Marie Paris, Arnaud de La Chapelle, *L'œuvre sculpté de Camille Claudel, catalogue raisonné*, Adam Biro, Arhis, Paris, 1990, n° 63, repr. pp. 205-206. Reine-Marie Paris, *Camille Claudel re-trouvée: catalogue raisonné*, Editions Aittouarès, Paris, 2000, n° 62. Anne Rivière, Bruno Gaudichon, Danielle Ghanassia, *Camille Claudel: catalogue raisonné*, Société Nouvelle Adam Biro, Paris, 2001, n° 23.7. Pierre Kjellberg, *Les Bronzes du XIXe siècle: Dictionnaire des sculpteurs*, Les Editions de l'Armateur, Paris, 2001, rééd. 2005, repr. p. 211.

Yves Dana

Composition II

Bertil Galland, *Dana*, Editions du Griffon, Neuchâtel, 1988. Bernard Noël, *Dana*, monographie et catalogue raisonné, Cercle d'Art, Paris, 1999. Bernard Vasseur, *Dana*, collection «Découvrons l'Art – XXe siècle», Cercle d'Art, Paris, 2007. *Dana, sculptures – Entretien avec Charles Juliet*, suivi du *Catalogue des sculptures 1982-2007*, Cercle d'Art, Paris, 2008.

Honoré Daumier

Le Bourgeois en promenade*

Charles Martine, Léon Marotte, *Honoré Daumier*, Helleu et Sergent, Paris, 1924. Maurice Gobin, *Daumier sculpteur 1808-1879*, Pierre Cailler, Genève, 1952, repr. Jean Adhémar, *Honoré Daumier*, Editions Pierre Tisné, Paris, 1954. Jeanne L. Wasserman, *Daumier Sculpture: A Critical and Comparative Study*, Fogg Art Museum, Harvard University, Cambridge, 1969.

Edgar Degas

Danseuse agrafant l'épaulette de son corsage (Figure 64)

John Rewald, *Degas, Works in Sculpture: A Complete Catalogue*, New York, 1944. John Rewald, *Degas Sculpture: The Complete Works*, New York, 1956. John Rewald, *L'œuvre sculpté de Degas*, Genève, 1957. Charles Millard, *The Sculpture of Edgar Degas*, Princeton University Press, Princeton, 1976. John Rewald, *Degas' Complete Sculpture, Catalogue Raisonné*, Alan Wofsy Fine Arts ed., San Francisco, 1990, n° LXV. Anne Pingeot, *Degas, Sculptures*, Imprimerie nationale/RMN, Paris, 1991. Henri Loyrette, *Degas*, Fayard, Paris, 1991. *Degas sculptor*, Editions Charlotte van Rappard, Zwolle, 1991. Paul Valéry, *Degas Danse Dessin*, Gallimard, Paris, 1998. Pierre Kjellberg, *Les Bronzes du XIXe siècle: Dictionnaire des sculpteurs*, Les Editions de l'Armateur, Paris, 2001, rééd. 2005, repr. Joseph S. Czestochowski, Anne Pingeot, *Degas Sculptures, Catalogue Raisonné of the Bronzes*, International Arts, Memphis, 2002. J. DeVonyar, R. Kendall, *Degas and the Dance*, New York, 2002.

Aloïs Dubach

Absence

Aloïs Dubach: Brunnenstrasse, Apex, Fleurier, 2004.

Jean Dubuffet

Elément d'architecture contorsionniste V

Catalogue des travaux de Jean Dubuffet, établi par Max Loreau pour les Fascicules I à XXVIII et, à partir du Fascicule XXIX, par Armande de Trentinian, Editions Jean-Jacques Pauvert, Paris (1966-1968), Weber Editions, Paris (1972-1976), Editions de Minuit, Paris (de 1979 à 1985), Fascicule XXV, *Arbres, murs, architectures* (1969-1972), n° 31b, repr. p. 36. Andreas Franzke, *Dubuffet*, Editions Beyeler, Bâle, 1976, cat. n° 104, repr. p. 129. Renato Barilli, *Dubuffet. Le cycle de L'Hourloupe*, Fratelli Fabbri Editori/Editions du Chêne, Milan/Paris, 1976, cat. n° 118, repr. p. 81. Andreas Franzke, *Dubuffet*, Abrams, New York, 1981, repr. p. 203. *Connaissance des Arts*, 2003, repr. p. 45. *Musée de l'Automobile*, Fondation Pierre Gianadda, Martigny, 2004, repr. pp. 118, 280, 282.

Figure votive*

Catalogue des travaux de Jean Dubuffet, établi par Max Loreau pour les Fascicules I à XXVIII et, à partir du Fascicule XXIX, par Armande de Trentinian, Editions Jean-Jacques Pauvert, Paris (1966-1968), Weber Editions, Paris (1972-1976), Editions de Minuit, Paris (de 1979 à 1985), Fascicule XXV, *Arbres, murs, architectures* (1969-1972), n° 60, repr. pp. 57-58.

Filmographie: *Autoportrait de Jean Dubuffet*, 1962, réalisation Gérard Patris et Lucien Favory.

Elisheva Engel

Les Pique-niqueurs du dimanche

Hans Erni

La Fontaine Ondine

Claude Roy, *Hans Erni*, Pierre Cailler, Genève, 1955. *Hans Erni, Vie et mythologie*, catalogue d'exposition, Fondation Pierre Gianadda, Martigny, 1989. John Matheson, *Hans Erni gestaltend, à l'œuvre, at work*, ABC Verlag, Zurich, 1996. *Hans Erni Rétrospective*, catalogue d'exposition, Fondation Pierre Gianadda, Martigny, 1998.

Le Minotaure*

Claude Roy, *Hans Erni*, Pierre Cailler, Genève, 1955. *Hans Erni, Vie et mythologie*, catalogue d'exposition, Fondation Pierre Gianadda, Martigny, 1989. John Matheson, *Hans Erni gestaltend, à l'œuvre, at work*, ABC Verlag, Zurich, 1996.

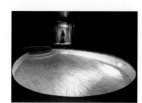

La Jeune Fille et le Minotaure*
[Piscine privée]

Claude Roy, *Hans Erni*, Pierre Cailler, Genève, 1955. *Hans Erni, Vie et mythologie*, catalogue d'exposition, Fondation Pierre Gianadda, Martigny, 1989. John Matheson, *Hans Erni gestaltend, à l'œuvre, at work*, ABC Verlag, Zurich, 1996.

Le Minotaure

Claude Roy, *Hans Erni*, Pierre Cailler, Genève, 1955. *Hans Erni, Vie et mythologie*, catalogue d'exposition, Fondation Pierre Gianadda, Martigny, 1989. John Matheson, *Hans Erni gestaltend, à l'œuvre, at work*, ABC Verlag, Zurich, 1996. *Connaissance des Arts*, 2003, repr. p. 66. *Musée de l'Automobile*, Fondation Pierre Gianadda, Martigny, 2004, repr. p. 131.

Max Ernst

Le Grand Assistant ou Grand Génie

Ulrich Bischoff, *Max Ernst: 1891-1976*, Benedikt Taschen Verlag, Cologne, 1991. Edward Quinn, *Max Ernst, Monographie*, Könemann, Cologne, 1999. *Connaissance des Arts*, 2003, repr. p. 49. Werner Spies, *Max Ernst. Œuvre-Katalog*, DuMont Literatur und Kunst Verlag, Cologne, 2004.

Michel Favre

Synergie du Bourg*

Grande Synergie du Bourg

Michel Favre: Sculpteur-Plastiker-Scultore, Editions d'En-Haut, La Chaux-de-Fonds, 1988. *Michel Favre: Itinéraire 1987-1995*, Editions Gilles Attinger, Hauterive, 1996. *Michel Favre*, Fondation Pierre Gianadda, Martigny, 1996. *Michel Favre: Una situazione altamente (im)probabile – Une situation hautement (im)probable*, avec des textes de Claudio Guarda, Edizioni Colomba, Lugano-Viganello, 1999. *Michel Favre: Spazio e paradosso*, avec des textes de Giuseppe Curonici, Edizioni Colomba, Lugano-Viganello, 2003. *Michel Favre: I significati ulteriori*, avec des textes de Dalmazio Ambrosioni – *Im Moment potentieller Veränderung*, du Dr phil. Marion Vogt, Edizioni Colomba, Lugano-Viganello, 2007.

Gabriele Garbolino Rù

Léonard Gianadda*

Raquel Barriuso Díez, Vittorio Amedeo Sacco, *Gabriele Garbolino Rù, Il Linguaggio della Materia*, Edizioni Stendhal, Turin, 2007.

Alberto Giacometti

Tête de femme [Flora Mayo]

Les Giacometti, Giovanni, Augusto, Alberto, Diego, catalogue d'exposition, Centro Cultural Arte Contemporáneo, Mexico, 1987.

Petit Buste de Silvio sur double socle

Peter Selz, *Alberto Giacometti*, The Museum of Modern Art, New York, 1965. Reinhold Hohl, *Alberto Giacometti*, Verlag Gerd Hatje, Stuttgart, 1971. James Lord, *Giacometti, A Biography*, Farrar, Straus and Giroux, New York, 1983. Bernard Lamarche-Vadel, *Alberto Giacometti*, Nouvelles Editions Françaises, Paris, 1984. *Les Giacometti, Giovanni, Augusto, Alberto, Diego*, catalogue d'exposition, Centro Cultural Arte Contemporáneo, Mexico, 1987. Herbert et Mercedes Matter, *Alberto Giacometti*, Harry N. Abrams, New York, 1987. Michel Leiris, Jacques Dupin, *Alberto Giacometti – Ecrits*, Hermann, Paris, 1990. Yves Bonnefoy, *Alberto Giacometti, biographie d'une œuvre*, Flammarion, Paris, 1991, repr. pp. 278 et 317. Angela Schneider, *Alberto Giacometti: Sculptures, Paintings, Drawings*, Prestel Publishing, New York, 1994.

Diane Bataille

Alberto Giacometti. Sculptures. Photographiées par Marcel Imsand, texte de Pierre Schneider, Fondation Pierre Gianadda, Martigny, 1986. *Les Giacometti, Giovanni, Augusto, Alberto, Diego*, catalogue d'exposition, Centro Cultural Arte Contemporáneo, Mexico, 1987.

La Mère de l'artiste lisant sur le banc

Jacques Dupin, *Textes pour une approche sur Alberto Giacometti*, suivi de *Alberto Giacometti, catalogue raisonné des gravures*, Maeght Editeur, Paris, 1962, réédité par Fourbis, Paris, 1995. *Les Giacometti, Giovanni, Augusto, Alberto, Diego*, catalogue d'exposition, Centro Cultural Arte Contemporáneo, Mexico, 1987. Herbert C. Lust, *Alberto Giacometti, The Complete Graphics*, Alan Wofsy Fine Arts ed., San Francisco, 1991. Yves Bonnefoy, *Alberto Giacometti, biographie d'une œuvre*, Flammarion, Paris, 1991, ill. nº 552, repr. p. 538.

Sculptures dans l'atelier

Giacometti – The Complete Graphics and 15 Drawings, catalogue d'exposition, The Milwaukee Art Center, Wisconsin, 1970, cat. nº 147, épreuve d'essai de la lithographie repr. p. 131. *Alberto Giacometti – Dessins, estampes, livres*, catalogue d'exposition, Galerie Engelberts, Genève, 1970, cat. nº 64, lithographie repr. p. 68. *Alberto Giacometti*, catalogue d'exposition, Galerie Cramer, Genève, 1985, cat. nº 65, lithographie repr. Jacques Dupin, *Textes pour une approche sur Alberto Giacometti*, suivi de *Alberto Giacometti, catalogue raisonné des gravures*, Maeght Editeur, Paris, 1962, réédité par Fourbis, Paris, 1995. *Les Giacometti, Giovanni, Augusto, Alberto, Diego*, catalogue d'exposition, Centro Cultural Arte Contemporáneo, Mexico, 1987. Herbert C. Lust, *Alberto Giacometti, The Complete Graphics*, Alan Wofsy Fine Arts ed., San Francisco, 1991.

Diego Giacometti

Petit Homme debout*

Michel Butor, *Diego Giacometti*, Maeght Editeur, Paris, 1985. Daniel Marchesseau, *Diego Giacometti*, Hermann, Paris, 1986, rééd. 2006. Françoise Francisci, *Diego Giacometti, catalogue de l'œuvre*, Editions Eolia, Paris, 1986. *Les Giacometti, Giovanni, Augusto, Alberto, Diego*, catalogue d'exposition, Centro Cultural Arte Contemporáneo, Mexico, 1987.

Gidon Graetz

Composition nº 1*

Barzel Amnon, *Gidon Graetz Sculpture*, Electa, Milan, 1993, repr. p. 93.

Jean Ipoustéguy

La Terre

Daniel Marchesseau, «Ipoustéguy», *in: Cimaise*, nº 131-132, Paris, 1977, pp. 48-57. Pierre Gaudibert, entretien avec Evelyne Artaud et portraits de Michel Chasat, *Ipoustéguy*, collection Grands peintres et sculpteurs, Cercle d'Art, Paris, 1989. Dominique Croiset-Veyre, *Ipoustéguy. Catalogue raisonné*, Editions de la Différence, Paris, 2001, repr. sous le nº 138. Françoise Monnin-Guérard, *Ipoustéguy sculpteur*, Meuse, 2003, repr. pp. 15, 17-18.

Yves Klein

La Vénus d'Alexandrie (Vénus Bleue)

Annette Kahn, *Yves Klein, Le maître du bleu*, Stock, Paris, 2000. Jean-Paul Ledeur, *Yves Klein. Catalogue raisonné des éditions et sculptures*, Guy Pieters Editeur, Sint-Martens-Latem, Belgique, 2000, numéro de référence Wember S 41, repr. p. 235. *Yves Klein. Corps, couleur, immatériel*, Editions du Centre Pompidou, Paris, 2006. Denys Riout, *Yves Klein. L'aventure monochrome*, Gallimard, Paris, 2006.

Claude Lalanne

La Pomme de Guillaume Tell

John Russell, Gilbert Brownstone, Blaise Gauthier, *Les Lalanne*, Editions s.m.i./Centre Pompidou, Paris, 1975. Robert Rosenblum, *Les Lalanne*, Editions Skira, Genève, 1991. Daniel Marchesseau, *Les Lalanne*, Flammarion, Paris, 1998. Steven Sebring, *Claude et François-Xavier Lalanne*, catalogue d'exposition, Paul Kasmin Gallery, New York/Ben Brown Fine Arts, Londres, 2006.

François-Xavier Lalanne

Mouton de pierre classique
Moutons transhumants
Agneaux

Robert Rosenblum, Daniel Abadie, *Les Lalanne*, Editions Skira, Genève, 1991, repr. en couverture. Robert Rosenblum, *Les Lalanne*, Editions Skira, Genève, 1991, repr. p. 76. Daniel Marchesseau, *Les Lalanne*, Flammarion, Paris, 1998, repr. *Connaissance des Arts*, 2003, repr. p. 45. *Musée de l'Automobile*, Fondation Pierre Gianadda, Martigny, 2004, repr. p. 284.

Henri Laurens

Grande Maternité

Henri Laurens, catalogue d'exposition, Kunsthaus, Zurich, 1961, cat. nº 77. *Henri Laurens*, catalogue d'exposition, Galeries nationales du Grand Palais, Paris, 1967, cat. nº 25, repr. Werner Hofmann, *The Sculpture of Henri Laurens*, Abrams, New York, 1970, ill. nº 143, repr. p. 218. *Henri Laurens*, catalogue d'exposition, Arts Council of Great Britain, Londres et Belfast, 1971, cat. nº 39, repr. Abram Lerner, *The Hirshhorn Museum and Sculpture Garden*, Abrams, New York, 1974, cat. nº 458, repr. p. 711. *Henri Laurens*, catalogue d'exposition, Kunstmuseum, Berne, Villa Stuck, Munich, 1985, cat. nº 54, repr. p. 125.

Baltasar Lobo

Femme à genoux sans tête*

Lobo – Rétrospective 1940-1971 – 30 ans de sculpture, Maison de la Culture, Bourges, 1971. *Baltasar Lobo. Skulpturen. Zeichnungen*, Galerie Nathan, Zurich, 1985. Joseph-Emile Muller, Verena Bollmann Müller, *Lobo. Catalogue raisonné de l'œuvre sculpté*, La Bibliothèque des Arts, Paris, 1985, nº 256.

Bernhard Luginbühl

Tige Martigny

Jochen Hesse, *Bernhard Luginbühl, Catalogue raisonné des œuvres plastiques 1947-2002*, Schweizerisches Institut für Kunstwissenschaft, Zurich, 2003. *Connaissance des Arts*, 2003, repr. p. 66.

Aristide Maillol

Marie

Denys Chevalier, *Maillol*, Flammarion, Paris, 1970. Waldemar George, *Maillol*, Arted, Paris, 1971. Waldemar George, *Aristide Maillol et l'âme de la sculpture*, Neuchâtel, 1977, autre fonte repr. p. 189.

Maillol, Musée de l'Annonciade, Saint-Tropez, 1994, autre fonte repr. p. 94. Dina Vierny, *Fondation Dina Vierny, Musée Maillol*, Paris, 1995, autre fonte repr. p. 56. Bertrand Lorquin, *Aristide Maillol*, Londres, 1995, autre fonte repr. p. 113. *Connaissance des Arts*, 2003, repr. p. 67. *Musée de l'Automobile*, Fondation Pierre Gianadda, Martigny, 2004, repr. p. 278.

Baigneuse debout

Marino Marini

Danseur

Patrick Waldberg, Herbert Read, G. di San Lazzaro, «Marino Marini», *in: XXᵉ siècle*, Paris, 1970, nº 322-322a, repr. p. 137. Carlo Pirovano, *Marino Marini – Scultore*, Milan, 1972, nº 327. *Marino Marini – Catalogo del Museo San Pancrazio di Firenze*, Carlo Pirovano ed., Milan, 1988, repr. p. 155. Carlo Pirovano, *Il Museo Marino Marini a Firenze*, Collezione Guide Artistiche, Milan, 1990, repr. p. 67. *Marino Marini: ritratti, sculture, opere su carta*, Electa, Milan, 1991. *Musée de l'Automobile*, Fondation Pierre Gianadda, Martigny, 2004, repr. p. 284.

Henri Matisse

Pierre lithographique

Henri Matisse, *Écrits et propos sur l'art*, édition annotée par Dominique Fourcade, Hermann, Paris, 1972. Henri Matisse, *Catalogue raisonné des ouvrages illustrés*, Duthuit Editeur, Paris, 1988. Marianna Alcaforado, *Lettres, Lithographies originales de Henri Matisse*, Tériade Editeur, Paris, repr. p. 114.

Silvio Mattioli

Trias

Fritz Billeter, *Mattioli*, ABC Verlag, Zurich, 1975. Volker Schunk, Heinz Ruprecht, Monique Priscille Druey, *Silvio Mattioli, Monographie*, Huber Verlag, Frauenfeld, 1994. *Connaissance des Arts*, 2003, repr. p. 66.

Triangle

Fritz Billeter, *Mattioli*, ABC Verlag, Zurich, 1975. Volker Schunk, Heinz Ruprecht, Monique Priscille Druey, *Silvio Mattioli, Monographie*, Huber Verlag, Frauenfeld, 1994.

Joan Miró

Tête

Jacques Dupin, *Miró, Life and Work*, Clèves & Cologne, 1962. Joan Teixidor, *Miró Sculptures*, Maeght Editeur, Paris, 1973. Alain Jouffroy, Joan Teixidor, *Miró Sculptures*, Paris, 1980, cat. nº 279, repr. p. 245. Jacques Dupin, *Miró*, The Metropolitan Museum of Art, New York, 1993. *Connaissance des Arts*, 2003, repr. p. 4. *Musée de l'Automobile*, Fondation Pierre Gianadda, Martigny, 2004, repr. pp. 278, 282. Emilio Fernández Miró, Pilar Ortega Chapel, Joanna Martínez, *Miró: Sculptures. Catalogue raisonné 1928-1982*, Galerie Lelong Editeur, Paris, 2006, cat. nº 321, repr. p. 303.

Henry Moore

Large Reclining Figure

Alan Bowness, Herbert Read, *Henry Moore, Sculpture and Drawings*, Londres, 1965. John Hedgecoe, Henry Moore, *Henry Moore*, Simon & Shuster, New York, 1968. Alan Bowness, *Henry Moore, Complete Sculpture, 1980–86*, Lund Humphries Publishers, Londres, vol. 5, nº LH 677a, repr. p. 31. David Mitchinson, *Celebrating Henry Moore, Works from the Collection of the Henry Moore Foundation*, Londres, 1998, cat. nº 246, repr. p. 319. *Connaissance des Arts*, 2003, repr. pp. 41, 282.

Alicia Penalba

Le Grand Dialogue

Michel Seuphor, *Alicia Penalba*, Bodensee Verlag, Amriswil, 1960. *Alicia Penalba*, Editions Galerie Villand et Galanis, Paris, 1977. *Penalba*, Artel Galerie, Genève, 1975, repr. *Connaissance des Arts*, 2003, repr. p. 51.

Le Grand Double

Penalba, Artel Galerie, Genève, 1975, repr. Jörn Merkert, *Penalba*, Editions Carmen Martínez, Paris, 1977, repr. pp. 65-66, 94. M.-R. Bentein-Stoelen, *Catalogue de la collection Musée de sculpture en plein air Middelheim*, Anvers, 1985, repr. p. 121. *Connaissance des Arts*, 2003, repr. p. 2.

Petit Double nº 3*

Michel Seuphor, *Alicia Penalba*, Bodensee Verlag, Amriswil, 1960. *Penalba*, Artel Galerie, Genève, 1975, repr. Jörn Merkert, *Penalba*, Editions Carmen Martínez, Paris, 1977, repr. p. 70. *Alicia Penalba*, Editions Galerie Villand et Galanis, Paris, 1977.

Ailée nº 5*

Michel Seuphor, *Alicia Penalba*, Bodensee Verlag, Amriswil, 1960. *Penalba*, Artel Galerie, Genève, 1975, repr. Jörn Merkert, *Penalba*, Editions Carmen Martínez, Paris, 1977. *Alicia Penalba*, Editions Galerie Villand et Galanis, Paris, 1977.

Pablo Picasso

Arlequin. Tête de Fou

Christian Zervos, *Pablo Picasso*, Cahiers d'Art, Paris, 1932, vol. I, cat. nº 332, repr. p. 148. Una E. Johnson, *Ambroise Vollard Editeur*, The Museum of Modern Art, New York, 1944, cat. nº 124, repr. p. 144. Daniel-Henry Kahnweiler, *Les Sculptures de Picasso*, Editions du Chêne, Paris, 1948, cat. nº 2, repr. p. 2. Giulio Carlo Argan, *Scultura di Picasso*, Alfieri, Venise, 1953, pl. IV. Wilhelm Boeck, Jaime Sabartés, *Picasso*, Harry N. Abrams Company, New York, 1955, cat. nº 32, repr. p. 460. Roland Penrose, *Picasso*, Allert de Lange, Amsterdam, 1961, pl. 2. Roland Penrose, *The Sculpture of Picasso*, The Museum of Modern Art, New York, 1967, repr. pp. 17, 26, 41, 52 et 221. Werner Spies, *Sculpture by Picasso, with a Catalogue of the Works*, Harry N. Abrams Company, New York, 1971, cat. nº 4, repr. pp. 17-18. Frank Elgar, Robert Maillard, *Picasso*, Tudor Pub. Co., New York, 1972, repr. p. 35. Jean Leymarie, *Picasso, The Artist of the Century*, Albert Skira, Lausanne, 1972, repr. p. 26. Roland Penrose, John Golding, *Picasso in Retrospect*, Praeger, New York, 1973, cat. nº 206. Ron Johnson, *The Early Sculpture of Picasso, 1901-1914*, Garland Publishing, New York, 1976, cat. nº 5, repr. p. 165. Werner Spies, *Picasso, Das plastische Werk*, Nationalgalerie, Berlin, 1983, cat. nº 4, repr. pp. 326 et 372. Marie-Laure Besnard-Bernadac, Michèle Richet, Hélène Seckel, *Catalogue sommaire des collections: Peintures, Papiers collés, Tableaux reliefs, Sculptures et Céramiques*, Musée Picasso, Paris, 1985, cat. nº 272, repr. p. 150. Werner Spies, *Picasso, The Sculptures, Catalogue Raisonné of the Sculptures*, en collaboration avec Christine Piot, Ostfildern, Stuttgart, 2000, cat. nº 4, repr. p. 394.

Antoine Poncet

Translucide

Denys Chevalier, *Antoine Poncet*, Editions La Rose des Vents, Lausanne, 1961. Ionel Jianou, *Antoine Poncet*, Arted, Paris, 1975. *Connaissance des Arts*, 2003, repr. p. 46. *Musée de l'Automobile*, Fondation Pierre Gianadda, Martigny, 2004, repr. p. 284. *Antoine Poncet*, Edition des œuvres des académiciens de l'Académie des Beaux-Arts de l'Institut de France, Edition de l'Education du Hebei, Chine, repr. pp. 5, 111.

Les Ailes de l'Aurore*

Denys Chevalier, *Antoine Poncet*, Editions La Rose des Vents, Lausanne, 1961. Ionel Jianou, *Antoine Poncet*, Arted, Paris, 1975. *Antoine Poncet*, Edition des œuvres des académiciens de l'Académie des Beaux-Arts de l'Institut de France, Edition de l'Education du Hebei, Chine.

Secrète

Denys Chevalier, *Antoine Poncet*, Editions La Rose des Vents, Lausanne, 1961. Ionel Jianou, *Antoine Poncet*, Arted, Paris, 1975. *Connaissance des Arts*, 2003, repr. p. 66. *Antoine Poncet*, Edition des œuvres des académiciens de l'Académie des Beaux-Arts de l'Institut de France, Edition de l'Education du Hebei, Chine, repr. p. 135.

André Raboud

Rouge de Collonge*

Sylvio Acatos, *André Raboud*, ABC Verlag, Zurich, 1983. Hanspeter Adolph, Nicolas Raboud, *Raboud, sculpteur*, Editions SBG, Galerie Pavillon Werd, Zurich, 1993. Michel Butor, Nicolas Raboud, *Raboud, sculptures 1969-1999 «Carnets de route»*, Editions Montfort, Monthey, Acatos, Lausanne-Paris, 1999, repr. p. 67. *André Raboud, sculptures 1999-2002*, NK Editions, Lonay, 2002.

Le Grand Couple*

Sylvio Acatos, *André Raboud*, ABC Verlag, Zurich, 1983. Hanspeter Adolph, Nicolas Raboud, *Raboud, sculpteur*, Editions SBG, Galerie Pavillon Werd, Zurich, 1993. Michel Butor, Nicolas Raboud, *Raboud, sculptures 1969-1999 «Carnets de route»*, Editions Montfort, Monthey, Acatos, Lausanne-Paris, 1999. *André Raboud, sculptures 1999-2002*, NK Editions, Lonay, 2002.

Petite Stèle*

Sylvio Acatos, *André Raboud*, ABC Verlag, Zurich, 1983. Hanspeter Adolph, Nicolas Raboud, *Raboud, sculpteur*, Editions SBG, Galerie Pavillon Werd, Zurich, 1993. Michel Butor, Nicolas Raboud, *Raboud, sculptures 1969-1999 «Carnets de route»*, Editions Montfort, Monthey, Acatos, Lausanne-Paris, 1999. *André Raboud, sculptures 1999-2002*, NK Editions, Lonay, 2002.

Le Grand Couple

Sylvio Acatos, *André Raboud*, ABC Verlag, Zurich, 1983. Hanspeter Adolph, Nicolas Raboud, *Raboud, sculpteur*, Editions SBG, Galerie Pavillon Werd, Zurich, 1993. Michel Butor, Nicolas Raboud, *Raboud, sculptures 1969-1999 «Carnets de route»*, Editions Montfort, Monthey, Acatos, Lausanne-Paris, 1999. *André Raboud, sculptures 1999-2002*, NK Editions, Lonay, 2002. *Connaissance des Arts*, 2003, repr. p. 66.

André Ramseyer

Constellation

Marcel Joray, *André Ramseyer*, Le Griffon, Neuchâtel, 1979.

Jean-Pierre Raynaud

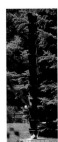

Grande Colonne noire

Maïten Bouisset, *Archétypes*, Editions Fondation Cartier, Paris, 1983, repr. p. 97. A. M. Hammacher, *Jean-Pierre Raynaud*, Cercle d'Art, Paris, 1991, cat. nº 88, repr. p. 128. Jean-Luc Daval, *L'art contemporain et l'axe historique*, Skira/EPAD, Genève, 1992, repr. p. 94. Danièle Giraudy, *Technè*, 1995, cat. nº 2, repr. p. XVI. Laurie Attias, «Say it with flowerpots», in: *ARTnews*, Paris, décembre 1998. L'œuvre figurera dans le prochain volume du catalogue raisonné de l'artiste par Denyse Durand-Ruel, à paraître en 2008.

Pierre-Auguste Renoir et Richard Guino

L'Eau ou Grande Laveuse accroupie

Paul Haesaerts, *Renoir Sculpteur*, Editions Hermès, Bruxelles, 1947, cat. nᵒˢ XXXVIII-XLII, autre fonte repr. Alfred Barr, *Masters of Modern Art*, The Museum of Modern Art, New York, 1958, repr. p. 41. Nagoya-shi, Aichi-ken, *Renoir Sculptures*, Urban Gallery, 1989, cat. nº 15. *Renoir-Guino*, catalogue d'exposition, Editions Galerie Henri Bronne, Monaco, 1994. Jean-Pierre Seurat, *Renoir-Guino*, catalogue d'exposition, Edizioni Museo delle Arti, Palazzo Bandera, Busto Arsizio, 1997. Pierre Kjellberg, *Les Bronzes du XIXᵉ siècle: Dictionnaire des sculpteurs*, Les Editions de l'Armateur, Paris, 2001, rééd. 2005, repr. p. 567.

Germaine Richier

La Vierge folle

Henri Creuzevault, *Germaine Richier 1904-1959*, Paris, 1966. *Musée de l'Automobile*, Fondation Pierre Gianadda, Martigny, 2004, repr. p. 284. Valérie Da Costa, *Germaine Richier. Un art entre deux mondes*, Editions Norma, Paris, 2006. Françoise Guiter, *Germaine Richier – Catalogue raisonné*, Paris, en préparation.

Auguste Rodin

La Méditation avec bras

Alain Beausire, *Quand Rodin exposait*, Musée Rodin, Paris, 1988. Albert E. Elsen, avec la collaboration de Rosalyn Frankel Jamison, *Rodin's Art. The Rodin Collection of the Iris & B. Gerald Cantor*, Center for Visual Arts at Stanford University, Oxford University Press, Bernard Barryte ed., New York, 2003, cat. nº 62. *Connaissance des Arts*, 2003, repr. en quatrième de couverture. *Musée de l'Automobile*, Fondation Pierre Gianadda, Martigny, 2004, repr. p. 213.

Cybèle – Grand modèle

Alain Beausire, *Quand Rodin exposait*, Musée Rodin, Paris, 1988. Albert E. Elsen, avec la collaboration de Rosalyn Frankel Jamison, *Rodin's Art. The Rodin Collection of the Iris & B. Gerald Cantor*,

Center for Visual Arts at Stanford University, Oxford University Press, Bernard Barryte ed., New York, 2003, cat. nº 186. *Connaissance des Arts*, 2003, repr. p. 10. *Musée de l'Automobile*, Fondation Pierre Gianadda, Martigny, 2004, repr. pp. 4, 17, 22, 25, 163.

Le Baiser – Grand modèle

Antoinette Le Normand-Romain, *Le «Baiser» de Rodin/ The «Kiss» by Rodin*, traduit en anglais par Lisa Davidson et Michael Gibson: la Villa des Brillants, Réunion des Musées Nationaux, Paris, 1996. Druet Bulloz, *Auguste Rodin: Le Baiser*, Editions Musée Rodin, 1997. Hélène Pinet, *Rodin. Le Baiser*, Gallimard, Paris, 2000. Antoinette Le Normand-Romain, *Rodin et le bronze. Catalogue des œuvres conservées au Musée Rodin*, 2 t., Musée Rodin, Réunion des Musées Nationaux, Paris, 2007.

Le Baiser* – Réduction nº 1, chef-modèle

Ionel Jianou, Cécile Goldscheider, *Rodin*, Arted, Paris, 1967, repr. p. 100. Isabelle Vassalo, «Barbedienne et Rodin: l'histoire d'un succès», in: *Rodin sculpteur. Œuvres méconnues*, catalogue d'exposition, Musée Rodin, Paris, 1992, repr. pp. 187-190. Antoinette Le Normand-Romain, *Le «Baiser» de Rodin / The «Kiss» by Rodin*, catalogue d'exposition, Musée Rodin, Réunion des Musées Nationaux, Paris, 1995, publié à l'occasion de l'exposition *Manet, Gauguin, Rodin... Chefs-d'œuvre de la Ny Carlsberg Glyptotek de Copenhague* présentée au Musée d'Orsay, Paris, 1995-1996. Pierre Kjellberg, *Les Bronzes du XIXᵉ siècle: Dictionnaire des sculpteurs*, Les Editions de l'Armateur, Paris, 2001, rééd. 2005, repr. p. 585. Albert E. Elsen, avec la collaboration de Rosalyn Frankel Jamison, *Rodin's Art. The Rodin Collection of the Iris & B. Gerald Cantor*, Center for Visual Arts at Stanford University, Oxford University Press, Bernard Barryte ed., New York, 2003, cat. nᵒˢ 48-49.

La Danaïde* – Grand modèle

Camille Mauclaire, *Auguste Rodin: The Man – His Ideas – His Works*, Londres, 1905, autre fonte repr. p. 28. Rainer Maria Rilke, *Auguste Rodin*, 1917, rééd. Archipelago Books, New York, 2004, marbre repr. pl. 17. Georges Grappe, *Catalogue du Musée Rodin*, Paris, 1927, marbre repr. cat. nº 77. Story Sommerville, *Rodin*, Phaidon Editions, Oxford University Press, New York, 1939, cat. nᵒˢ 43-45, marbre repr. p. 145. Albert E. Elsen, *Rodin*, The Museum of Modern Art, New York, 1963, marbre repr. p. 132. Ionel Jianou, Cécile Goldscheider, *Rodin*, Arted, Paris, 1967, marbre repr. pl. 28. John L. Tancock, *The Sculpture of Auguste Rodin*, Philadelphia Museum of Art, Philadelphie, 1976, autre fonte cat. nᵒˢ 32-35, repr. p. 245, marbre repr. p. 256. Alain Beausire, *Quand Rodin exposait*, Musée Rodin, Paris, 1988. Antoinette Le Normand-Romain, *Rodin en 1900. L'exposition de l'Alma*, Musée du Luxembourg, Réunion des Musées Nationaux, Paris, 2001, cat. nº 79. Pierre Kjellberg, *Les Bronzes du XIXᵉ siècle: Dictionnaire des sculpteurs*, Les Editions de l'Armateur, Paris, 2001, rééd. 2005, repr. Albert E. Elsen, avec la collaboration de Rosalyn Frankel Jamison, *Rodin's Art. The Rodin Collection of the Iris & B. Gerald Cantor*, Center for Visual Arts at Stanford University, Oxford University Press, Bernard Barryte ed., New York, 2003, cat. nº 154.

Auguste Rodin (suite)

Petite Tête de Jean de Fiennes avec main*

Ionel Jianou, Cécile Goldscheider, *Rodin*, Arted, Paris, 1967. John L. Tancock, *The Sculpture of Auguste Rodin*, Philadelphia Museum of Art, Philadelphie, 1976. Claudie Judrin, Monique Laurent, Dominique Viéville, *Auguste Rodin. Le monument des Bourgeois de Calais (1884-1895) dans les collections du musée Rodin et du musée des Beaux-Arts de Calais*, catalogue d'exposition, Musée Rodin, Paris, Musée des Beaux-Arts, Calais, 1977, cat. n° 92.

Torse de femme assise, dit Petit Torse assis B*

Balzac en robe de dominicain*

Antoinette Le Normand-Romain, *1898: Le «Balzac» de Rodin*, catalogue d'exposition, Musée Rodin, Paris, 1998, cat. n° 49, repr. pp. 46, 300-301.

La Prière*

Alain Beausire, *Quand Rodin exposait*, Musée Rodin, Paris, 1988. Antoinette Le Normand-Romain, *Rodin en 1900. L'exposition de l'Alma*, Musée du Luxembourg, Réunion des Musées Nationaux, Paris, 2001, repr. p. 70. Albert E. Elsen, avec la collaboration de Rosalyn Frankel Jamison, *Rodin's Art. The Rodin Collection of the Iris & B. Gerald Cantor*, Center for Visual Arts at Stanford University, Oxford University Press, Bernard Barryte ed., New York, 2003, cat. n° 80.

Albert Rouiller

Printemps 85

Sylvio Acatos, *Albert Rouiller: sculpteur*, ABC Verlag, Zurich, 1985. *Albert Rouiller*, catalogue d'exposition, Fundação Calouste Gulbenkian, Lisbonne, 1987. *Albert Rouiller*, catalogue d'exposition, Galerie Kara, Carouge-Genève, 1987. René Berger, avec des textes de Sylvio Acatos, *Albert Rouiller: sculptures, techniques mixtes, dessins*, catalogue d'exposition, Galerie Kara, Carouge-Genève, 1989. *Albert Rouiller: sculptures, pliages, dessins*, catalogue d'exposition, Galerie 2016, Hauterive, Bruxelles, 1991. *Albert Rouiller. Sculpter la vie*, Editions Vie Art Cité, Lausanne, 2004, repr. p. 84.

Maurice Ruche

Verticale

Connaissance des Arts, 2003, repr. p. 66. Danielle Junod-Sugnaux, *Maurice Ruche*, Collection RegArt contemporain, Chaman Edition, Neuchâtel, 2005.

Niki de Saint Phalle

Les Baigneurs

Pontus Hultén, *Niki de Saint Phalle*, Verlag Gerd Hatje, Berlin, 1992, repr. p. 131. Ulrich Krempel, *Niki de Saint Phalle, Catalogue raisonné*, Acatos Editions, Lausanne, 2001. *Connaissance des Arts*, 2003, repr. p. 38. *Niki de Saint Phalle: des assemblages aux œuvres monumentales*, Musée des Beaux-Arts, Angers, 2004. *Musée de l'Automobile*, Fondation Pierre Gianadda, Martigny, 2004, repr. pp. 5, 238, 281.

George Segal

Woman with Sunglasses on Bench [Barbara Goldfarb]
Femme aux lunettes de soleil assise sur un banc

Jan Van der Marck, *The Sculpture of George Segal*, Abrams, New York, 1975. «Segal», *in: Repères*, Cahiers d'Art contemporain, Galerie Maeght Lelong éd., Paris, 1985, n° 7, repr. p. 18. *L'Umana Avventura*, Loffredo Editore, Casoria, Italie, printemps-été 1989, repr. en couverture. Alain Robbe-Grillet, *George Segal. Invasion blanche, sculptures 1971-1989*, Editions de la Différence/Galerie Beaubourg, Paris, 1990. *Connaissance des Arts*, 2003, repr. p. 44. *Musée de l'Automobile*, Fondation Pierre Gianadda, Martigny, 2004, repr. p. 280.

Josef Staub

Symphonie

Giorgio von Arb, John Matheson, Guido Magnaguagno, *Josef Staub*, Offizin, Zurich, 1991. «Josef Staub, Konkrete Organik», *in: Neue Zürcher Zeitung*, Zurich, 2001. *Connaissance des Arts*, 2003, repr. p. 66.

Sam Szafran

L'Escalier

Jean Clair, *Escaliers*, Galerie Claude Bernard, Paris, 1980. James Lord, *Un regard sur Szafran*, Galerie Claude Bernard, Paris, 1987. Jean Clair, *Sam Szafran*, Skira, Genève, 1996. Daniel Marchesseau, *Le Pavillon Szafran*, Fondation Pierre Gianadda, Martigny, 2006.

Filmographie: *Sam Szafran – Escalier*, produit et réalisé par Antoine Cretton, CINE2000, Martigny, coproduit par Friedrich Sammer, prises de vues Max Sammer; son, mixage et montage Stanley Maumary, 2005.

Sam Szafran (suite)

Philodendrons

James Lord, *Un regard sur Szafran*, Galerie Claude Bernard, Paris, 1987. Jean Clair, *Sam Szafran*, Skira, Genève, 1996. Daniel Marchesseau, *Le Pavillon Szafran*, Fondation Pierre Gianadda, Martigny, 2006.

Buste*

James Lord, *Un regard sur Szafran*, Galerie Claude Bernard, Paris, 1987. Jean Clair, *Sam Szafran*, Skira, Genève, 1996. *Sam Szafran, L'atelier dans l'atelier, 1960-2000*, catalogue d'exposition, Musée de la Vie Romantique, Paris, 2000.

Buste*

James Lord, *Un regard sur Szafran*, Galerie Claude Bernard, Paris, 1987. Jean Clair, *Sam Szafran*, Skira, Genève, 1996. *Sam Szafran, L'atelier dans l'atelier, 1960-2000*, catalogue d'exposition, Musée de la Vie Romantique, Paris, 2000.

Chute de l'ange*

James Lord, *Un regard sur Szafran*, Galerie Claude Bernard, Paris, 1987. Jean Clair, *Sam Szafran*, Skira, Genève, 1996. *Sam Szafran, L'atelier dans l'atelier, 1960-2000*, catalogue d'exposition, Musée de la Vie Romantique, Paris, 2000.

Cheval

James Lord, *Un regard sur Szafran*, Galerie Claude Bernard, Paris, 1987. Jean Clair, *Sam Szafran*, Skira, Genève, 1996. *Sam Szafran, L'atelier dans l'atelier, 1960-2000*, catalogue d'exposition, Musée de la Vie Romantique, Paris, 2000.

Antoni Tàpies

Mural

Pere Gimferrer, *Tàpies i l'Esperit Català*, Ediciones Polígrafa, Barcelone, 1974. Georges Raillard, *Tàpies*, Maeght Editions, Paris, 1976. Andreas Franzke, Michael Schwarz, *Antoni Tàpies. Werk und Zeit*, Verlag Gerd Hatje, Stuttgart, 1979. Victoria Combalia Dexeus, *Tàpies*, Albin Michel, Paris, 1984. Anna Agusti, *Tàpies, catalogue raisonné*, Fundació Antoni Tàpies, Editions Cercle d'Art, Paris, 1989. Anna Agusti, *Tàpies: The Complete Works*, Ediciones Polígrafa, Barcelone, 1992. *Antoni Tàpies: terres chamottées*, Galerie Academia, Salzbourg, 1994.

Filmographie: *Antoni Tàpies*, réalisé par Clovis Prévost, produit par la Fondation Maeght, 1969.

André Tommasini

Expansion I

Dominique Vollichard, René Berger, Christophe Gallaz, *André Tommasini. Sculptures*, photographies de Claude Huber, Galerie Jade, Colmar, 1989.

Bernar Venet

Indeterminate Line

Catherine Millet, *Bernar Venet*, Editions du Chêne, Paris, 1974. Arnauld Pierre, *Bernar Venet. Sculptures et reliefs*, Editions Marval, Paris, 2000. *Connaissance des Arts*, 2003, repr. p. 47. Thomas McEvilley, *Bernar Venet*, Editions Artha, Lyon, 2002. *Bernar Venet, «l'hypothèse de l'arc»*, catalogue d'exposition, Centre d'Art Contemporain Intercommunal, Istres, 2005.

Gillian White

Complainte du vent

Angela Thomas *et al.*, *Eigenwerk im Eisenwerk. Sibylle Burla, Gillian White, Elke Scheu*, Shed im Eisenwerk, Frauenfeld, 1992.

Les empreintes et les photographies ont été prises par Gil Zermatten de Martigny et les plaques réalisées dans sa fonderie.

Empreintes

Annette et Léonard Gianadda

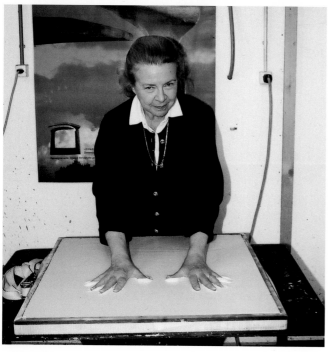

Fredy Girardet

Joan Gardy Artigas

Cecilia Bartoli

Maurice Béjart

Mario Botta

Maurice Chappaz

Henri Cartier-Bresson

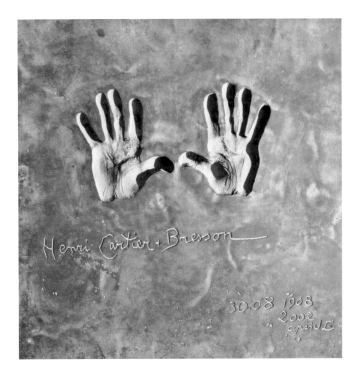

PHOTOS:
ERIC FRANCK

Barbara Hendricks

Marcel Imsand

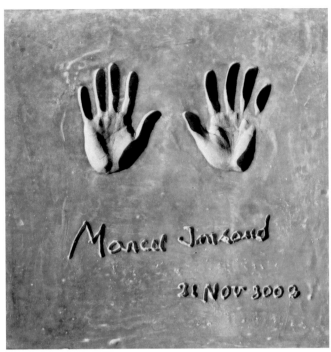

Arman
peintre et sculpteur
10 septembre 2004

Cecilia Bartoli
cantatrice
8 mars 2002

Maurice Béjart
chorégraphe
23 janvier 2003

Mario Botta
architecte
17 novembre 2003

Freddy Buache
historien du cinéma
18 juin 2002

Henri Cartier-Bresson
photographe
30 août 2002

César
sculpteur
12 avril 1995

Maurice Chappaz
écrivain
28 juin 2002

Jacques Chessex
poète et écrivain
18 juin 2002

Fredy Girardet
cuisinier / grand chef
8 novembre 2002

Hans Erni
peintre, graveur et
sculpteur
27 juin 2002

Barbara Hendricks
cantatrice
22 janvier 2003

Jonathan Gilad
pianiste
22 juillet 2002

Marcel Imsand
photographe
21 novembre 2002

José Giovanni
cinéaste
24 février 2003

**François-Xavier et
Claude Lalanne**
sculpteurs
27 novembre 2007

Radu Lupu
pianiste
25 février 2003

Ruggero Raimondi
chanteur-acteur
19 octobre 2002

Neville Marriner
chef d'orchestre et
violoniste
11 novembre 2004

Jean-Pierre Raynaud
plasticien
20 septembre 2007

Brigitte Meyer
pianiste
6 mars 2003

Vadim Repin
violoniste
25 août 2002

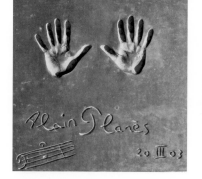

Alain Planès
pianiste
20 mars 2003

Fazıl Say
pianiste et
compositeur
14 février 2004

András Schiff
pianiste
15 janvier 2008

Tibor Varga
violoniste
30 août 2002

Claudio Scimone
chef d'orchestre
4 septembre 2002

Bernar Venet
sculpteur
27 novembre 2007

Vladimir Spivakov
chef d'orchestre
17 novembre 2002

Maxim Vengerov
violoniste
14 février 2004

Sam Szafran
peintre, aquarelliste
et pastelliste
31 janvier 2003

Pinchas Zukerman
violoniste et
chef d'orchestre
1er avril 2003

La Fondation Pierre Gianadda, c'est aussi…

Fréquentation

Visiteurs	Dates	Visiteurs	Dates
500 000	21 septembre 1985	4 500 000	22 juillet 1999
1 000 000	11 juillet 1988	5 000 000	19 août 2000
1 500 000	16 août 1990	5 500 000	25 décembre 2001
2 000 000	13 septembre 1991	6 000 000	30 septembre 2003
2 500 000	1er septembre 1993	6 500 000	27 octobre 2004
3 000 000	25 mai 1995	7 000 000	17 juillet 2006
3 500 000	4 novembre 1996	7 500 000	17 mars 2008
4 000 000	4 juillet 1998		

An 2000.

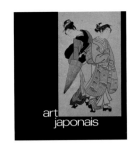

Expositions de la Fondation Pierre Gianadda

- Astérisque*: expositions concernées par la sculpture
- Entre parenthèses: (COMMISSAIRE) (nombre de visiteurs)
- *En italique:* sans catalogue
- (000): numéros de collection

1979 *Six peintres valaisans* (2769)

1980 Paul Klee* (ANDRÉ KUENZI) (25 510)
Fernand Dubuis

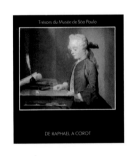

1981 *François Gay*
Paul Messerli
Picasso, estampes 1904-1972*
(ANDRÉ KUENZI) (30 992)
Jean-Claude Rouiller (5027)

1982 *Architecture suisse* (2108)
Art japonais dans les collections suisses*
(JEAN-MICHEL GARD ET EIKO KONDO) (11 795)
Goya dans les collections suisses
(PIERRE GASSIER) (47 224)
Jean-Claude Morend (2536)
Marie-Antoinette Gorret (3726)

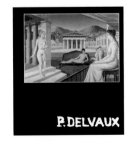

1983 *Albert Chavaz* (6911)
(204) Manguin parmi les Fauves
(PIERRE GASSIER) (40 675)
André Raboud Exposition dans le Parc
de Sculptures* (5538)
Ferdinand Hodler, élève de Ferdinand
Sommer (JURA BRÜSCHWEILER) (8537)

1984 *Ansermet / Skyll (1688)*
(203) *Mizette Putallaz (5380)*
Rodin* (Pierre Gassier) (165 443)
Pierre Loye (3636)

1985 Bernard Cathelin (Sylvio Acatos) (4734)
(234) *Albert Rouiller* Exposition dans le Parc de Sculptures (3180)*
Paul Klee* (André Kuenzi) (93 771)
Marcel Imsand (7010)

1986 Isabelle Tabin-Darbellay (5373)
(220) Gaston Chaissac*
(Christian Heck et Erwin Treu) (11 223)
Alberto Giacometti* (André Kuenzi) (124 118)
Egon Schiele – Gustav Klimt
(Serge Sabarsky) (14 144)

1987 Serge Poliakoff (Dora Vallier) (10 891)
(183) André Tommasini – *Marie-Antoinette Gorret**
(Sylvio Acatos) (8016) Exposition dans le Parc de Sculptures
Toulouse-Lautrec (Pierre Gassier) (196 225)
Italo Valenti (3290)
Paul Delvaux (26 659)

1988 Trésors du Musée de São Paulo (Ettore Camesasca)
(189) – 1re partie: de Raphaël à Corot (60 226)
– 2e partie: de Manet à Picasso* (161 615)
Picasso linograveur (Danièle Giraudy) (8486)

1989 Le Peintre et l'affiche
(156) (Jean-Louis Capitaine) (13 689)
Jules Bissier (André Kuenzi) (9125)
Hans Erni, Vie et mythologie*
(Claude Richoz) (22 905)
Henry Moore* (David Mitchinson)
Exposition dans la Fondation et dans le Parc de Sculptures (129 336)
Henri Cartier-Bresson (12 856)

1990 Louis Soutter
(154) (André Kuenzi et Annette Ferrari) (19 053)
Fernando Botero* (Solange Auzias de Turenne)
Exposition dans la Fondation et dans le Parc de Sculptures (32 528)
Modigliani* (Daniel Marchesseau) (263 332)
Camille Claudel* (Nicole Barbier) (106 031)

 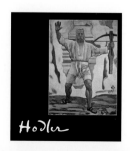   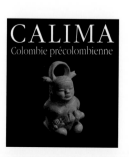 

1991 Chagall en Russie (CHRISTINA BURRUS) (169 082)
(146)   Ferdinand Hodler, peintre de l'histoire suisse
(JURA BRÜSCHWEILER) (86 695)

Sculpture suisse en plein air 1960-1991*
(ANDRÉ KUENZI, ANNETTE FERRARI ET MARCEL JORAY)

Mizette Putallaz (5101)

Calima, Colombie précolombienne
(MARIE-CLAUDE MORAND) (25 856)

Franco Franchi* (ROBERTO SANESI)

1992 De Goya à Matisse, estampes du
(135)   Fonds Jacques Doucet (PIERRE GASSIER) (51 542)

Georges Braque* (JEAN-LOUIS PRAT) (166 971)

Ben Nicholson (JEREMY LEWISON) (13 029)

Antoine Poncet Exposition dans le Parc de
Sculptures*

1993 Georges Borgeaud (13 138)
(155)   Jean Dubuffet* (DANIEL MARCHESSEAU) (45 349)

Edgar Degas* (RONALD PICKVANCE) (241 295)

Marie Laurencin (DANIEL MARCHESSEAU) (45 438)

1994 Rodin, dessins et aquarelles*
(177)   (CLAUDIE JUDRIN) (48 058)

De Matisse à Picasso, Collection Jacques
et Natasha Gelman* (The Metropolitan
Museum of Art, New York) (217 977)

Albert Chavaz
(MARIE-CLAUDE MORAND) (17 830)

1995 Egon Schiele (SERGE SABARSKY) (78 370)
(184)   Nicolas de Staël (JEAN-LOUIS PRAT) (148 671)

Larionov – Gontcharova
(JESSICA BOISSEL) (15 798)

Alicia Penalba Exposition dans le Parc
de Sculptures*

1996 Suzanne Valadon
(166)   (DANIEL MARCHESSEAU) (63 414)

Edouard Manet (RONALD PICKVANCE) (290 336)

Marcel Imsand – Michel Favre – *Rosat*
(16 103)

Alicia Penalba Exposition dans le Parc
de Sculptures*

   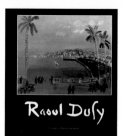 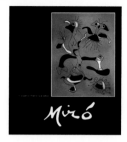 

1997 Raoul Dufy (DIDIER SCHULMANN) (84 036)

(138)   Joan Miró* (JEAN-LOUIS PRAT) (208 278)
Exposition dans la Fondation et dans le Parc
de Sculptures

Icônes russes, Galerie nationale Tretiakov,
Moscou (EKATERINA L. SELEZNEVA) (39 182)

Alicia Penalba Exposition dans le Parc
de Sculptures*

Charlie Chaplin

1998 Diego Rivera – Frida Kahlo
(139)   (CHRISTINA BURRUS) (103 660)

Paul Gauguin* (RONALD PICKVANCE) (379 260)

Hans Erni, rétrospective*
(ANDRES FURGER) (41 057)

*Photographies de Charlie Chaplin
par Yves Debraine*

1998-1999   *César* Exposition dans le Parc
de Sculptures

1999 Turner et les Alpes
(158)   (DAVID BLAYNEY BROWN) (74 714)

Michel Darbellay

Pierre Bonnard (JEAN-LOUIS PRAT) (215 813)

Sam Szafran* (JEAN CLAIR) (11 957)

2000 Kandinsky et la Russie
(150)   (LIDIA ROMACHKOVA) (125 843)

Bicentenaire du passage des Alpes par
Bonaparte 1800-2000 (FRÉDÉRIC KÜNZI)

Vincent Van Gogh
(RONALD PICKVANCE) (447 584)

Icônes russes. Les saints. Galerie nationale
Tretiakov, Moscou (LIDIA I. IOVLEVA) (80 806)

2001 Picasso. Sous le soleil de Mithra*
(132)   (JEAN CLAIR) (149 719)

Marius Borgeaud
(JACQUES DOMINIQUE ROUILLER) (19 800)

Au Fil du Temps

Picasso vu par David Douglas Duncan

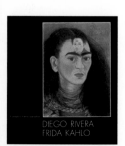   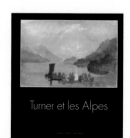  

  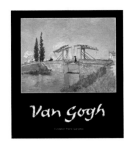 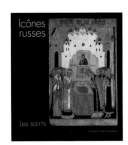  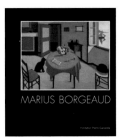

2007 Picasso et le cirque* (María Teresa Ocaña et
(80) Dominique Dupuis-Labbé) (64 719)

Chagall, entre ciel et terre
(Ekaterina L. Selezneva) (196 640)

Albert Chavaz. La couleur au cœur
(Jacques Dominique Rouiller) (37 107)

2008 Offrandes aux Dieux d'Egypte* (Marsha Hill)

Balthus, 100e anniversaire
(Jean Clair et Dominique Radrizzani)

Olivier Saudan (Nicolas Raboud)

Hans Erni, 100e anniversaire
(Jacques Dominique Rouiller)

En projet

2009 Rodin érotique (Dominique Viéville)

Musée Pouchkine, Moscou. De Courbet à Picasso
(Irina Antonova)

Icônes russes (Ekaterina L. Selezneva)

2010 René Magritte (Jean-Louis Prat)
La Collection d'un ami

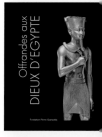

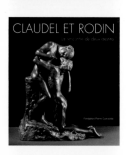

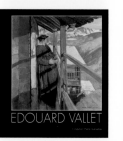

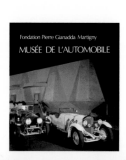

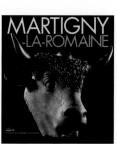

La Musique à la Fondation Pierre Gianadda

1979 Beaux Arts Trio New York (1er septembre)

1980 Yehudi Menuhin, violon, Jeremy Menuhin, piano
(4 septembre)

1981 Beaux Arts Trio New York (19 septembre)
Martha Argerich et Brigitte Meyer, pianos (6 novembre)
Nikita Magaloff, piano (19 novembre)

1982 Maurice André, trompette, Ensemble Instrumental
de France (16 septembre)

1983 Mstislav Rostropovitch, Collegium Musicum Zürich,
dir.: Paul Sacher (28 août)
Beaux Arts Trio New York (12 septembre)
I Solisti Veneti, dir.: Claudio Scimone (22 septembre)

1984 Henryk Szeryng et Piero Toso, violons, Orchestra da
Camera di Padova (1er septembre)
Barbara Hendricks avec un ensemble musical
(14 septembre)
Melos Quartett (26 septembre)

1985 Royal Philharmonic Orchestra de Londres,
dir.: Vladimir Ashkenazy (11 septembre)
Teresa Berganza, chœurs vaudois Orchestre de la Suisse
Romande (OSR), dir.: Armin Jordan (20 septembre)
I Solisti Veneti, dir.: Claudio Scimone (23 septembre)

1986 Anne-Sophie Mutter, Collegium Musicum Zürich,
dir.: Paul Sacher (5 septembre)
Barbara Hendricks, soprano, Youri Egorov, piano
(2 octobre)
Maurice André, trompette, Camerata Bern,
dir.: Thomas Füri (29 novembre)

1987 Teresa Berganza, Sinfonia Varsovia,
dir.: Jean-Baptiste Pommier (18 septembre)
Yehudi Menuhin, violon, Camerata Lysy (27 octobre)

1988 Barbara Hendricks, soprano, Roland Pöntinen, piano
(28 mai)
Isaac Stern, violon, Robert McDonald, piano (6 septembre)
Edith Mathis, soprano, Orchestre de Chambre de
Lausanne (OCL), dir.: Lawrence Foster (14 septembre)
Simon Estes, baryton-basse, Veronica Scully, piano
(21 octobre)
I Solisti Veneti (19 novembre), *pour le dixième anniversaire
de la Fondation Pierre Gianadda*

1989 Maria João Pires, piano, Sinfonia Varsovia,
dir.: Charles Dutoit (18 avril)
Barbara Hendricks, Stockholm Chamber Orchestra,
dir.: Esa-Pekka Salonen (24 juillet)
Nikita Magaloff, piano, Mauro Loguercio, violon,
Antonio Meneses, violoncelle (4 septembre)
Alfred Brendel, piano, Orpheus Chamber Orchestra
New York (20 septembre)
Teresa Berganza, mezzo-soprano, Orchestre de Chambre
de Zurich, dir.: Edmond de Stoutz (25 septembre)

1990 Radu Lupu, piano (3 août)
Yo-Yo Ma, violoncelle, Emanuel Ax, piano (3 septembre)
Frank Peter Zimmermann, violon, OCL (14 septembre)
Lazar Berman, piano (18 septembre)
Barbara Hendricks, Camerata Bern, dir.: Thomas Füri
(26 septembre)

1991 Beaux Arts Trio New York (16 janvier)
György Sebök, piano (22 mars)
Maurice André, trompette, Festival Strings Lucerne (17 avril)
Radu Lupu, piano (29 août)
Collegium Vocale de Gand, dir.: Philippe Herreweghe
(6 septembre)
Martha Argerich et Alexandre Rabinovitch, pianos
(8 septembre)
Christian Zacharias, piano (13 décembre)

Claudio Scimone, 4 septembre 2002.

Ruggero Raimondi, 19 octobre 2002.

1992 Anne Sofie von Otter, soprano, OSR, dir.: Armin Jordan
(4 janvier)
Margaret Price, soprano, Graham Johnson, piano (9 février)
Augustin Dumay, violon, Maria João Pires, piano (22 avril)
Les Arts Florissants, dir.: William Christie (24 août)
Camerata de Salzbourg, dir.: Sándor Végh (5 septembre)
András Schiff, piano, Yuuko Shiokawa, violon, Nobuko
Imai, alto, Miklós Perényi, violoncelle (26 septembre)
Dénes Várjon, piano (15 octobre)
Teresa Berganza, mezzo-soprano, Juan Antonio Álvarez
Parejo, piano (4 novembre)

1993 Barbara Hendricks, soprano, Staffan Scheja, piano (5 mars)
Pinchas Zukerman, direction et soliste, Ralph Kirshbaum,
violoncelle, English Chamber Orchestra (31 août)
I Solisti Veneti, dir.: Claudio Scimone (19 novembre), *pour
le quinzième anniversaire de la Fondation Pierre Gianadda*
Heinz Holliger, hautbois, Elmar Schmid, clarinette,
Radovan Vlatković, cor, Klaus Thunemann, basson, András
Schiff, piano (4 décembre)

1994 Alicia de Larrocha, piano (28 janvier)
Montserrat Figueras, soprano, Ensemble Hespèrion XX,
dir.: Jordi Savall (22 juillet)
Teresa Berganza, mezzo-soprano, Juan Antonio Álvarez
Parejo, piano (30 juillet)
Maurice André, trompette, Orchestre de Chambre de
Zurich, dir.: Edmond de Stoutz (26 août)

1995 Maxim Vengerov, violon, Itamar Golan, piano
(2 septembre)
Wolfgang Holzmair, baryton, London Classical Players,
dir.: Roger Norrington (21 septembre)

1996 Pinchas Zukerman, violon et direction, English Chamber
Orchestra (8 mars)
Il Giardino Armonico (18 septembre)

1997 Barbara Hendricks, soprano, Staffan Scheja, piano
(6 février)
I Solisti Veneti, dir.: Claudio Scimone (23 avril)
Margaret Price, soprano, Thomas Dewey, piano
[Festival Tibor Varga] (23 juillet)
Vadim Repin, violon, Boris Berezovsky, piano
[Festival Tibor Varga] (26 août)

1998 Heinz Holliger, hautbois, Camerata Bern (25 mars)
György Sebök, piano, Orchestre de Chambre du Festival
Ernen Musikdorf (22 août)
Maurice André, trompette, Béatrice André, hautbois,
Nicolas André, trompette, Festival Strings Lucerne,
dir.: Rudolf Baumgartner (9 septembre)
Itzhak Perlman, violon, Bruno Canino, piano (14 octobre)
I Solisti Veneti, dir.: Claudio Scimone (19 novembre), *pour
le vingtième anniversaire de la Fondation Pierre Gianadda*
Tokyo String Quartet (3 décembre)

1999 Quatuor Pražák (16 janvier)
Melos Quartett de Stuttgart (20 février)
Quatuor Emerson (6 mars)
Quatuor Kocian (29 avril)
Cecilia Bartoli, mezzo-soprano, György Fischer, piano
(30 mars)
Murray Perahia, piano (9 septembre)
Ruggero Raimondi, basse, Ann Beckman, piano
(19 octobre)

*Cecilia Bartoli et Léonard Gianadda,
25 août 2005.*

2000 Vladimir Spivakov, violon et direction, Christian Benda,
violoncelle, Les Virtuoses de Moscou (31 janvier)
Cecilia Bartoli, mezzo-soprano, Gérard Wyss, piano
(30 mars)
Daniel Barenboïm, piano (7 juillet)
I Solisti Veneti, dir.: Claudio Scimone (23 août)
Ruggero Raimondi, basse, Ann Beckman, piano
(8 septembre)
Murray Perahia, piano (16 septembre)

2001 Beaux Arts Trio New York (18 janvier)
Cecilia Bartoli, mezzo-soprano (27 mars)
Itzhak Perlman, violon, Bruno Canino, piano (22 avril)
Christian Zacharias, OCL (7 juillet)
Daniel Barenboïm, piano (24 août)
Quatuor de Leipzig, Christian Ockert, contrebasse,
Christian Zacharias, piano (30 août)

2002 Il Giardino Armonico (18 janvier)
Festival Cecilia Bartoli (4, 6 et 9 mars)
Radu Lupu, piano (23 mars)
Vadim Repin, violon, Boris Berezovsky, piano (25 août)
I Solisti Veneti, dir.: Claudio Scimone (4 septembre)
Ruggero Raimondi, basse, Ann Beckman, piano
(19 octobre)
Vladimir Spivakov, violon et direction, Christian Benda,
violoncelle, Les Virtuoses de Moscou (17 novembre)

2003 Beaux Arts Trio New York (5 février)
Cecilia Bartoli, mezzo-soprano, Sergio Ciomei,
Mario Pesci, Giuseppe Mulè, Carla Tutino (13 février)
Pinchas Zukerman, violon, Marc Neikrug, piano (1er avril)
Bruno Leonardo Gelber, piano (22 juillet)
Les Solistes du Festival d'Ernen (16 août)
Orchestre de Chambre de Prague (10 septembre)
Ruggero Raimondi, basse, Ann Beckman, piano
(10 octobre)
Ensemble Vocal et Instrumental de Lausanne,
dir.: Michel Corboz (25 octobre)
I Solisti Veneti, dir.: Claudio Scimone (19 novembre),
*pour le vingt-cinquième anniversaire de la Fondation
Pierre Gianadda*
Christian Zacharias, piano (23 novembre)

2004 Il Giardino Armonico, Roberta Invernizzi, soprano,
Lucia Cirillo, mezzo-soprano, Fulvio Bettini, baryton,
Christian Senn, baryton, dir.: Luca Pianca (19 janvier)

2004 Maxim Vengerov, violon, Fazıl Say, piano (14 février)
Chœur du Patriarcat de Moscou,
dir.: Hiéromoine Ambroise (3 et 4 avril)
Antonio Meneses, violoncelle, Menahem Pressler, piano
(29 avril)
Cecilia Bartoli, mezzo-soprano, *concert de gala
dans le cadre du vingt-cinquième anniversaire de la
Fondation Pierre Gianadda* (8 juin)
Gyula Stuller, violon, Dénes Várjon, piano (2 août)
Quatuor Michelangelo (14 août)
Les Solistes du Festival d'Ernen (21 août)
Murray Perahia, piano (22 septembre)
Camerata de Lausanne, Pierre Amoyal, violon et
direction (12 octobre)
OSR, dir.: Sir Neville Marriner, Joshua Bell, violon
(11 novembre)
Vadim Repin, violon, Itamar Golan, piano (16 décembre)

2005 Chœur Novantiqua, dir.: Bernard Héritier (18 janvier)
Beaux Arts Trio (4 février)
OCL, dir.: Okko Kamu, Sol Gabetta, violoncelle (23 février)
Cecilia Bartoli, mezzo-soprano, Sergio Ciomei, piano
(6 mars)
Radu Lupu, piano (24 mars)
Brigitte Meyer, piano, Brigitte Fournier, soprano,
Brigitte Balleys, alto (7 avril)
Quatuor Michelangelo, Duncan Mc Tier, contrebasse,
Dominique Merlet, piano (12 juillet)
Les Solistes du Festival d'Ernen (12 août)

Pour les 70 ans de Léonard Gianadda:
I Solisti Veneti, dir.: Claudio Scimone (22 août)
Cecilia Bartoli, mezzo-soprano, Orchestre La Scintilla
(25 août)

Christian Zacharias, piano et direction, OCL (30 août)
Alexei Volodine, piano (14 septembre)
Le Musiche Nove (9 octobre)

2005 Boris Berezovsky, piano (28 octobre)
Beaux Arts Trio, Orchestre de Chambre du Wurtemberg,
dir.: Ruben Gazarian (19 novembre)
Ensemble Vocal et Instrumental de Lausanne,
dir.: Michel Corboz (2 décembre)
Vladimir Spivakov, violon, Christian Benda, violoncelle,
Serguëi Bezrodni, piano (12 décembre)

2006 Olivier Cavé, piano, OCL, dir.: Christophe König
(14 janvier)
Augustin Dumay, violon et direction, Orchestre Royal
de Chambre de Wallonie (14 février)
Il Giardino Armonico, Luca Pianca, luth et direction
musicale, Hans-Peter Westermann, hautbois, Marco
Bianchi et Riccardo Minasi, violons, Paolo Beschi,
violoncelle, Riccardo Doni, clavecin (1er septembre)
Corey Cerovsek, violon, OCL, dir.: Olari Elts (18 octobre)
Brigitte Meyer, piano, dir.: Pierre Amoyal, Camerata de
Lausanne (19 novembre)

*Daniel Barenboïm,
7 juillet 2000.*

342

Cecilia Bartoli, 3 septembre 2007.

2006   Cecilia Bartoli, mezzo-soprano, avec Oliver Widmer,
baryton, et accompagnement de piano (23 novembre)
Cecilia Bartoli, mezzo-soprano, Freiburger Barock-
orchester, *Opera Proibita* (25 novembre)
Brigitte Fournier, soprano, Ruth Sandhoff, alto,
Gerd Türk, ténor, Markus Volpert, basse, Ensemble
Orlando Fribourg, dir.: Laurent Gendre (3 décembre)

2007   Beaux Arts Trio (12 janvier)
Joshua Bell, violon, Jeremy Denk, piano (27 février)
Fazıl Say, piano (14 mars)
Julian Rachlin, violon, dir.: Patrick Davin, OSR (13 avril)
Murray Perahia, piano et direction, Academy of
St. Martin in the Fields (7 mai)
Thomas Friedli, clarinette, Marcio Carneiro, violoncelle,
Jean-Jacques Balet, piano (10 août)
Orchestre du Festival d'Ernen (18 août)
Cecilia Bartoli, mezzo-soprano, Orchestre La Scintilla
(3 septembre et 17 octobre)
Murray Perahia, piano (5 septembre)
Fabio Bondi, violon et direction, Europa Galante
(27 septembre)

2007   Chœur du Patriarcat de Moscou,
dir.: Hiéromoine Ambroise (7 octobre)
Beaux Arts Trio New York (17 novembre)
Fazıl Say, piano, OCL, dir.: Christophe König
(15 décembre)

2008   András Schiff, piano (15 janvier)
Sergueï Koudriakov, piano (13 février)
Pinchas Zukerman, violon, Marc Neikrug, piano
(7 mars)
Academy of St. Martin in the Fields Chamber Ensemble
(26 avril)

L'archéologie et la Fondation Pierre Gianadda

par François Wiblé, archéologue cantonal du Valais

L'amphithéâtre (IIe-IVe siècle) pouvait accueillir jusqu'à 5000 spectateurs.

Cette **tête de taureau tricorne** *en bronze, à laquelle manque la corne frontale, est un fragment d'une statue colossale, vraisemblablement cultuelle, mise au jour en 1883 dans la basilique du forum, à proximité de la Fondation.*

Au printemps 1976, deux ans après l'installation d'un bureau permanent de fouilles à Martigny, la mise au jour d'un temple indigène remontant au milieu du Ier siècle av. J.-C., à l'emplacement où M. Léonard Gianadda avait l'intention de construire un immeuble, marque un tournant décisif pour l'archéologie martigneraine, non seulement par la portée de la découverte, mais aussi par le fait qu'elle a été à l'origine d'un musée de site qui faisait cruellement défaut jusqu'alors.

Certes, des trouvailles exceptionnelles comme celle des *Grands Bronzes d'Octodure*, le 23 novembre 1883, qui sont actuellement les pièces maîtresses de l'exposition archéologique, le dégagement du forum, entre 1883 et 1901, de même que les fouilles menées épisodiquement sur le site au début du XXe siècle et juste avant la Seconde Guerre mondiale, avaient mis en lumière l'importance de la ville antique de *Forum Claudii Vallensium*, capitale du Valais romain, mais n'avaient pas provoqué une prise de conscience collective, et la création d'un musée, que certains appelaient de leurs vœux, relevait toujours du domaine de l'utopie.

La construction du temple remonte à l'époque de Jules César, sans que l'on puisse préciser si elle est antérieure ou postérieure à la bataille d'Octodure, relatée par le grand général dans le troisième livre de son *Bellum Gallicum*: à la fin de l'année 57 av. J.-C., alors que la guerre des Gaules n'en était encore qu'à ses débuts, il avait envoyé la 12e légion hiverner à Martigny, dans le but de contrôler la route qui passait par le col du Grand-Saint-Bernard, liaison la plus rapide entre l'Italie et la Gaule du Nord. Le corps de troupe commandé par Sulpicius Galba, qui avait occupé une partie du bourg gaulois nommé Octodurus, fut attaqué par les habitants de la région, les Véragres, aidés des Sédunes du Valais central; officiellement, les Romains obtinrent la victoire après de rudes combats, mais n'en furent pas moins obligés de se retirer pour aller hiverner dans la province de Narbonnaise, déjà soumise à la loi de Rome.

Il se pourrait donc, mais ce n'est là qu'une hypothèse fragile, que le temple ait été érigé en action de grâce à cette occasion. Ce monument est formé d'un podium de 16 m sur 12,85 en pierres sèches, technique que les anciens Valaisans maîtrisaient depuis plusieurs millénaires, sur lequel s'élevait une *cella* en maçonnerie légère, le saint des saints du sanctuaire, d'un peu moins de 8 m sur 7. On y adorait notamment un dieu indigène que les Romains assimileront à leur Mercure. De très nombreux objets votifs y ont été découverts qui, non seulement témoignent de l'ancienneté du temple et de sa fréquentation jusqu'à l'extrême fin du IVe siècle de notre ère, alors qu'un évêque résidait déjà à Martigny depuis plusieurs décennies, mais aussi nous renseignent sur les rites qu'on y pratiquait et nous ont fourni de très nombreuses informations scientifiques. Ainsi, on a pu attribuer aux Véragres la frappe d'un type spécial de monnaies gauloises, retrouvées en grand nombre dans le sanctuaire, qui sont dérivées de monnaies de la plaine du Pô, elles-mêmes imitant la drachme de la ville grecque de Marseille. Cela montre que les Valaisans avaient des contacts économiques et commerciaux bien plus étroits avec leurs voisins du sud des Alpes qu'avec les habitants du Plateau suisse.

Cet édifice est aussi exceptionnel parce qu'on ne lui connaît aucun parallèle de la même époque et du fait qu'il présente un plan centré, qui sera la caractéristique des temples de type gallo-romain construits à partir de l'extrême fin du Ier siècle av. J.-C., offrant la possibilité de circuler et/ou d'organiser des cérémonies autour de la *cella*. C'est donc un maillon extrêmement important de l'évolution d'une forme architecturale spécifique.

Dès l'époque gauloise, le temple était compris dans une vaste aire sacrée, un *temenos*, dont des limites semblent avoir été de longs podiums en pierres sèches larges d'environ 5 m et distants de quelque 80 m. Vers le milieu du Ier siècle de notre ère, à l'époque de la fondation de la ville neuve de

Vénus *en marbre, réplique en réduction de l'*Aphrodite de Cnide *de Praxitèle, mise au jour en 1939 à proximité de la Fondation.*

Chapiteau *en calcaire du Jura*
représentant une couronne d'acanthes
au-dessus de laquelle chaque divinité
en buste est encadrée d'oiseaux aux
ailes déployées.

Forum Claudii Vallensium par le pouvoir romain, l'enclos sacré fut complètement restructuré et délimité par des murs maçonnés. Il couvre une surface de 85 m sur plus de 136 m, qui comprend une aire sacrée avec le temple indigène et une sorte de caravansérail abritant des entrepôts, un corps de logis, des salles de réception et des thermes. De ce complexe très original, quelques éléments (*caldarium* et *frigidarium* des thermes, salle de réception, mur d'enceinte et podium gaulois) ont été dégagés et sont présentés dans les jardins de la Fondation Pierre Gianadda.

En 2006-2007, l'exposition archéologique aménagée au niveau de la galerie supérieure du bâtiment de la Fondation a été complètement repensée et réaménagée, selon des critères muséographiques modernes. Outre les prestigieuses trouvailles effectuées entre 1883 et 1939, on y expose les principales découvertes faites sur le site de la ville antique ces trente-cinq dernières années, notamment dans le *mithraeum*, sanctuaire du dieu d'origine iranienne Mithra, dont les vestiges sont mis en valeur à quelques dizaines de mètres de l'entrée de la Fondation.

F. W.

Quelques objets tels que récipients de
cuisine en céramique, dés, jetons en os ou
en pâte de verre, pièces de monnaie
gauloises frappées à Martigny exposés au
Musée gallo-romain.

*Statuette d'**Apollon** en bronze
découverte en 1979 dans l'insula 1.
Le dieu porte un collier d'or rapporté.
Exposée au Musée gallo-romain.*

Le Musée de l'Automobile

par Léonard Gianadda

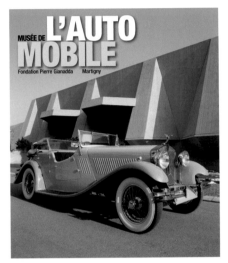

L'année 2004 fut marquée par la publication de l'ouvrage consacré au Musée de l'Automobile.

Créer un musée de l'automobile dans le cadre de la Fondation Pierre Gianadda?

J'avoue qu'à l'origine cette idée du Vétéran Car Club Suisse Romand m'apparut un peu saugrenue: les amateurs d'art ne manqueraient pas de s'offusquer en prétendant que culture et technique ne devaient pas se mélanger. De nombreux collectionneurs de voitures anciennes manifestèrent, en revanche, un vif intérêt pour une telle réalisation et ils n'eurent pas trop de peine à me convaincre. En effet, je voulais donner à la Fondation un élan dynamique, en faire un lieu vivant, offrir aux visiteurs une animation concrétisée par des expositions temporaires, développer des activités diversifiées, afin de ne pas sombrer dans la léthargie qui, tôt ou tard, guette les musées figés dans un moment de l'histoire. Or, les voitures anciennes pouvaient toucher un public qui n'était pas forcément sensibilisé à l'art, alors que les manifestations culturelles allaient permettre aux amateurs de musique et d'expositions de découvrir le charme des vieilles mécaniques.

En 1981, j'aménage donc en Musée de l'Automobile le parking souterrain prévu au départ pour desservir l'immeuble en projet sur le terrain de la Fondation.

Pour améliorer le nombre et la qualité des véhicules proposés par le Vétéran Car Club, je décide d'acquérir quelques voitures représentatives de l'histoire de l'automobile. Conseillé par mon ami Fortunato Visentini, orfèvre en la matière, je ne tarde pas à me piquer au jeu et, petit à petit, constitue la collection qui compose aujourd'hui le Musée de l'Automobile, m'intéressant tout particulièrement aux modèles de construction suisse, très rares et souvent même uniques au monde.

Dès la fin du XIXe siècle, la Suisse a été pionnière en matière d'industrie automobile. A Genève tout particulièrement, divers ateliers mécaniques ont donné naissance à des modèles réputés, comme la *Sigma*, la *Pic-Pic* ou la *Stella*. Dans les années quatre-vingt, une rumeur persistante circulait parmi les amateurs de voitures historiques: une *Stella*, construite en 1911 par la Cie de l'Industrie Electrique et Mécanique, qui deviendra plus tard Sécheron, aurait survécu… en Uruguay. On sait que la construction de la *Stella* a été abandonnée en 1913, au moment où le marché suisse a dû céder face à la concurrence étrangère. Dans les années quatre-vingt-dix, la famille qui avait conservé cet ultime modèle dans une grange depuis 1920 consent à me le vendre. Rapatriée dans le courant de l'année 2000, la voiture est entièrement démontée par Fortunato Visentini, qui la reconstruira

Léonard Gianadda et Fortunato Visentini à bord de la Turicum *de 1910, voiture de fabrication suisse.*

telle qu'elle était à l'origine. Un film retrace les différentes étapes de cette rénovation.

Au fil des années, la collection du Musée s'étoffe par l'arrivée de véhicules prestigieux. Les plus anciens, une *Benz*, d'origine allemande, et une *Jeanperrin*, française, datent de 1897. La première n'a été construite qu'à 381 exemplaires; il ne reste aujourd'hui que trois exemplaires de la seconde. D'autres voitures du début du XXᵉ siècle entrent au Musée: une *Berliet*, une *Oldsmobile Curved Dash* et une *Stanley* de 1902, plusieurs *Martini*, construites à Saint-Blaise, dans le canton de Neuchâtel, dont la plus ancienne date de 1903, une *De Dion-Bouton* de 1906 ou la célèbre *Ford T* de 1912.

11 juin 1988: Annette Gianadda, Adèle et Fortunato Visentini à Saint-Paul-de-Vence; la Rolls-Royce Silver Ghost *de 1923 en route vers le Musée de l'Automobile de Cannes-Mandelieu, Côte d'Azur.*

*13 septembre 1987:
Alain Prost et
Juan Manuel Fangio
prennent place dans
la Mercedes-Benz SS à
compresseur de 1929
du Musée de l'Auto-
mobile de la Fondation
à l'occasion du
3e Grand Prix de
Gollion. A eux deux, ces
champions totalisent
plus de 50 victoires en
Grand Prix!*

En 1914, la cour de Russie passe commande d'une *Delaunay-Belleville* pour le tsar. Ce modèle unique, achevé en 1917, ne sera jamais livré, la révolution ayant éclaté entre-temps.

Aujourd'hui, la collection compte plus de quarante automobiles, avec des marques aussi prestigieuses que *Rolls-Royce*, *Bugatti*, *Mercedes-Benz*, *Alfa Romeo*, *Isotta-Fraschini* ou *Hispano-Suiza*. Elles sont toutes représentatives, à un titre ou un autre, de l'histoire de l'automobile avant la Première Guerre mondiale et de la fabuleuse épopée de l'industrie automobile. Expertisées, elles sont de plus en état de marche.

Il arrive que ces illustres ancêtres défilent fièrement dans les rues de Martigny, lors de cortèges ou de cérémonies officielles. Parfois, l'une d'entre elles s'essouffle, cahote, toussote et menace de rendre l'âme.

Il faut dire qu'elles ne sont plus très jeunes!   L. G.

*23 juillet 1988: pour fêter ses 80 ans,
la Panhard-Levassor de 1908 s'offre
vaillamment, mais non sans quelques
mésaventures, les 2165 m du col du
Grimsel, avec cinq personnes à bord.
Au volant, Olivier Gianadda.*

23 juin 2006: vernissage de l'exposition The Metropolitan Museum of Art, New York: Chefs-d'œuvre de la peinture européenne. *Fortunato Visentini, Philippe de Montebello, directeur du Metropolitan Museum of Art, et Léonard Gianadda, dans la* Bugatti 46 «Petite Royale» *de 1930.*

Les voitures du Musée défilent dans les rues de Martigny à l'occasion du bimillénaire en 1982. Ici, la Jeanperrin *de 1897.*

17 juin 2007: Irina Antonova, directrice du Musée Pouchkine de Moscou, Annette et Léonard Gianadda, Fortunato Visentini, dans la Delaunay-Belleville *de 1914, commandée par le tsar Nicolas II pour la chasse (3700 kg!).*

*25 août 2005: Cecilia Bartoli et Léonard Gianadda, dans l'*Isotta-Fraschini *de 1931.*

Collection Louis et Evelyn Franck

Paul Cézanne,
Portrait de Victor Chocquet,
1883-1887, huile sur toile,
46×38 cm.

Le Belvédère accueille depuis juin 1998 dix chefs-d'œuvre de la collection Louis et Evelyn Franck, présentés dans l'une des deux salles reliées au bâtiment principal par une galerie. Né en 1907 à Anvers, en Belgique, Louis Franck se révèle très jeune un collectionneur passionné. Durant toute sa vie, parallèlement à sa carrière professionnelle dans la banque d'affaires, il consacra son temps, aux côtés de son épouse, à ses deux loisirs préférés: l'art et la voile. Installé en Suisse depuis 1975, Louis Franck est décédé en 1988.

Afin de préserver la cohésion de sa collection, ses tableaux majeurs, parmi lesquels des œuvres de Cézanne, Van Gogh, James Ensor, Toulouse-Lautrec, Kees Van Dongen et Picasso, ont été mis en dépôt à Martigny pour une durée de quinze ans par la Fondation Socindec. Créée en 1962 par Louis Franck, celle-ci détient la majorité des œuvres d'art qu'il a acquises avec son épouse Evelyn.

Vincent Van Gogh,
Paysage sous un ciel mouvementé,
1889, huile sur toile,
59,5× 70 cm.

356

Pablo Picasso,
Nu aux jambes croisées,
1903, pastel sur papier,
57×43 cm.

Avec *A Armenonville, en cabinet particulier* (1889), si caractéristique du dessin de Toulouse-Lautrec alliant l'arabesque et les traits répétés, de même qu'avec les deux huiles de Van Gogh, *Le Bébé Marcelle Roulin* (1888) et l'admirable *Paysage sous un ciel mouvementé*, peint en Arles entre février et mai 1889, c'est l'impressionnisme qui est ici mis à l'honneur. Célèbre, le *Portrait de Victor Chocquet*, peint par Cézanne entre 1883 et 1887, rappelle le souvenir du premier véritable collectionneur du maître d'Aix. Par son rythme retenu et la finesse du tracé, *Fleurs dans un vase vert*, toujours de Cézanne, témoigne d'une subtile harmonie des tons. La collection Franck

James Ensor,
Les Poissardes
mélancoliques,
1892, huile sur toile,
100×80 cm.

Kees Van Dongen,
Femme au chapeau
vert, 1907,
huile sur toile,
91× 72 cm.

comporte trois tableaux de James Ensor – un hommage à la verve exubérante de l'artiste. Emouvante vision de sa ville natale, *Les Toits d'Ostende* (1885) et, de façon très onirique, *Le Jardin d'amour* (1891) expriment la diversité de son inspiration. Parodie à la fois burlesque et macabre, *Les Poissardes mélancoliques* annoncent l'expressionnisme, avec lequel le portrait émouvant et dramatique de Kees Van Dongen, *Femme au chapeau vert*, de 1907, entretient de fortes affinités. Avant de quitter la salle, le visiteur ne pourra pas rester insensible au pastel de Picasso, *Nu aux jambes croisées* (1903), chef-d'œuvre de la période bleue du maître.

Salle Louis
et Evelyn Franck.

Autoportrait, *vers 1516, sanguine,
33,3 × 21,3 cm, Turin, Biblioteca Reale.*

Léonard de Vinci – L'inventeur

En 2002, après avoir fait le tour du monde, l'exposition *Léonard de Vinci – L'inventeur* faisait halte à la Fondation Pierre Gianadda. Au terme des sept mois d'exposition initialement prévus, elle y a finalement élu domicile et fait désormais partie du parcours de la visite. Installée dans le Vieil Arsenal, construit par le grand-père de Léonard Gianadda en 1942, l'exposition donne une vue approfondie de Léonard de Vinci, le visionnaire passionné, le savant et l'inventeur.

Esprit complet et curieux de tout, comme la Renaissance sut en produire, Léonard de Vinci est un parfait témoin de son temps. Architecte, constructeur de ponts, urbaniste, anatomiste et horloger, Léonard étudia la géométrie, les mathématiques, la physique et la mécanique, le vol de l'oiseau, les machines volantes, il imagina les prémices de l'hélicoptère, du parachute et de la bicyclette. Sa soif de connaissance le poussa même à disséquer des corps humains et à braver ainsi les interdits de l'Eglise. Rien n'échappait à l'infatigable curiosité de Léonard...

Modèle de la coupe d'un bateau à roues à aubes, selon un croquis de 1495.

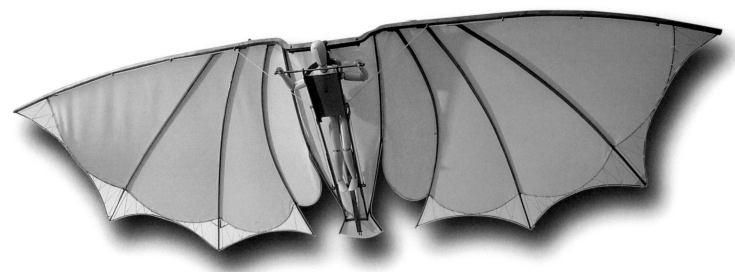

Pour rendre compte de l'aspect visionnaire de ce génie, la Fondation Pierre Gianadda présente plus d'une centaine de fac-similés de dessins et croquis. Les maquettes de constructions réalisées à partir de ses études permettent de saisir concrètement les idées de Léonard de Vinci. On y découvre notamment trois instruments de musique reconstitués grâce à l'Association de recherche culturelle Léonard de Vinci: un tambour militaire mécanique, des timbales pour effets scéniques et un tambour mécanique, qui sont de véritables machines musicales.

Des bornes multimédias sont mises à la disposition du visiteur et donnent des informations complémentaires sur la Renaissance, la vie et l'œuvre de Léonard. L'exposition, interactive et didactique, permet de faire un lien entre la Renaissance et aujourd'hui.

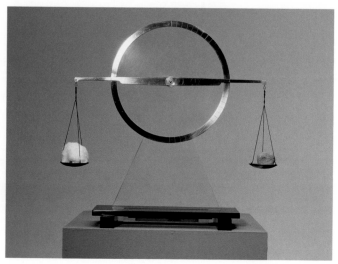

Vue de l'exposition permanente Léonard de Vinci – L'inventeur *dans le Vieil Arsenal*.

Extrait du discours d'inauguration du 19 novembre 1978

par Léonard Gianadda

Chers amis,
Chère famille,
Chère Annette,
Mes chers enfants,

Il y a quarante ans aujourd'hui même naissait mon frère Pierre. C'était le 19 novembre 1938.
Je ne m'en souviens pas, je n'avais que 3 ans. Par contre, je me souviens comment nous avons grandi ensemble et combien c'était un frère merveilleux.
Nous nous sommes toujours entendus comme larrons en foire pour faire les quatre cents coups.
Parfois, nos chemins divergeaient, mais nous nous retrouvions toujours.
Nous nous appréciions et nous nous aimions.
Dans le fond, je crois même que j'enviais Pierre parce que lui n'avait que des amis.
Entre nous, il y avait une complicité merveilleuse et des liens que la brusque et tragique disparition de notre papa et de notre maman avait certainement resserrés.
Et puis ce fut le terrible accident de ce dimanche 26 juillet 1976 qui devait lui coûter la vie.
Au retour d'une expédition en Egypte, à la suite d'ennuis mécaniques, l'avion dans lequel mon frère se trouvait a tenté un atterrissage de fortune peu après le décollage de l'aéroport de Bari, en Italie. Le pilote et le copilote qui étaient des amis de Pierre ont essayé de se poser en catastrophe dans un champ d'oliviers mais, au cours de cette manœuvre, l'avion prit feu.
Pierre se trouvait à l'arrière, près d'une sortie de secours. Il a enfoncé cette porte pour échapper au brasier et son camarade Jean Garzoni, ici présent, qui se trouvait assis à ses côtés, a bondi hors de la carlingue après lui par cette même porte.

Pierre était grièvement atteint, mais parfaitement conscient. Un avion militaire l'avait transporté à l'Hôpital des grands brûlés de Rome où je l'ai retrouvé le soir même de l'accident. Il m'a parlé de cette tragédie.
Les vêtements en feu, il s'est roulé par terre pour les éteindre. Il a alors entendu les cris du pilote Jean-François Antonini et de l'épouse du copilote Christiane Honnegger qui, attachés à leurs sièges, brûlaient vifs dans l'avion. Il a tenté de retourner vers la fournaise pour leur porter secours et cette tentative devait lui être fatale. Six jours plus tard, le samedi 31 juillet, il succombait des suites de ses brûlures à l'Hôpital de Zurich où nous l'avions fait transporter d'urgence.
C'est pour perpétuer son souvenir que j'ai décidé de créer la Fondation qui porte son nom, la Fondation Pierre Gianadda, à laquelle je fais aujourd'hui don de ce Musée.
Je l'offre également à cette ville de Martigny que j'aime, cette ville qui a accueilli ma famille il y a trois générations seulement.
Je vous l'offre également à vous tous et je vous remercie de l'accepter.

L.G.

Statuts de la Fondation Pierre Gianadda, Martigny

Nom et siège

Art. 1

Sous le nom de Fondation Pierre Gianadda a été créée une Fondation au sens des art. 80 et suivants du Code Civil Suisse. Elle a été inscrite au Registre du Commerce de Saint-Maurice le 31 mai 1977. Cette Fondation est placée sous le contrôle ordinaire du Canton du Valais.

Art. 2

Le siège de la Fondation est à Martigny.

Buts

Art. 3

Les buts de la Fondation sont les suivants:

a. Perpétuer le souvenir de Pierre Gianadda.

b. Assurer la conservation et la mise en valeur des vestiges du temple gallo-romain découvert en 1976 à Martigny.

c. Offrir les espaces nécessaires à la présentation d'objets archéologiques découverts à Martigny afin de constituer le Musée gallo-romain.

d. Utiliser à des fins culturelles les biens de la Fondation.

e. Contribuer d'une façon générale à l'essor culturel et touristique de Martigny.

Art. 4

L'Etat du Valais assume la conservation et l'entretien des vestiges gallo-romains ainsi que la surveillance des collections archéologiques qui lui appartiennent.

Ces tâches sont assumées en accord avec le Conseil de Fondation.

Art. 5

La Fondation a été reconnue œuvre d'utilité publique, à but non lucratif.

Biens et ressources

Art. 6

Les biens de la Fondation sont constitués par:

a. Les parcelles de terrain offertes par Léonard Gianadda à la Fondation.

b. L'immeuble de la Fondation construit et offert par Léonard Gianadda avec la participation de la Commune de Martigny et de l'Etat du Valais.

c. Les parcelles de terrain acquises, reçues ou échangées par la Fondation.

d. Les immeubles construits ou acquis par la Fondation.

e. La collection de voitures anciennes du Musée de l'automobile.

f. La collection de sculptures du Parc.

g. Les sculptures des giratoires de la Ville de Martigny.

h. Les œuvres d'art acquises ou reçues par la Fondation.

Il est précisé que les œuvres du Parc de sculptures et les voitures anciennes du Musée de l'automobile ne seront pas aliénées ou échangées sans l'accord unanime du Conseil de Fondation. Il en est de même en ce qui concerne les sculptures offertes par Annette et Léonard Gianadda ou mises en dépôt par la Fondation Pierre Gianadda sur les giratoires de la Ville de Martigny. Cette clause ne peut être modifiée qu'à l'unanimité du Conseil de Fondation.

Art. 7

Les ressources de la Fondation sont constituées par:

a. Les dons.

b. Les subventions.

c. Le produit des locations et des ventes.

d. Les bénéfices provenant de l'animation culturelle.

Art. 8

Les ressources de la Fondation sont affectées à:

a. L'animation culturelle.

b. L'équipement, les acquisitions, etc.

c. La mise en valeur et l'extension des biens de la Fondation.

Art. 9

L'Etat du Valais et la Commune de Martigny assument en commun les frais d'entretien et d'exploitation de la Fondation, à l'exclusion de ceux découlant de l'animation culturelle.

Cette contribution est fixée forfaitairement d'entente entre l'Etat du Valais et la Commune de Martigny.

Organes et administration

Art. 10

L'organe directeur de la Fondation est le Conseil de Fondation.

Ce Conseil est composé de neuf à quinze membres. Il comprend d'office:

a. M. Léonard Gianadda, son remplaçant ou un de ses descendants, ces derniers étant désignés par lui-même ou par sa famille.

b. M. Laurent Gianadda, son remplaçant ou un de ses descendants, ces derniers étant désignés par lui-même ou par sa famille.

c. Un membre du Conseil d'Etat du Valais.

d. Un membre du Conseil municipal de Martigny.

Les autres membres sont nommés par cooptation pour une période de deux ans et sont rééligibles.

Art. 11

Il est constitué un bureau de la Fondation comprenant:

a. Le président de la Fondation.

b. Le représentant du Conseil d'Etat.

c. Le représentant du Conseil municipal de Martigny.

Art. 12

Le Conseil se réunit au moins une fois par année, sur convocation du président ou sur requête d'un membre du bureau.

Art. 13

Le Conseil de Fondation a les tâches suivantes:

a. Il veille au respect et à la réalisation des buts de la Fondation.

b. Il gère et administre les biens et ressources de la Fondation conformément aux buts fixés par les statuts.

c. Il fixe les statuts.

d. Il élabore les règlements spéciaux et veille à leur application.

e. Il fixe chaque année le budget d'animation. Il fixe aussi chaque année le budget d'exploitation sous réserve d'approbation par les autorités subventionnantes.

f. Il adopte le rapport d'activité et approuve les comptes présentés chaque année à l'Etat du Valais, à la Commune de Martigny ainsi qu'à l'Autorité de surveillance.

Dans le cadre du budget, le président de la Fondation traite les affaires courantes.

Art. 14

La Fondation est valablement engagée par la signature collective à deux du président et d'un autre membre du bureau.

Pour les affaires concernant l'animation culturelle, la signature du président engage la Fondation, dans les limites du budget.

Art. 15

La présence d'au moins la moitié des membres est nécessaire pour prendre une décision. Celle-ci ne peut être valablement prise que si elle est adoptée par la majorité des membres présents. En cas d'égalité des voix, le président départage. Il sera dressé un procès-verbal des délibérations.

Modification des statuts

Art. 16

Les statuts de la Fondation peuvent être modifiés et complétés en tout temps par le Conseil de Fondation. Les propositions de modification doivent être envoyées aux membres du Conseil de Fondation au moins 14 jours avant la séance.

Les art. 85 et 86 du CCS sont réservés. Le Conseil de Fondation ne peut modifier les statuts de la Fondation qu'avec la majorité des deux tiers des voix de tous ses membres.

Dissolution de la Fondation

Art. 17

En cas de dissolution (art. 88 CCS), le Conseil d'Etat et la Commune de Martigny décident de l'affectation des biens dans le cadre de son unicité voulue par son fondateur. Demeure réservée l'approbation de l'Autorité de surveillance.

Modifié et adopté en séance du Conseil de Fondation, Martigny, le 4 mars 2004.

Conseil de la Fondation Pierre Gianadda
(situation en 2007-2008)

Institut de France
Académie des Beaux-Arts

Mercredi 4 juin 2003

Réception par Marc Saltet de l'Académie des Beaux-Arts
de Léonard Gianadda, élu Associé étranger

Léonard Gianadda, élu le mercredi 27 juin 2001 Associé étranger
au fauteuil précédemment occupé par Federico Zeri,
est installé sous la Coupole par son confrère Marc Saltet

Messieurs les Ambassadeurs, Mesdames, Messieurs,

C'est un grand honneur de m'adresser à vous, au nom de l'Académie des Beaux-Arts et sous cette prestigieuse Coupole, pour accueillir Monsieur Léonard Gianadda, qui va siéger désormais, dans nos assemblées, comme Associé étranger.

Le personnage est exceptionnel par sa stature, sa nature, son action, sa renommée, en Suisse, en Europe et bien au-delà.

Je ne saurais, dans le temps qui m'est accordé pour vous parler, tout dire et de loin. J'ai donc été contraint de faire un choix, que je vais m'efforcer d'évoquer devant vous.

Tout d'abord, un aperçu biographique: Léonard Gianadda est né à Martigny, en Suisse, le 23 août 1935, petit-fils d'un Piémontais qui, à l'âge de 13 ans, avait quitté son pays, l'Italie, et émigré en Valais, où il travaillera comme maçon d'abord.

Léonard Gianadda est marié à une Lausannoise, Annette; leurs deux fils François et Olivier auront, comme jeunes hommes, la stature paternelle.

Il fait d'abord ses études classiques, au Collège de Saint-Maurice. En 1950, il a alors 15 ans, à l'occasion de l'Année sainte, sa mère l'emmène en Italie, où ils visitent notamment Florence et Rome. Notre jeune voyageur découvre, dans ce parcours italien, le monde de l'Art.

Retournant en Italie plus tard, il rencontre un jeune Américain, comme lui avide de voir, d'apprendre, d'aimer les arts. Une amitié se noue entre eux et Léonard invite son ami à faire un séjour à Martigny, avant de regagner son propre pays, les Etats-Unis.

Proposition acceptée et, avant de quitter son ami suisse alors âgé de 17 ans, il l'invite à venir passer quelques mois aux Etats-Unis, et y voyager à sa guise.

Ainsi fut fait et, après ce périple américain, Léonard Gianadda, par suite d'événements particuliers et de rencontres fortuites, fait du journalisme, puis est engagé à la Télévision Suisse Romande comme premier correspondant pour le Valais (journaliste et cameraman).

Parallèlement, Léonard Gianadda continue sa formation universitaire, à l'Ecole Polytechnique Fédérale de Lausanne, d'où il sortira, en 1961, ingénieur civil.

Il ouvre alors avec un camarade d'études, Umberto Guglielmetti, un bureau d'ingénieurs qu'ils dirigent ensemble. Ils construisent à Martigny et ailleurs de nombreux appartements, immeubles, ouvrages d'art, etc.

Belle et rapide réussite financière.

En 1976, exerçant avec grande activité son métier de constructeur, notre ami souhaite bâtir un immeuble locatif sur des parcelles de terrain qu'il a récemment acquises. Or, cette zone est riche en restes archéologiques et, lors des travaux de fouilles de la construction, les archéologues découvrent les vestiges d'un temple gallo-romain. Léonard Gianadda obtient néanmoins des services communaux et cantonaux le permis de construire, ce qui entraînerait à tout jamais la disparition de cette découverte.

Léonard hésite.

C'est alors que se produisent, en très peu de temps, dans sa famille directe, trois événements douloureux: la mort brutale de son père dont il était très proche, le

Avec Marc Saltet, auteur du discours de réception.

Remise officielle de l'épée par Jean-Jacques Aillagon, ministre de la Cult[...] des Beaux-Arts, et de Gérard Lanvin, président en 2003.

décès accidentel de sa mère, écrasée par le train dans sa voiture, la disparition tragique de son frère Pierre, mort des suites d'un accident d'avion à Bari, en Italie, au retour d'un voyage d'études animalières en Egypte. En voulant sauver ses camarades qui brûlaient dans l'avion, suite à un atterrissage de fortune, Pierre Gianadda est à son tour grièvement atteint. Il décède une semaine plus tard des suites de ses brûlures.

A ce moment précis, Léonard prend une décision capitale, qui orientera, sans réserve, son action, sa vie.

Il décide de constituer, en souvenir de son frère Pierre, une Fondation qui portera son nom: la Fondation Pierre Gianadda.

L'acte de Fondation intervient le 24 février 1977 et Léonard Gianadda renonce sans hésiter à la suppression des vestiges, persuadé de leur valeur intrinsèque, intellectuelle et morale, estimant qu'on devait les mettre en valeur au centre de tout, à la disposition de tous.

Projet, plans et construction s'enchaînent rapidement et, à la fin de l'année suivante, la Fondation Pierre Gianadda est inaugurée.

C'était le 19 novembre 1978, le jour où Pierre aurait eu 40 ans.

C'était il y a vingt-cinq ans.

Jetons maintenant un regard sur ce volumineux couvercle en béton armé.

Il se présente comme une imposante cathédrale, ayant l'apparence extérieure d'un tronc de pyramide rectangulaire, animé sur ses quatre faces par des sortes de chapelles secondaires, aussi en béton armé. Celles-ci sont en saillie. Leur débordement, en porte-à-faux, protège visuellement et matériellement l'entrée des visiteurs.

Notre couvercle est d'une belle couleur blond clair, en raison de l'incorporation dans la masse du béton armé de construction d'un gravier de Vérone jaune, veiné de rouge.

Un escalier extérieur, beau dans sa simplicité, relie en deux volées le niveau du trottoir de l'avenue urbaine à celui de l'accès des visiteurs.

Dès son entrée dans notre cathédrale, le public va recevoir un choc saisissant. En effet, d'un seul coup

...uré d'Arnaud d'Hauterives, secrétaire perpétuel de l'Académie

d'œil, il aura devant lui une vue d'ensemble des espaces où prendront place les expositions, que l'on pourra voir de partout, et en particulier depuis le centre des vestiges, conservés au rez-de-chaussée inférieur, au milieu desquels on pourra s'asseoir, rêver, aimer à sa guise.

La composition si originale, si simple et volontaire de notre couvercle méritait bien, je crois, ces quelques considérations architecturales que je viens d'exprimer. J'espère que cette noble assemblée, vous tous, pardonnerez cette digression, importante aux yeux de l'architecte que je suis.

A l'intérieur, on notera, sous un angle de la galerie supérieure, celle du niveau d'entrée des visiteurs, un groupement prestigieux, admirablement présenté, de vestiges de bronzes romains provenant des fouilles faites à proximité: une tête de taureau à trois cornes, sa patte, une jambe; une cuisse, superbe, d'une statue monumentale; un drapé et un vêtement, magnifiquement sculptés.

C'est là un autre monde, entièrement nouveau.

On est loin de la présentation classique des expositions, quelles que soient les qualités de ces dernières.

Ce nouveau monde créé se veut vivant, simple; on voit tout, globalement, chacun selon son rythme.

L'éclairage intérieur de notre grand couvercle, protecteur et respectueux des vestiges mis au jour, apparaît en marron foncé. Le béton armé de la construction est revêtu de bois, peint de la même couleur. L'éclairage est artificiel. Seules se manifestent, dans la couverture, quatre ouvertures rectangulaires, vitrées, laissant pénétrer la lumière naturelle, celle du jour, qui anime le temple antique. Les dallages sont revêtus de pierres ocre, coquillières, du pont du Gard, chères à Pierre Gianadda, puisqu'elles recouvraient la cour de sa demeure, près d'Alès, à proximité du célèbre pont.

A l'extérieur, l'ensemble de la future Fondation Pierre Gianadda s'implantera en devant tenir compte de la proximité immédiate d'une voie urbaine de circulation, qui ne saurait être interrompue, la rue du Forum.

Le reste de la composition générale se répand plus facilement sur une zone de jardin couverte de pelouses, sur lesquelles il est autorisé de marcher, à sa guise, pour admirer les œuvres sculptées du parc. On y trouve notamment Rodin, Brâncuşi, Maillol, Miró, Arp, Moore, Ernst, César, Calder, Dubuffet, Poncet, Niki de Saint Phalle et bien d'autres, qui constituent, sans aucun doute, un survol de la sculpture du XXᵉ siècle. Une zone de détente accueille les visiteurs, qui peuvent agréablement se reposer et se restaurer. Un plan d'eau complète l'ensemble, où des canards paraissent heureux de leur sort, et que personne ne vient déranger.

Bref, une grande quiétude générale.

Il convient aussi de noter que, dans le projet étudié pour la construction ayant reçu le permis de construire, un parking souterrain était prévu; le gros œuvre est exécuté, de l'autre côté de la voie urbaine à respecter. Il est maintenant aménagé en un Musée de l'Automobile exceptionnel, ne renfermant que des voitures rares, anciennes, toutes en ordre de marche. De nombreux modèles sont uniques au monde. Partant du centre des fouilles, notre lieu de rencontre essentiel, le Musée de l'Automobile est accessible par une galerie, descendant agréablement jusqu'au niveau voulu, souvent animée par des dessins, gravures ou photos accrochés à ses cimaises.

Etant moi-même fidèle visiteur de la Fondation depuis de très nombreuses années, je n'ignore pas que, parallèlement, notre ami organise depuis toujours des expositions, à Martigny. Celles-ci sont remarquables et attirent une foule de visiteurs puisque, en un quart de siècle, six millions de personnes sont déjà accourues à la Fondation pour admirer Rodin, Lautrec, Braque, Dubuffet, Degas, Staël, Manet, Gauguin, Bonnard, Van Gogh, Berthe Morisot et beaucoup d'autres. Aujourd'hui, Léonard Gianadda est administrateur des musées Rodin à Paris et Toulouse-Lautrec à Albi.

La musique n'est pas absente de ces lieux, car, selon un programme minutieusement préparé, pour chaque année, des concerts prestigieux sont donnés par des artistes exceptionnels. Ainsi, Cecilia Bartoli ou Ruggero Raimondi, des amis fidèles, y donnent chaque année un ou plusieurs récitals.

Mais j'aimerais également rappeler que Léonard Gianadda et sa Fondation font acte de mécénat, en participant notamment à des acquisitions d'œuvres dans les musées de France et d'ailleurs, mais également en finançant la restauration d'œuvres comme le Décor du Théâtre juif de Chagall, des estampes du Fonds Jacques Doucet, ou encore en dotant de sculptures tous les ronds-points de sa ville de Martigny.

Comment fait-il?

Quel est son secret, celui qui consiste à obtenir des prêts remarquables, appartenant aux plus grands musées, à des personnes privées, qui, en général, ne veulent pas s'en séparer aisément?

Là interviennent les qualités hors pair de Léonard Gianadda; mais comment pourrais-je en parler? Il me semble que ce n'est que lui-même qui pourrait l'expliquer...

Arrivant au terme de mon propos, j'aimerais faire une remarque qui, à mon avis, est très importante car je suis, vis-à-vis de la Fondation Pierre Gianadda, quelqu'un de tout à fait à part. Je connais depuis fort longtemps Léonard et sa Fondation où je me rends chaque année, à l'occasion de voyages en Suisse pour des raisons familiales, avec mes deux fils. Je m'arrête en ce lieu privilégié où je me trouve, je me permets de le dire, un peu comme chez moi. Mais je pense aussi que le seul qui le connaissait mieux que moi et avant moi était Maurice Novarina, notre éminent et regretté confrère que notre Académie a perdu récemment.

Enfin, qu'il me soit permis d'affirmer que la présence parmi nous de Léonard Gianadda, comme Associé étranger, portant costume d'Académicien, ne pourra être que hautement bénéfique.

Quel exceptionnel Ambassadeur l'Académie des Beaux-Arts a le privilège de compter aujourd'hui dans ses rangs!

Je vous remercie, Messieurs les Ambassadeurs, Mesdames, Messieurs, de votre aimable attention.

Le samedi 8 mars 2008, au moment de mettre sous presse cet ouvrage, j'apprends le décès de Marc Saltet, à la veille de son 102ᵉ anniversaire. Mon ami Marc était né le 11 avril 1906.

Léonard

PHOTOS: MARCEL IMSAND

Mes repères…

1876   *2 juillet.* Naissance de Baptiste Gianadda, mon grand-papa et parrain, à Curino, dans le Piémont. Son père, mon arrière-grand-père, Angelo (1837-1931), avait participé à la bataille de Solferino (1859), avant son mariage avec Carolina (1841-1926).

1889   A l'âge de 13 ans, Baptiste franchit à pied le col du Simplon pour chercher du travail en Suisse.

1906   *15 novembre.* Naissance de mon papa, Robert Gianadda, à Martigny.
Percement du tunnel du Simplon.

1912   *28 octobre.* Naissance de ma maman, Liline, fille d'Emile Darbellay et de Madeleine Pont, à Martigny.

*Ma famille maternelle:
oncle Paul, ma grand-mère,
Madeleine Darbellay, née Pont,
ma maman, Liline (✕), oncle
Maxime, tante Lilette, mon grand-
père, Emile Darbellay, tante Fifine,
devant la maison familiale à
Martigny-Bourg, vers 1930.*

*Ma famille: grand-père Emile Darbellay,
papa, maman, mon frère Jean-Claude,
grand-mère Madeleine Darbellay-Pont,
grand-maman (des poules) Angiolina
Gianadda-Chiocchetti, ses parents,
Marietta et Quintino Chiocchetti, grand-
papa Baptiste Gianadda, devant la villa
familiale de mes grands-parents, 1933.*

*Mes arrière-grands-
parents: Angelo Gianadda,
qui a participé à la
bataille de Solferino
(1859), et Carolina,
Curino, vers 1920.*

Baptiste Gianadda, mon grand-papa et parrain, Martigny, 1955.

PHOTO: LÉONARD GIANADDA

*Pierre Pont, Saint-Luc, val d'Anniviers:
mon arrière-grand-père maternel (1844-1922).*

*Ma grand-maman,
Angiolina (X),
entourée de ses
parents, Quintino
et Marietta
Chiocchetti, de
ses frères et sœur,
Félix, Flavio,
Joseph et Pierrine,
vers 1900.*

PHOTO:
S. ROSSETTI, BIELLA

373

Mariage de mes parents, Martigny, 7 décembre 1932.

PHOTO: OSCAR DARBELLAY, MARTIGNY

Papa et maman, 1932.

						14	mars	1936	Albert	Madeleine		Combe	Combe
				12 G.	16	juillet	1936	Charles	Josephine		Bry	Bry
		Delphine	30	mars	1935	Gilbert	Ida		Combes	La Croix
12	Granadda	Leonardo	2 L. m.	23	août	1935	Robert	Adeline	Italie	Mfy-Bg.
18	Gnex	Janet Emil		21	janv.	1936	Charles	Josephine	Bry	Bry
21	Gnex	Anne Marie		12	avril	1936	Gilbert	Ida	Croix	Croix
22		A. Marcelle	"	"	"	Raphaël			
43	Goret	Raphaël		4	juin	1937	Marcel	Annette	Italie	Mfy-Bg.
49	Quagliardi	Leonard		26	juin	1937		Delphine		Mfy-Ville

A l'école primaire.

1932 *7 décembre*. Mariage de mes parents.

1933 *4 octobre*. Naissance à Martigny de Jean-Claude, mon frère aîné.

1935 *23 août*. Je vois le jour dans l'immeuble Miremont, avenue du Grand-Saint-Bernard 34, à Martigny, signe astrologique Lion ascendant Lion.

1938 *19 novembre*. Naissance à Martigny de mon frère cadet, Pierre.

1940 Ecoles enfantine puis primaire, à Martigny.

1944 *26 mars*. Naissance à Martigny de ma sœur cadette, Madeleine.

1946 Etudes classiques au Collège de Saint-Maurice durant neuf années, dont quatre d'internat.

1950 A 15 ans, avec ma maman et mes deux frères, me rends à Florence, Rome et Naples pour l'Année sainte. Voyage décisif, c'est la découverte...

Miremont, ma maison natale.

Pierre en Enfant Jésus. Fête-Dieu, Martigny.

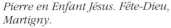

Jean-Claude, Pierre, maman, Léonard.

Pierre.

PHOTOS: ROGER DORSAZ

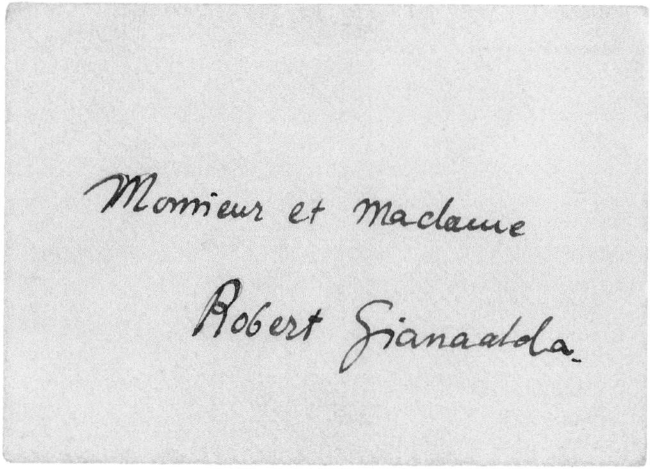
Monsieur et Madame
Robert Gianadda

Lettre adressée en été 1947 à mes parents par le chanoine Amédée Allimann, mon maître principal (latin, français) au Collège de Saint-Maurice.

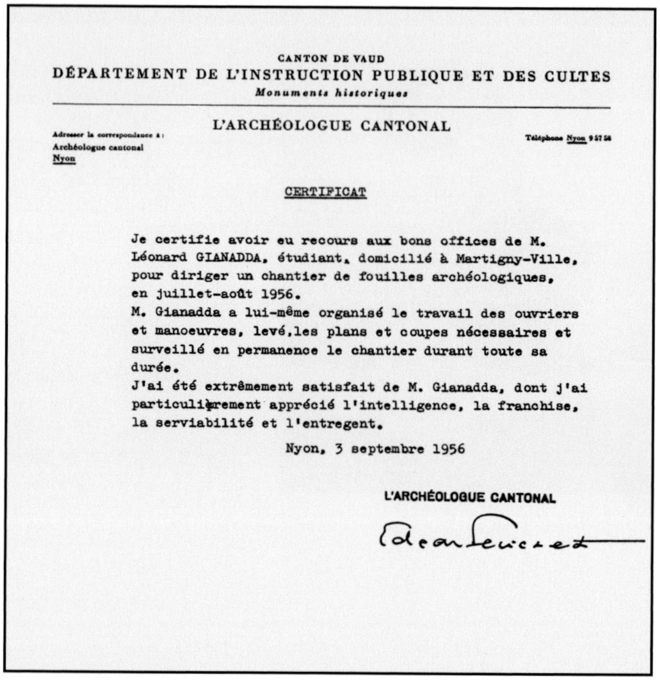
CANTON DE VAUD
DÉPARTEMENT DE L'INSTRUCTION PUBLIQUE ET DES CULTES
Monuments historiques

L'ARCHÉOLOGUE CANTONAL

Adresser la correspondance à:
Archéologue cantonal
Nyon

Téléphone Nyon 9 57 56

CERTIFICAT

Je certifie avoir eu recours aux bons offices de M. Léonard GIANADDA, étudiant, domicilié à Martigny-Ville, pour diriger un chantier de fouilles archéologiques, en juillet-août 1956.
M. Gianadda a lui-même organisé le travail des ouvriers et manoeuvres, levé,les plans et coupes nécessaires et surveillé en permanence le chantier durant toute sa durée.
J'ai été extrêmement satisfait de M. Gianadda, dont j'ai particulièrement apprécié l'intelligence, la franchise, la serviabilité et l'entregent.

Nyon, 3 septembre 1956

L'ARCHÉOLOGUE CANTONAL

Edgar Pelichet

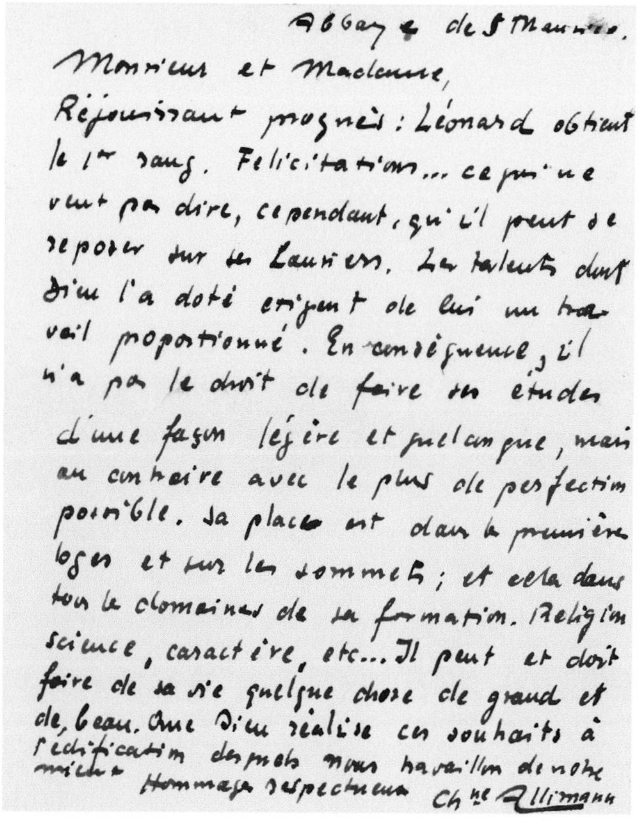

Abbaye de St Maurice.

Monsieur et Madame,

Réjouissant progrès: Léonard obtient le 1er rang. Félicitations… ce qui ne veut pas dire, cependant, qu'il peut se reposer sur ses lauriers. Les talents dont Dieu l'a doté exigent de lui un travail proportionné. En conséquence, il n'a pas le droit de faire ses études d'une façon légère et quelconque, mais au contraire avec le plus de perfection possible. Sa place est dans les premières loges et sur les sommets; et cela dans tous les domaines de sa formation. Religion, science, caractère, etc… Il peut et doit faire de sa vie quelque chose de grand et de beau. Que Dieu réalise ces souhaits à l'édification desquels nous travaillons de notre mieux.

Hommages respectueux *Ch^ne Allimann*

Jean-Claude, Léonard, Madeleine,
maman, papa, Pierre, 1950.

PHOTO: ROGER DORSAZ

Pierre, Jean-Claude, Léonard,
Madeleine et maman, 1948.

PHOTO: ROGER DORSAZ

1952   Séjourne deux mois à Naples; premier
       opéra: *Aïda*, puis Rome et Florence,
       où je rencontre mon ami américain Ken,
       qui m'invite aux Etats-Unis.

1953   En été, visite durant quatre mois les
       Etats-Unis, le Canada et Cuba. A mon
       retour, reportages dans la presse locale.
       1er août. Permis de conduire à Detroit,
       Michigan.
       Avec quelques amis, organise à Martigny
       plusieurs expositions d'artistes valaisans.
       Rends compte de ces expositions dans la
       presse locale.

1955   Maturité classique (baccalauréat) au
       Collège de Saint-Maurice.
       Pendant mes études, travaille comme
       reporter photographe et sillonne les
       cinq continents.

1956   *18 mars.* Décès de mon grand-papa,
       Baptiste Gianadda, à l'âge de 80 ans.
       Juin. Champion valaisan d'athlétisme
       100 m, 400 m et saut en longueur,
       catégorie junior.
       Juillet. Dirige les fouilles archéologiques
       à Yens-sur-Morges pour Edgar Pélichet,
       archéologue cantonal vaudois.
       Août. En Egypte, suis la nationalisation
       du canal de Suez par le président Gamal
       Abdel Nasser.

1957   *25 février.* Rencontre Annette Pavid…
       grâce à Georges Simenon.
       Pendant une année, engagé par la
       Télévision Suisse Romande comme
       premier correspondant pour le Valais
       (journaliste et cameraman).

1954.

PHOTO: ROGER DORSAZ

Moscou, août 1957.

Désert de Libye, printemps 1960.

1957 Sur les traces de Charles Péguy, pèlerinage à pied de Paris à Chartres.

Août. Festival mondial de la Jeunesse à Moscou. Rencontre les dirigeants Gueorgui Malenkov et Nikolaï Boulganine, l'athlète Vladimir Kutz, le clown Popov… Reportages.

Rencontre mon camarade d'études syrien, Abdul-Hay Chamsi Basha, qui a grandement contribué à la réussite de mon second examen propédeutique en mars 1958.

1960 *26 janvier.* Diplôme d'ingénieur civil de l'Ecole Polytechnique Fédérale de Lausanne.

Printemps. Avec mon frère, Pierre, tour du bassin méditerranéen en Coccinelle, durant quatre mois. Nombreux reportages.

Avec mon camarade d'études, Umberto Guglielmetti, ouverture d'un bureau d'ingénieurs à Martigny, pour construire notamment plus de mille appartements.

1961 *14 octobre.* Epouse Annette. Durant quatre mois, voyage de noces aux Amériques.

1963 *15 mai.* Naissance de François, devenu avocat et notaire à Martigny.

14 octobre 1961.

A Curino, cinq générations: François, son papa Léonard, son grand-papa Robert, son arrière-grand-maman Angiolina et son arrière-arrière-grand-maman Marietta, 1963.

PHOTO: ANNETTE GIANADDA

1966 *25 juin.* Naissance d'Olivier, qui sera diplômé de l'Ecole des Beaux-Arts de Lausanne.

Voyage en Rhodésie, Afrique du Sud et Cameroun.

1968 *Octobre.* Mariage de Pierre, que j'accompagne pour son voyage de noces chez les Dayaks coupeurs de têtes de Bornéo.

1970 A partir des années soixante-dix, en hiver, offre régulièrement un voyage à mes entrepreneurs et collaborateurs, notamment: Baléares (1972), Thaïlande (1974), Californie (1979), carnaval de Rio (1981), Kenya (1982), Zaïre (1983), île Maurice (1984), Guadeloupe (1985), Mexique (1986), Pérou (1987), Yémen (1988), Mexique-Guatemala (1989), etc.

Voyage des entrepreneurs, Baléares, 1972.

Hôtel de Ville de Martigny, 24 février 1977. De gauche à droite: Léonard Closuit, Georges Darbellay, président de la Bourgeoisie, Léonard Gianadda, Edouard Morand, président de Martigny, Jean Bollin, vice-président, Willy Joris, Albert de Wolff, archéologue cantonal, François Wiblé, ?, l'abbé François-Olivier Dubuis, Antoine Zufferey, conseiller d'Etat, Bernard Couchepin, notaire, tante Adèle, sœur de papa.

1971 *29 janvier.* Mort subite de mon papa. Rencontre mon ami, Philippe Berti.

1973 *Mars.* Achat des premières sculptures (Daumier, p. 201, et Rodin, p. 245).

19 octobre. Mort accidentelle de ma maman.

1976 *Printemps.* Voyage avec Pierre aux Indes et à Ceylan.

31 juillet. Mort accidentelle de Pierre.

1977 *24 février.* Signature de l'acte de constitution de la Fondation Pierre Gianadda, à laquelle j'offre terrain et construction. Début des travaux.

La tombe de Pierre à Martigny.

1978 *Printemps*. Avec mon ami, Philippe Berti, voyage en Guyane. Descente du fleuve Maroni en pirogue.

19 novembre. Inauguration de la Fondation Pierre Gianadda, le jour où mon frère, Pierre, aurait eu 40 ans.

1979 *26 février*. La reine Fabiola de Belgique me remet une Mention spéciale du Prix européen du Musée de l'année 1978.

10 septembre. Villars et New York.

1982 Voyage en Chine avec François pour la réussite de sa maturité. Découverte de Xian.

1987 *1er décembre*. Acquiers la bourgeoisie de Martigny.

Chevalier d'honneur de l'Ordre de la Channe, en Valais.

1988 Membre du Comité d'honneur de la Société des Amis du Musée Rodin, Paris.

23 décembre. Prix de la Presse organisé par la Télévision Suisse Romande.

1990 *9 juin*. Chevalier de l'Ordre national du Mérite de la République française.

14 juillet. Prix Piemontesi nel Mondo remis au Palazzo Lascari, Turin.

17 octobre. Membre du Conseil de la Fondation Béjart Ballet Lausanne, dont je serai exclu le 19 mars 1998 pour cause d'«épuration»…

27 décembre. Commendatore dell'Ordine al Merito della Repubblica Italiana.

Chevalier des Arts de l'Ordre de la Channe, en Valais.

1992 *13 octobre*. Médaille Assis Chateaubriand du Museu de Arte de São Paulo (MASP).

16 octobre. Membre du Conseil de l'Académie de Musique Tibor Varga, Sion.

1993 *31 janvier*. Membre du Conseil de l'Ente Veneto Festival de Padoue, direction Claudio Scimone.

9 juin. Elu membre correspondant de l'Institut de France, Académie des Beaux-Arts, Paris.

26 février 1979: à l'Hôtel de Ville de Bruxelles, avec Sa Majesté la reine Fabiola de Belgique.

Lors du vernissage de Picasso, période bleue *au Museu Picasso de Barcelone (1992), Léonard Gianadda salue Sa Majesté la reine Sophie d'Espagne.*

PHOTO: DALDA

Plaque commémorative offerte par Philippe Berti.

27 décembre 1990: Commendatore dell'Ordine al Merito della Repubblica Italiana, avec Annette, Onofrio Solari Bozzi, ambassadeur d'Italie, et son épouse Lucia.

Je me souviens très bien de la visite impromptue d'Henri Cartier-Bresson à la Fondation un beau matin de septembre 1994. Accompagné de son amie, la photographe Monique Jacot, il m'emmena dans le Parc de Sculptures, son légendaire Leica en main, m'interpellant avec un catégorique: «Léonard, je dois faire ton portrait!»

23 août 1985: mon cinquantième anniversaire, avec Annette, François et Olivier.

PHOTO: MARCEL IMSAND

1982
Paris 1.   25.9.94

cher Léonard
quelle joie à chaque fois que de pouvoir admirer ce que Tu exposes. —
Voilà, je T'ai tiré dessus l'autre jour a bout portant. —
mais je dois Te dire Tu es un sujet difficile, je n'arrive pas à Te prendre à l'improviste — ce qui soit-on est ma spécialité — car ta vivacité fait que Tu as déjà vu l'appareil… On tâchera de faire mieux la prochaine fois, en attendant Martine et moi t'envoyons nos amitiés
Henri

1993   *16 novembre.* Membre du Conseil de la Société de la Bibliothèque d'art et d'archéologie (BAA), Fonds Jacques Doucet, Paris.

1994   *14 juin.* Accrochage Gelman…

15 septembre. Membre d'honneur du Kiwanis International de Biella, Italie.

2 novembre. Propose les premiers giratoires de Martigny.

1995   *23 août.* Le jour de mes 60 ans, remise à la Fondation de la médaille de Chevalier de la Légion d'honneur par Son Excellence, M. Bernard Garcia, ambassadeur de France à Berne.

Avec Annette à Bruges, 27 avril 1988.

1996 *2 mai.* Membre de la direction du Centre Egon Schiele de Český Krumlov, République tchèque, sous la présidence de Ronald Lauder.

5 juin. Prix 1996 du Rayonnement français.

8 septembre. Prix 1996 de l'Etat du Valais, Fondation Divisionnaire F. K. Rünzi.

14 décembre. Membre d'honneur de la Société d'étudiants des Vieux-Stelliens Vaudois.

1997 *7 janvier.* Membre du Conseil d'administration du Musée Rodin, Paris. Le mandat de trois ans sera renouvelé deux fois.

10 juin. Remise des insignes d'Officier de l'Ordre des Arts et des Lettres par Son Excellence, M. André Gadaud, ambassadeur de France à Berne.

Membre d'honneur du Comité du Rayonnement français.

1998 *10 mars.* Hommage de l'Ecole Polytechnique Fédérale de Lausanne par son président, Jean-Claude Badoux.

26 mars. Offre le revêtement en marbre et porphyre de la première étape du passage sous-voies de la gare CFF de Martigny.

Avril. Membre du Conseil d'administration du Musée Toulouse-Lautrec, Albi.

18 mai. Offre les seize pendules des arrêts de bus de Martigny.

Juin. Membre du Conseil d'administration de la Fondation Hans Erni, Lucerne.

Juin. Membre du Comité d'honneur Bex & Arts.

19 novembre. Pour son vingtième anniversaire, la Fondation Pierre Gianadda reçoit le Prix d'Honneur de la Ville de Martigny.

1999 *2 janvier.* Elu personnalité de l'année 1998 du canton du Valais par les lecteurs du journal romand *Le Matin.*

28 février. Membre d'honneur de Pro Curino, association de descendants d'émigrés de ce village piémontais, dont ma famille est originaire.

La violoniste Anne-Sophie Mutter, lors d'un concert, 5 septembre 1986.

PHOTO: MARCEL IMSAND

En 1987, lors d'un vernissage de la Galerie Lelong, rencontre avec Francis Bacon à l'Ecole nationale supérieure des beaux-arts à Paris.

PHOTO: MICHEL NGUYEN

6 septembre 1988: entourant la sculpture de George Segal, Woman with Sunglasses on Bench, *le violoniste Isaac Stern.*

PHOTO: MARCEL IMSAND

29 mai 1993: rencontre du peintre Balthus à Lausanne.

PHOTO: JEAN-GUY PYTHON

11 septembre 1995, à La Colombe d'Or à Saint-Paul: Jean-Louis Prat, Annette Pioud, Annette Gianadda, Lucian Freud, Léonard Gianadda.

PHOTO: SAINT-PAUL PHOTO

Curino (Piémont), village d'origine de la famille Gianadda.

10 juin 1997: Officier de l'Ordre des Arts et des Lettres, par André Gadaud, ambassadeur de France à Berne.

PHOTO: GEORGES-ANDRÉ CRETTON

1999   *29 septembre.* Président d'honneur du Gruppo Esponenti Italiani (GEI), pour la Suisse romande.

         Octobre. Membre fondateur du Conseil de la Fondation Balthus, à Rossinière, canton de Vaud.

         12 novembre. Compagnon d'honneur de la Confrérie du Guillon, château de Chillon, Veytaux.

2000   *9 décembre.* Membre du jury du Prix artistique Georges Pompidou, Paris. Lauréat: Serge Lemoine.

2001   *27 février.* Membre du premier Conseil d'orientation de la Fondation Henri Cartier-Bresson, Paris.

         2 mars. Membre du jury du Concours «Tourbillon Breguet», Bienne, présidé par Nicolas Hayek.

         16 mai. Remise à la Fondation des insignes d'Officier de la Légion d'honneur par Son Excellence, M. Régis de Belenet, ambassadeur de France à Berne.

Avec François à Curino, 27 mars 2000.

PHOTO: FRANÇOIS VALMAGGIA

2001 *27 juin.* Elu membre dans la section des Associés étrangers de l'Institut de France, Académie des Beaux-Arts, Paris, au fauteuil précédemment occupé par Federico Zeri.

2002 *2 mai.* Membre fondateur et du jury de la Fondation Marguerite Plancherel, Bulle.

15 mai. Membre d'honneur de l'Association des Amis de Marius Borgeaud, à Lausanne.

8 novembre. Prix Union Suisse des Attachés de Presse (USAP).

2003 *4 juin.* Installation sous la Coupole de l'Institut de France par Marc Saltet à l'Académie des Beaux-Arts, Paris. Jean-Jacques Aillagon, ministre de la Culture et de la Communication, me remet mon épée d'académicien.

20 juin. Invitation des autorités de la Ville aux habitants de Martigny pour la réception officielle suite à mon installation sous la Coupole.

21 septembre. Citoyen d'honneur de Curino (Piémont).

L'épée conçue par Hans Erni et Annette, réalisée par Arthus-Bertrand: fusée en malachite incrustée des initiales LG en or, surmontée de la Tête du Taureau tricorne; la garde est à l'image de la Fondation avec les noms gravés de mon épouse et de mes enfants, la lame est en acier poli glacé au diamant, gravée de noms d'artistes; le fourreau est gainé de galuchat surmonté d'un petit lion en or pour mon signe astrologique.

Sion, Palais du Gouvernement du canton du Valais, 1er octobre 2003. Derrière, de gauche à droite: Jean-Pierre Zufferey, vice-chancelier, Claude Roch, Michel Clavien, chancelier, Wilhelm Schnyder, Thomas Burgener. Devant: François, Jean-Jacques Rey-Bellet, Annette, Jean-René Fournier, conseillers d'Etat.

PHOTO: STUDIO BONNARDOT, SION

*François, Léonard, Annette
et Olivier, novembre 1993.*

PHOTO: MARCEL IMSAND

2003   *1er octobre*. Palais du Gouvernement,
        à Sion: réception officielle comme
        académicien par le Conseil d'Etat du
        canton du Valais *in corpore*.

        11 novembre. Prix Sommet 2003 décerné
        par l'UBS, Valais.

        19 novembre. Le jour du vingt-cinquième
        anniversaire de la Fondation, le mécène
        Georges Kostelitz m'offre, ainsi qu'à
        Annette, *La Cour Chagall*. Il en est de
        même de Marcel Imsand, qui nous offre
        les 87 photographies de *Luigi le berger*.

        8 décembre. Visite du monastère Sainte-
        Catherine et ascension du mont Sinaï,
        Egypte.

2004   *12 février*. Membre de la Commission
        des acquisitions du Musée d'Orsay, Paris.
        Le mandat de trois ans sera renouvelé
        une fois.
        Publication de l'ouvrage *Le Musée de
        l'Automobile*.

2005   *28 mars*. Trustee (administrateur) de la
        Phillips Collection, Washington, D.C.
        19 avril. Offre à la Fondation l'immeuble
        Floréal, à Martigny.

Floréal.

Les Clématites.

2005   *20 mai*. Citoyen d'honneur d'Etroubles, val d'Aoste, Italie.

10 juillet. Sam, Lilette et Sébastien Szafran offrent à la Fondation 214 photographies originales d'Henri Cartier-Bresson, la plupart dédicacées.

23 août. Pour mes 70 ans, Cecilia Bartoli offre un concert à la Fondation et chante *Happy Birthday*…

2006   *26 janvier*. Prix du Tourism Trophy 2005, Zermatt.

8 mars. Président d'honneur de la Fondation Calypsor, Bruxelles.

Membre de la Commission de nomination du nouveau directeur de Laténium, Neuchâtel.

21 juin. Inauguration à Martigny du Musée et Chiens du Saint-Bernard que j'ai conçu et réalisé.

8 août. Membre de la Commission des acquisitions du Musée Rodin, Paris (mandat de trois ans).

2006   *21 novembre*. Sergueï Lavrov, ministre russe des Affaires étrangères, me remet l'Ordre de l'Amitié décerné par décret du 25 juillet du président Vladimir Poutine.

2007   *24 avril*. Offre à la Fondation l'immeuble Les Clématites, à Martigny.

11 mai. Inauguration de la Bibliothèque de la Fondation Pierre Gianadda (quelque 12 000 ouvrages), déposée à la Médiathèque Valais-Martigny.

6 juillet. Remise des insignes de Commandeur de l'Ordre des Arts et des Lettres par Son Excellence, M. Jean-Didier Roisin, ambassadeur de France à Berne.

17 septembre. Pose de la dernière sculpture sur le treizième giratoire de Martigny, réalisée par Michel Favre.

Novembre. Présentation de la nouvelle muséographie du Musée gallo-romain.

2008   *19 novembre*. Trentième anniversaire de la Fondation Pierre Gianadda.

Dimanche 13 avril 2008.

PHOTO: MICHEL DARBELLAY

4 juin 2003: devant le Palais de l'Institut de France.

PHOTO: MARCEL IMSAND

Remerciements

Je tiens à remercier infiniment toutes les personnes qui ont participé à la réalisation de cet ouvrage, tout particulièrement son auteur, M. Daniel Marchesseau, assisté de Mlle Anne-Laure Blanc.

Ma gratitude s'adresse également aux auteurs des textes qui enrichissent ce catalogue, Mmes Meret Meyer-Graber et Dany Sautot, ainsi que MM. Jean Clair, Michel Veuthey et François Wiblé.

Mes remerciements vont bien entendu aux auteurs des portraits qui illustrent les biographies, tout spécialement ceux de Martine Franck et Henri Cartier-Bresson, ainsi qu'aux talentueux photographes dont les documents, réalisés en toutes saisons depuis de nombreuses années, ornent avec bonheur cette publication, notamment Marcel Imsand, Michel Darbellay, Arnaud Carpentier, Georges-André Cretton et Heinz Preisig.

Je tiens encore une fois à souligner le rôle essentiel des Amis de la Fondation, suisses et étrangers, qui nous ont permis de développer notre politique d'acquisitions, de concerts et d'expositions.

Je dis toute ma reconnaissance à nos généreux amis, sponsors et mécènes, tout spécialement la Loterie Romande, qui nous soutiennent fidèlement depuis trente ans.

Enfin, que toutes celles et tous ceux qui ont contribué à nos recherches soient également remerciés:

La Commune de Martigny
L'Etat du Valais

The Aldrich Contemporary Art Museum, Ridgefield, Connecticut: MM. Harry Philbrick et Richard Klein
Mme Corice Arman, New York
Fondation Arp, Clamart: Mmes Claude Weil-Seigeot et Chiara Jaeger
Fondazione Marguerite Arp, Locarno: M. Rainer Hüben
Galerie L'Art en Mouvement, Paris: M. Antoine Villeneau
Fundació Tallers Josep Llorens Artigas, Gallifa (Barcelone): MM. Joan Gardy Artigas et Isao Llorens
M. Emmanuel Bender, Martigny
Galerie Claude Bernard, Paris: M. Claude Bernard et Mme Nadine Bernard
Bernisches Historisches Museum, Berne: Mme Marianne Berchtold
M. Gérard Berrut, Paris

Musée des Beaux-Arts et d'Archéologie, Besançon: Mme Ghislaine Courtet
Galerie Beyeler, Bâle: M. Ernst Beyeler
M. Leonardo Bezzola, Bätterkinden
Max, Binia + Jakob Bill Stiftung, Adligenswil: M. Jakob Bill
M. Rudolf Blättler, Lucerne
Mme Bénédicte Boissonnas, Paris
Musée Bourdelle, Paris: Mme Juliette Laffon
Mme Velma Pol Bury, Paris, et M. Pascal Gillard, Perdreauville
Mme Stéphanie Busuttil, Paris
Calder Foundation, New York: M. Alexander S. C. Rower
Museo Chillida-Leku, Hernani (Gipuzkoa), et Mme Eduardo Chillida
Mmes Maria et Rita Chiocchetti, Curino
Christo et Jeanne-Claude, New York
M. Martial Constantin, Martigny

Fonderie de Coubertin, Saint-Rémy-lès-Chevreuse, Mmes Evelyne Poupeau et Pascale Grémont, M. Yvon Rio
M. Yves Dana, Lausanne
M. Willy Darbellay, Martigny
Mme Adèle Ducrey, Martigny
Mme Denyse Durand-Ruel, Paris
Deutsches Forum für Kunstgeschichte – Centre allemand d'histoire de l'art, Paris
M. Aloïs Dubach, Valangin
Fondation Dubuffet, Paris: Mme Sophie Webel
Mme Elisheva Engel, Genève
M. et Mme Hans et Doris Erni, Lucerne
Max Ernst Museum, Brühl: Dr Jürgen Pech
Mme Tina Fellay, Martigny
Mme Laurie Gabioud, Martigny
Mme Edith Guex, Martigny
Association Annette et Alberto Giacometti, Paris: Mme Mary Lisa Palmer
M. Bruno Giacometti, Zollikon

M. Gidon Graetz, Vinciglia (Fiesole)
M. et Mme Michel et Corinne Guino, Paris
Mme Françoise Guiter, Paris
M. Umberto Guglielmetti, Martigny
Société Résines d'Art Haligon, Périgny-sur-Yerres:
    M. et Mme Gérard et Sylvie Haligon
Musée Ingres, Montauban:
    Mme Florence Viguier
Galerie JGM, Paris:
    M. Jean-Gabriel Mitterrand
M. Willy Joris, Martigny
M. Jacques Jottrand et Mme Anne La Barre, Mons
Yves Klein Archives, Paris:
    M. Philippe Siauve
M. Philippe Knecht, Genève
Claude et François-Xavier Lalanne, Ury
Galerie Lelong, Paris:
    M. Daniel Lelong, Mme Ariane Lelong-Mainaud et M. Patrice Cotensin
Galerie Louise Leiris, Paris:
    M. Quentin Laurens
Jeffrey H. Loria and Co., New York:
    M. Jeffrey Loria
M. et Mme Bernhard et Ursi Luginbühl, Mötschwil-Hindelbank
Fondation Marguerite et Aimé Maeght, Saint-Paul

Musée Maillol, Paris:
    Mme Dina Vierny, MM. Olivier et Bertrand Lorquin
Galerie Malingue, Paris:
    M. Daniel Malingue
M. Claude Margueret, Martigny
Fondazione Marino Marini, Pistoia:
    Mme Maria Teresa Tosi
Les Héritiers Matisse, Paris
M. Silvio Mattioli, Schleinikon
Médiathèque-Valais de Martigny:
    M. Jean-Henry Papilloud
Fundació Joan Miró, Barcelone
The Henry Moore Foundation, Much Hadham:
    MM. Timothy Llewellyn et David Mitchinson
M. Pascal Odille, Paris
Mme Reine-Marie Paris, Paris
Galerie Alice Pauli, Lausanne:
    Mme Alice Pauli
Picasso Administration, Paris
Musée Picasso, Paris:
    Mme Anne Baldassari
M. Antoine Poncet, Paris
Musée national d'Art Moderne, Centre Georges Pompidou, Paris:
    M. Alfred Pacquement
M. Jean-Louis Prat, Auvergne
M. André Raboud, Saint-Triphon
Mme Jacqueline Ramseyer, Neuchâtel
M. Jean-Pierre Raynaud, Paris
M. Gérard Régnier, Paris

Musée Rodin, Paris:
    MM. Dominique Viéville et Hugues Herpin, Mmes Hélène Pinet et Véronique Mattiussi
Mme Monique Rouiller, Soral
M. Yvon Rouiller, Bernex
M. Raphy Rouiller, Martigny
M. Maurice Ruche, Lausanne
The Niki Charitable Art Foundation, San Diego: Mme Jana Shenefield
M. Michael Schlich, Martigny
George and Helen Segal Foundation, North Brunswick
M. Gérard Seingre, Martigny
Norton Simon Museum, Pasadena
M. Werner Spies, Bourg-la-Reine
M. Hans Spinner, Grasse
Mme Helen Staub, Dietikon
Fonderie Susse, Arcueil:
    M. Hubert Lacroix
M. Sam Szafran, Malakoff
M. André Tommasini, Lausanne
M. Bill Udriot, Martigny
M. Roger Veluzat, Verbier
M. Bernar Venet, Paris - New York
Mme Isabelle Vérolet, Martigny
M. Fortunato Visentini, Martigny
M. Christian Vogel, Martigny
Mme Gillian White, Leibstadt
Mme Antoinette de Wolff, Martigny
Mme Monique Zanfagna, Martigny
Fonderie Zermatten, Martigny
M. Gil Zermatten, Martigny

Pour conclure, j'adresse ma vive gratitude à l'ensemble de mes collaboratrices et collaborateurs de la Fondation, ainsi qu'aux entrepreneurs, transporteurs, peintres, jardiniers, efficaces et fidèles depuis trois décennies.

Léonard Gianadda
Président de la
Fondation Pierre Gianadda
Membre de l'Institut

Table des matières

Crédits photographiques

© Arnaud Carpentier: couverture et pp. 27, 29, 30-31, 40, 41, 47, 48-49, 51, 53, 72, 75, 78, 82, 92-93, 98, 110-111, 113, 115, 117, 132, 134, 136-137, 139, 182, 183, 261, 273, 283, 293, 303, 304, 305, 306, 307, 308, 309, 310, 311, 312, 344, 346, 348, 349

© François Mamin, *Le Nouvelliste*: couverture et p. 2

© Archives Léonard Gianadda: pp. 6, 7, 372, 373, 374, 375, 378, 379, 381, 383, 385

© Michel Darbellay, Martigny: pp. 8-9, 10-11, 12, 14, 16-17, 18, 19, 20, 33, 35, 37, 43, 45, 60, 76-77, 86-87, 95, 97, 99 *(en bas à gauche)*, 101, 105, 107, 114 *(bas)*, 119, 121, 122-123, 127, 128, 129, 131, 133, 139, 142-143, 144-145, 160-161, 163, 164, 165, 166, 167 *(gauche)*, 168-169, 172, 173, 182, 183, 188, 189, 190, 191, 198, 199, 206, 211, 213, 218, 219, 229, 230, 234, 235, 238, 239, 242, 243, 244, 246, 248, 252, 265, 266, 275, 277, 281, 285, 287, 288-289, 290, 291, 294, 295, 297, 299, 303, 304, 305, 306, 307, 308, 309, 310, 311, 312, 313, 314, 345, 382, 384, 386

© Photo Martha De Giacomi: pp. 23, 180

© Arman Studio, photo Ewa Rudling: p. 26

© Gil Zermatten, Martigny: pp. 27, 140, 189, 212, 316, 317, 318, 319, 320, 321, 322, 324, 325, 326, 327, 328, 329

© Herbert List / Magnum: p. 28

© Georges-André Cretton, Martigny: pp. 32, 34, 50, 54, 55 *(gauche)*, 56, 57 *(bas)*, 62, 71, 88, 89, 146, 147, 148, 149, 187, 210, 270, 274, 276, 279 *(haut)*, 280, 282, 286, 291, 292, 296, 298, 339, 340, 341, 342, 343, 354, 355 *(bas)*, 379, 383

© Agence Valpresse, Sion: p. 379

© Gaechter+Clahsen: pp. 34, 150

© Musée Bourdelle, Paris: p. 36

© Centre Pompidou, Paris, AM 1988-1704, photo Edward Steichen: p. 38

© Photostudio Heinz Preisig, Sion: pp. 39, 58-59, 61, 64-65, 67, 68, 73, 84-85, 91, 103, 109, 125, 157, 158-159, 174-175, 176-177, 178-179, 182, 183, 196-197, 201, 203, 204, 205, 207, 209, 220, 225, 227, 231, 237, 240, 245, 250, 251, 290, 304, 305, 306, 307, 308, 309, 310, 312, 313

© Archives Pol Bury: p. 42

© Photo Pascal Gillard: p. 44

© Henri Cartier-Bresson / Magnum, Paris: pp. 46, 90, 100, 214, 228, 232

© Photo Daniel Marchesseau: pp. 46, 96

© Archives Fondation Pierre Gianadda: pp. 52, 57, 80-81, 116 *(haut)*, 152-153, 183, 208, 216, 217, 247, 272, 284, 288, 304, 306, 307, 312, 313, 330, 332, 350, 352, 353, 354, 356, 357, 358, 359, 360, 361, 380

© Photo Stéphanie Busuttil: pp. 55 *(droite)*, 57 *(haut)*

© Archives Marc et Ida Chagall, Paris: p. 58

© Archives Georges Kostelitz, Paris: p. 69

© Museo Chillida-Leku, photo Hans Spinner: p. 74

© Photo Hans Spinner: pp. 151, 154

© Archives Aloïs Dubach, photo Yves André, Saint-Aubin: p. 78

© Archives Fondation Dubuffet, Paris, photo Wolf Slawny: p. 79

© Archives Elisheva Engel, Genève, photo Télévision Suisse Romande: p. 82

© Photo Romy Moret: pp. 83, 279 *(bas)*

© Archives Pascal Odille: p. 94

© Photo Hirohisa Takano-Yoshizawa: p. 99

© Fondation Dina Vierny / Musée Maillol, Paris, photo Karquel: pp. 102, 226

© Fondazione Marino Marini, Pistoia: p. 104

© Archives Joan Miró: p. 106

The illustration on page 108 has been reproduced by permission of the Henry Moore Foundation

© Galerie Alice Pauli, Lausanne: pp. 112, 114 *(haut)*

© Photo Georges Dumas, Paris: p. 116 *(bas)*

© Archives Denyse Durand-Ruel, Rueil-Buzenval: p. 118

© Archives Durand-Ruel, Paris: p. 120

© Archives Richard Guino: p. 122

© Photo Luc Joubert: p. 124

© Archives Musée Rodin, Paris: pp. 126, 132, 240, photo César: p. 194, photo E. Druet: p. 246, photo Hugues Herpin: pp. 128, 129, 130, 131

© Fonderie de Coubertin: pp. 254, 255, 256, 257, photo Yvon Rio: pp. 130, 131

© Monique Rouiller: p. 134

© Photo Leonardo Bezzola: p. 135 *(haut)*

© Photo Kurt Reichenbach: p. 135

© Photo Marcel Imsand: pp. 136, 368, 369, 371, 381, 382, 385, 387

© Galerie Lelong, photo Michel Nguyen: pp. 138, 139, 382

© Martine Franck / Magnum: pp. 140 *(haut)*, 220

Catalogue

Daniel Marchesseau
Léonard Gianadda
Anne-Laure Blanc
Roger Veluzat

Editeur: Fondation Pierre Gianadda, 1920 Martigny, Suisse
Tél. +41 027 722 39 78
Fax +41 027 722 31 63
http://www.gianadda.ch
e-mail: info@gianadda.ch

Maquette: Nelly Hofmann et Jean-Marc Dewarrat, IRL
Correction: Alain Michet, IRL
Composition,
photolitho et
impression: Imprimeries Réunies Lausanne s.a., 2008
sur papier couché Satimat 150 gm²